JN236168

D.ロウントリー

新・涙なしの統計学

加納 悟 訳

Statistics Without Tears
A Primer for Non - mathematicians

新世社

Statistics Without Tears
A Primer for Non-mathematicians
by Derek Rowntree

Copyright © Derek Rowntree, 1981
First published in Great Britain in the English language by Penguin Books Ltd.
The moral rights of the author have been asserted.
Japanese translation rights arranged with Penguin Books Ltd., London through Tuttle-Mori Agency, Inc., Tokyo.

　　本書は株式会社新世社がタトル・モリ　エイジェンシーを通じてペンギン・ブックス社との契約により，その英語版原著を翻訳したもので，この日本語版は新世社がその著作権を登録し，かつこれに付随するすべての権利を保有する。

新版によせて

　「涙なしの統計学」が訳出されてから10年以上たった。本文や演習問題に含まれる例にやや時代遅れの感が出てきたとも思われ，ここで「新・涙なしの統計学」として内容を一新することにした。原著が改訂されたわけではない。変更のポイントは二つある。まず，旧版に見られる誤訳や読者に誤解を与えそうなあいまいな表現をすべて直した。そして教科書に盛り込むべきトピックと訳者が考える内容を大胆に書き加えた。もちろんこれは原著者の賛同を得た上でのことである。

　本文は一編の詩から始まる。この詩は訳者が昔どこかで読んだもので，その内容は深く印象に残ってはいるが，細部の表現はおろか誰によって書かれたものか，どこで出会ったかすら覚えていない。（もし読者の中にご存知の方がおられたら是非ご一報いただきたい。）ただ本書にうってつけの詩だと思うので，「涙の湖」と勝手にタイトルを付け紹介した。

　統計学の教科書に関していえば，外国の教科書のほうがはるかにわかりやすいという定評がある。今回原著を読み直して，よくもここまで何度も何度も同じ内容を面倒がらずに繰り返し説明するものだつくづく感心した。何度も繰り返すことによって読者が十分に理解できるよう駄目押しする。できれば読者の最後の一人にまで理解してもらいたいという原著者の教育に対する考え方が現れていると思う。教師としても学ぶところが多い。このような本を紹介できることを正直うれしく思った次第である。

　2001年　秋

　　　　　　　　　　　　　　　　　　　　　　　　　　加　納　悟

初版 訳者はしがき

　梅雨の切れ間，夏が近いことを思わせるある日，啓明社の小関さん（現新世社）が一冊の本を片手に横浜国立大学のキャンパスに来られた。その本は，ペンギンブックスからの新刊書で統計学の入門書であった。それがこの本との出会いである。幻想的な表紙に魅せられたこともあり，一気に読み進むうちに，従来のテキストには見られない新鮮味を感じ，訳出に踏み切ることにした。そののち，出版元が新世社に変わり，このたび新装版として出版されるはこびとなった。

　この本は，数学を苦手としている人のために統計の手ほどきをすることを意図しており，"統計的思考法は数学によらずとも会得しうるもの"という著者の強い信念に基づいている。実際，本文中に引用される例では，極力簡単な数値を用いたり，つとめて計算の必要がないように工夫されている。その分，図や表をふんだんに取り入れ，読者の理解を深めようとしている。

　統計学のテキストはまことに数多いが，その内容はきわめて一様である。訳者には，そのほとんどが数学的であり，確率論，分布論に偏りすぎているように思われる。読者の必要性やレベルに応じたテキストがもっとあっても良いのではないだろうか。本書は，(1) 短大あるいは大学の初年度の学生にとっての入門的教科書 (2) 統計学を初めて学ぶ人に統計的な考え方を知ってもらうための知的読物となることを目指している。それゆえ，すでに統計学に興味を持ち，レベルの高い教科書に挑戦しようという人には必ずしも薦められない。反面，本書は日本で5本の指に入るぐらい簡単な教科書だと思われる。読者にこの本を読んでいただき，「統計学とは，実はおもしろい学問なんだ」と感じていただいたならば，著者の意図は90％成功しているといえよう。

訳出にあたり，できる限り著者の人となりが伝わるようにつとめた。そのためには，私の友人，マーク・ミルズ氏（オーストラリア）とジェーン・モリソン嬢（アメリカ）ら英語を母国語とする人たちとの微妙な箇所についてのディスカッションが役に立ったと思う。また，私の同僚かつ友人である横浜国立大学経済学部の倉沢資成氏には原稿を読んでいただき，貴重な助言をいただいた。さらに，横浜国立大学教育学部数学科の前崎芳江嬢，石原みどり嬢には，浄書，校正等の煩雑な仕事を手掛けていただいた。原著者の意図を読者に正確に伝えることができたとすれば，これだけ多くの人たちの手を煩わせたおかげだと思う。ここに厚く感謝の意を表したい。もちろん，この訳本に見られるかもしれない様々な誤りは，すべて私個人の責任であることは言うまでもない。

　最後になるが，小関さんにはひとかたならぬお世話になり，またご迷惑をもお掛けした。ここに氏の御尽力に心から感謝すると共に，新世社の発展を祈りたい。

　1991年　秋

加　納　　悟

謝　　辞

　この本をロンドン・ビジネススクールのピーター・モーア教授に捧げる。彼のおかげで，私が読者に与えたかった統計的アプローチの成功に自信がもてたと思う。

　さらにこの機会に，公開大学（オープン・ユニバーシティ）の僚友たち，ブリアン・ルイス教授，ジョン・ビビイ教授，ゴードン・バート教授，フレッド・ロックウッド教授，そしてペンギンブックス社の顧問編集長，デヴィド・ネルソン氏にも感謝の意を表したい。彼らの草稿に対する詳細にわたる建設的なコメントは，この本の最終稿を仕上げる際，大いに手助けとなった。最後に，私の秘書へディア・ダーリングに対して感謝したい。彼女は，誤りのないタイプ原稿を作成してくれた。そのおかげで，僚友たちとのディスカッションもスムーズにすすんだと思う。

目　次

はじめに　1〜5

1章　統計的調査　6〜23

経験の理解　7　　統計とは何だろう　10　　記述統計と推測統計　13　　標本の収集（サンプリング）　17　　練習問題 1.　22

2章　収集された標本の記述　24〜35

統計的変量　24　　誤差，精度，そして近似値　32　　練習問題 2.　35

3章　データのまとめ方　36〜58

表とグラフによる表現　36　　中心化の傾向（あるいは平均）　47　　ばらつきの尺度　50　　練習問題 3.　57

4章　分布の形状　59〜88

歪んだ分布　60　　正規分布の導入　66　　正規曲線のもとでの割合　76　　値の比較　84　　練習問題 4.　87

5章　標本から母集団へ　89〜112

推定値と推測　90　　サンプリング（標本抽出）のロジック　94　　標本平均の分布　95　　母集団平均の推定　103　　その他のパラメータの推定　108　　練習問題 5.　111

6章　標本間の比較　113〜140

同一の母集団からか，あるいは異なる母集団からか　113　　有意性検定　118　　有意性の意味　127　　ちらばりの比較　133　　ノンパラメトリックな方法　136　　練習問題 6.　140

7章　有意性検定の応用　141〜170

片側検定対両側検定　142　　z 検定と t 検定　152　　いくつかの平均の比較　154　　比率の比較　164　　練習問題 7.　169

8章　関係の解析　171〜214

ペアになった値　172　　三種類の相関　177　　相関の強さ　179　　共分散と相関係数　181　　相関係数の有意性　186　　相関係数の解釈　190　　予測と回帰　198　　練習問題 8.　213

あとがき　215〜220

練習問題解答　221〜228

索引　229〜231

はじめに

　　　涙の湖

　フランスのある森の奥深くに一つの湖がある。
　その湖の水は，あたりに住む人々が，
　苦しいときや悲しいときに流した涙からなるという。
　しかし，その湖の水の量で，
　人々の苦しみや悲しみを推し量れると思ってはいけない。
　本当に苦しいときや悲しいとき，涙は出ないのだから。

　ここに「涙なしの統計学」という一編の初等的な統計学のテキストができあがった。雨後の竹の子のごとく，さまざまな統計学の教科書が出版されている現在，さらに一冊の本を加えることはいったい意味のあることなのであろうか。いったい誰のために書かれたものであろうか。これまで多くの著者たちが踏みならしてきた道とは別の道を通って，統計学へと学生たちを導くことができると信じるようになったのは，なぜであろうか。

　この本がこれまでの本といかに異なるかは，そのタイトルとして私が考えたものをみてもらえばわかると思う。それらは，"計算なしの統計学"，"数字に弱い人のための統計学"，"言葉と絵による統計学"，"統計学の基本概念"，"いかに統計的に考えるか" といったものである。

　これらのいずれもが，私の姿勢や，ここで意図した接近法について何らかのことを物語っていると思う。最初の二つのタイトルは，多くの数学を苦手とする読者が，より広い勉強のプログラムの一貫として統計学のコースを履習する（またそうさせられる），ということを想定している。このような数学に慣れていない学生たちは多分，公式や方程式や計算が充満しているペー

ジを見れば，多少なりともとまどいを感ずるであろう。

　統計の教科書の中には冒頭において，「読者は加減乗除，あるいは公式に数字を代入するといった程度の労力以上のものは何も必要ではない」と述べているものも多い。しかし，そういった教科書においてさえも，学生たちはしばらく計算しているうちに，あまりにもその計算に時間がかかり，また夢中になってしまうため，なぜその計算を行っているのかということを忘れてしまうのである。つまり，彼は計算という木を見るあまり統計という森を見ることができないというわけである。

　三番目のタイトルは，言葉や絵の力によって計算なしに統計学の本質を伝えたいという私の希望を表していると思う。さらに，最後の二つのタイトルは，統計学の初等的な教科書において，私が何に重点を置くべきと考えているかを表している。それは計算ではなく，統計的な考え方なのである。この本は，単にいかに"数をかみ砕き，答えを吐き出す"かを教えるだけのものではない。それはあなたのパソコンがやることである。統計的思考の重要さを学び，それによって統計学を適用すべき現実の問題に関して，統計的に考えることを教えるものである。読者が統計の利用者であるならば，すなわち，他人の研究レポートを解釈するだけとすれば，この本で十分である。しかし，読者が統計の作成者であるならば，必要な計算を実際にどのように行うかを教えてくれる本は他に数多くあるのでそれらをも参考にしてもらいたい。

　統計学の概念をまず全体的に把握したうえで，さらに進んでこういった計算の手順を学ぶことは意味あることだと，読者は気付くはずである。そのような読者に対して，この本は入門書として役に立つと思うし，それが副題で意図したことである（原著には"非数学専攻者のための入門書"という副題がついている）。

　おわかりのように私は結局「涙なしの統計学」というタイトルを採用した。これによって，統計学の学習を無理強いされている学生たちも，泣かずとも（また嘆いたり，歯をくいしばったりせずとも）学びとることができることを期待する。しかし，注意しておきたいのは，私は努力なしの統計学というつもりは毛頭ない。読者には統計学を理解するために一所懸命努力してもら

いたい。

この本の使い方

すぐに気づくと思うが（あるいは，すでに気づかれているかもしれないが），この本は通常のテキストブックのようにスラスラとした流れをもってはいない。数多くの言葉を並べ，読者に"一人で読み，学び，理解"してもらうかわりに，随所で立ち止まり，質問を投げかけている。この質問形式は講義というよりは，むしろ活字による個人指導といえるものである。これは英国の公開大学で行われた通信テキストでかなりの成果を収めた方法であり，最近の教科書の中でも採り入れられている方法である。

前にも述べたごとく，私の質問は，計算を必要とはしない（私の聞くことといえば，せいぜいそれまで論じたものが他のものに比べ大きいかあるいは小さいかくらいである）。それゆえ，むしろ私の質問は，読者にそこで論じている概念についての例を知ってもらうためのものといえる。それによってその概念が通用されうる例とそうでない例との区別，あるいは他の概念との関連，さらにその概念の実際問題への適用，そして起こりうる事態の予測，または結果の解釈といったことができるようになる。要するに私の質問は，読者に単に読むだけではなく，考えてもらうことを意図している。それゆえ強調すべき点にいたったときには，たとえば，数行後に出てくるような星印（＊＊＊）の行に折々出会うことになる。そして，その星印の行の直前には何らかの質問がなされている。ここで，これまでのことを確認するために，一つ質問をしてみよう（ここでの質問は選択方式である）。

さてこれまで述べてきたことから判断して，質問形式をとることの目的は何であろうか。それらは，

a. 読者の読解のスピードを遅らせるため。
b. 読者が学ぶ手助けとするため。
c. 読者がそこで学んだことをテストするため。

＊　　　　＊　　　　＊

議論を進めていく前に，星印の行の直後にその質問に対する解答として，私のコメントが述べられている。たとえば上の質問についていえば，読者はbを選ぶと思う。しかしながら，私の質問が読者の読解のスピードを遅らしめるということもまた事実である。当然，それらの質問によって，読者は読むと同時に考えなければならないから。さらにときには，質問が読者のそれまで学んだことをテストすることもありうる。しかしながら，質問の主たる目的は，われわれが論じている概念を用い，読者が理解していることを確認することである。

　それゆえ，星印の行は「いったん停止，この質問に答えるまでは先へ進むな」というメッセージを，読者に喚起するための信号とでも解釈してもらいたい。通常，質問に答えるにはほんの数秒しかかからず，また，おそらく何も書く必要もないと思う。しかし，私の質問に対するコメントを読む前に，必ず各質問に答えるようにしてもらいたい。質問をとばして読もうとすれば，多分ずっと速くこの本を読み終えることができるであろうが，それでは多くのことを学んだことにはならない。また，質問に答える前に，チラッとでも私のコメントを見てはならない。紙などを用意して（読者がそれを読むにいたるまで）星印の行のすぐ下の部分を覆い隠しておくのも一つの手だと思う。

　この本を読むにあたって言っておきたいことがあと四点ある。

(1)　主題は，おおむね順に並んでいる。すなわち，2章の考え方は1章の考え方を基礎としており，3章の考え方は2章の考え方に依存しており，3章における概念を理解しないでは4章は理解しえないことになっている。それゆえ，この本の章は順に読み，決して飛ばさないようにしてもらいたい。

(2)　このように各章を一つ一つ順を追って議論する方法は，読者にとってみれば（特に，読者が主として芸術や社会科学に興味を持つものであるならば）見慣れないものかもしれない。そのため，ときには新しい章に入る前に，前のいくつかの章を復習してみる必要があるかもしれない。こういった場合章中の小見出しを利用するのが便利であろう。また，文章中，重要な新しい概念を紹介する際には，それらを**太字**で書くことにより注意を促した。

(3)　ときにはなかなか理解できず，一つの節や段落を何遍も読むことが必

要かもしれない（そういったことは実際大切なことである）。たとえ読者がそういうことを何遍も行ったとしても，決して心配するには及ばない。この本に述べられている概念の多くは，くり返し読むことなしに（そして熟考してみることなしに），その意味を完全に把握することは至難の技なのだから。

(4) 最も効果的な勉強法は，読者がこの本で出会った統計的な概念について，先生や友だちや，あるいはその他のそのことについてよく知っている人と議論してみることである。そして，読者がそれらの概念を実際問題に適用する際には，瞳を大きく見開き，柔軟な態度であたってもらいたい。

〔訳者より一言〕　原著に加え，各章末には数題の練習問題を付記することにした。本文中にもいくつかの設問が含まれてはいるが，この本が教科書として用いられることを考えれば，学生の復習のために不可欠であるとの判断に基づくものである。もちろん，この本を"読み物"と考えられている読者にとっても，各章中の要点の再確認となり，統計を応用する際の手引きともなりうるであろう。

　読者には，紙と鉛筆を用意してもらうことになる。しかし，この本の主旨からして，読者にやっかいな計算を強いることは避け，できるかぎり簡単な数値を用いるように試みた。これらの問題に挑戦することにより，読者に望まれる「鳥の目」（あとがき参照）はより鋭いものとなると思う。

1章 統計的調査

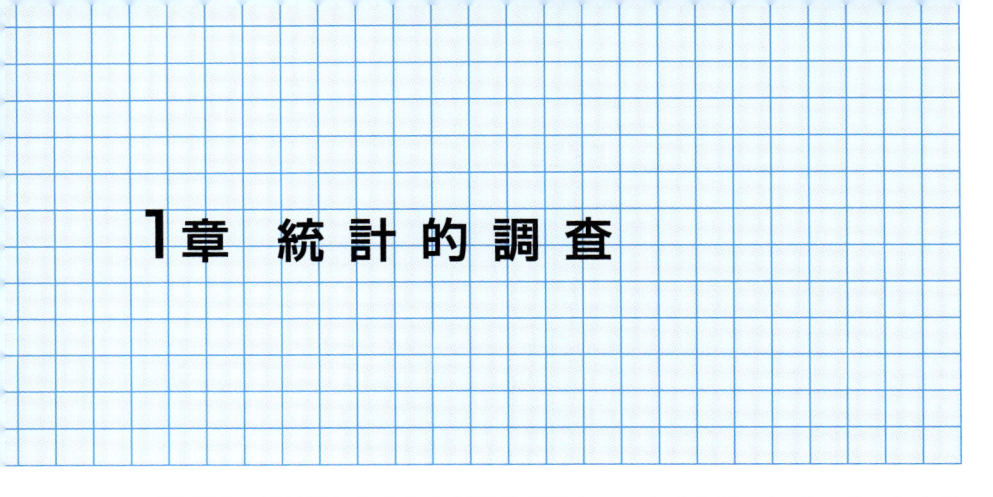

　読者は，統計学にみられる統計的思考といったものについて，まったくの素人というわけではない。実際，日常生活において前提としていることや意思決定のほとんどが，こういった統計的思考法に基づくものであるということがわかると思う。

　簡単な例をあげてみよう。私がこの本を書いている間，隣の部屋に二人の大人の友人がすわっていたとしよう。彼らの背丈は一人が1m50cmであり，もう一人は1m80cmを少々下まわる。このとき，この情報だけに基づいて，彼らの各々の性別について読者はどのように推測するであろうか。

＊　　　　＊　　　　＊

　おそらく，1m50cmの友人は女性であり，1m80cmに近い友人の方は男性であると確信をもって考えていると思う。もちろん，読者がまちがっていることもありうるが，経験からして男性が1m50cmであり，女性が1m80cmであるということは，きわめて稀である。全般的にみれば，男性の方が女性より大きいということを読者は知っている。もちろん，すべての女性と会ったわけではないし，男性より背の高い女性がたくさんいることもわかっていると思う。それにもかかわらず，読者の知っている"特別の"男性，女性から男性，女性"全体"に対して"一般化"することは合理的であると確信できる。すなわち，"他に何の情報もない場合には"背の高い大人は男性であり，背の低い大人は女性であるということの方が，より可能性が高いと考える。

　これは日常生活における簡単な統計的思考の例である。このほかにも例をあげることができよう。次のような表現に出会うことがある。"平均すれば，

私は1週間に約150キロメートル自転車に乗る"あるいは，"毎年この頃雨が多く降る"あるいは，"試験勉強を早く始めれば，それだけ試験によい成績を修めることができる。"このような場合には，実際に計算を行ってはいないが，統計的に語っているということになる。自転車の例では，過去の経験がおおまかにまとめられている。残りの二つの例では，天気が月日と共にどのように変化するか，あるいは試験の出来が勉強の仕方とどのような関係にあるか，について"特定の"年，あるいは"特定の"学生に対しての予測を行うために，これまでの経験が"一般化"されている。

経験の理解

　人類がだんだん賢くなり，われわれをとりまく環境に対し多くのコントロールが可能になったのは，経験から多くのことを学んだからである。これは人類の何世紀にもわたる発展についていえることである。また，われわれ自身の生涯における個人としての生活においても同様のことがいえる。幸いにも，われわれには物事を認知する能力が与えられている。われわれは，まわりをとりまく世界にいる人々や物事や出来ごとを観察する。そして，それらの類似性や相違を，そしてそこに見られる傾向や規則性を認知する。それらがわれわれに害を及ぼしたり，あるいは反対に利益になったりするときにはとくにそうである。

　日常行う観察においては，数を数えたり，あるいは測定したりすることが多い。われわれはそれらをおおまかに，かつ直観的に行うあまり，数量化の習慣をほとんど意識していない。それにもかかわらず，われわれの観察や比較は"どれくらいの量があったか"，"どれくらい大きかったか"，"どれくらいの頻度であったか"，"どんなにむずかしかったか"，"いかに速かったか"，あるいは"いかによかったか"などの言葉を用いて表されることが多い。

　観察は一つのものや人や出来ごとについてなされることもある。たとえば，ある畑における本年度のじゃがいもの収穫高に注目するといった場合である。また，一つのものについて幾種類かの観測値を得るということもある。たと

えばこの畑において，収穫高のみならず，同時にどれだけの肥料が用いられたか，土壌の性質はどうであったか，日光や雨量はどの程度であったかなどを観測するような場合である。さらにときには，ある面では似ているが他の面では異なる複数個のものについて観察がなされることもある。たとえば，いくつかの畑における今年度のじゃがいもの収穫高を観察することもあれば，一つの畑における幾年かの収穫高を続けて観察するということも考えられる。

かくして，一つの個体に関して幾度かの観察を行うこともあれば，いくつかの個体に関して観察を行うこともありうる。いずれにしても，その結果観測値の集合を得ることになる（あるいは，専門用語を用いて言えばデータを得ることになる）。われわれはあたかも本能的に，偶然注意をむけることになったこの事象に，関連やパターンや類似性や相違等を捜し始める。そしてそのデータに関して自問自答する。

たとえば，じゃがいもの収穫に関するデータ間に何らかの関連を見出そうとすれば，いったいどのような質問が考えられるであろうか。

＊　　　＊　　　＊

次のような質問が考えられる。本年度は，すべての畑において収穫が一様であっただろうか。あるいは，この畑における収穫高は毎年一定であろうか。もし一定でないならば，それはなぜであろうか。それらの畑や年度についてどのような相違があったために収穫高の相違が生じたのであろうか。

このような質問は，すべてが次のより重要な質問のためのものであるといってもよい。すなわち，「この一塊のデータ間に見出された関係から，将来より効率的に行動するために何を学びうるであろうか。」

これが，統計学の必要とされる所以である。統計学は観測値の集合を理解する手段として研究されてきた。その目的は短絡的な結論を避ける手助けとなり，われわれの通常限られた経験を注意深く一般化することにある。

この一般化の傾向は，われわれの日常生活にとって，本質的な役割を果たす。ある特別の畑は，ある種の肥料を施されたところ，例年より多くのじゃがいもの収穫があった。それゆえ，これを一般化し，他の畑もこのように処理した場合には，いつもより多くのじゃがいもの収穫があると言いたくなる。

読者はこのように一つの畑における経験から，それを一般化してもよいと考えるであろうか。また，その理由はなぜだろうか。

＊　　　＊　　　＊

実際，このような一般化は危険である。まったくの誤りという可能性もある。というのは，収穫が多かったのは，肥料のせいではなくて，天候がよかったためかもしれない。それゆえ，たとえ同じ畑で同じ肥料が施されたにしても，翌年にはまったく異なる収穫をもたらすということは十分考えられる。すなわち，われわれは早合点して誤った結論を導いたことになる。そして，他の畑に関していえば，土壌の種類とか，前年度の作物の成長具合とか，近くの畑における病気の流行といったような，じゃがいもの収穫高に影響を与えうる諸々の要因が，この畑とは異なっている可能性もある（それゆえ，そう簡単に一般化はできないということになる）。

つまり，ある年のある畑についてあてはまることが，たとえ同じ畑であっても年が違えば必ずしもあてはまらないわけであるから，他の畑についてはなおさらあてはまらない。もし，より確信をもって一般化したいならば，より多くの経験が必要とされる。すなわち，より多くの観察が必要となる。より多くの畑を幾年にもわたって見れば，それだけ他の同様な畑におけるじゃがいもの収穫がどのようであろうかを確信をもって予想できる。

しかし，上の文章の「どのようであろうか」という言葉に注意してもらいたい。「もっともらしさ」，あるいは「可能性」（すなわち確率）は，世の中についての統計的なものの見方の中心となるものである。それは特に個々の人間や事象について考えるとき，100パーセント確かということはありえないということを認識するものである。たとえば，ある種の畑は，もしある種の方法で処理されたならば，より多くのじゃがいも生産が期待できるということは"一般的には"ありうるが，そこには多くの例外もある。

さて，以下の二つの場合，どちらが正しい予測を行いうるだろうか。

(a) あるタイプの畑は，各々しかじかの方法でとり扱われたならば，一般的にいってより多くの収穫高をもたらすと予測する。

(b) 読者が任意に選んだ特別な畑において同様のことを予測する。

* * *

おそらく(b)よりも(a)の方が的中しやすいであろう。このような畑は，一般的に（たぶん十中八，九までが）予想した通りの結果をもたらす。がしかし，読者がたまたま選んだ特別な畑も予想どおりであるというわけにはいかない。

後に見るように，統計学とは（一般的にいった場合，そして長い目で見た場合）事象間の信頼するに足る規則や関連を捜し出す手助けとなるものである。しかしながら，それらが任意の特別な個体についても同様に成り立つことを安易に期待してはならないということを教えてくれる。統計学の主たる目的は，

(1) われわれの経験を要約し，それによって人々がその本質を理解することができるようにする。
(2) そこで要約された事実に基づき，その他の（おそらく将来の）状況においてどのような結果が得られるかを推定，あるいは予測する。

の二点につきる。

この本では，われわれが日常会話において普段行うよりも正確に要約し，予測することを可能ならしめる統計的概念について学ぶ。

統計とは何だろう

先に進む前に，ここで統計という言葉が四つの異なる意味に用いられるという点に注意しておきたい。まず第一にそれは一つの学問分野を表し，その名のもとに学ばれ実行されるすべてを表す。第二に，もう少し特定化し，定量的なデータを収集し，処理し，そして解釈するために用いられる"方法"を表す。第三に，それらの方法によって集められた"データの集合自体"を表す。そして第四に，このようなデータの集合の特徴を把握するために特別に計算された"ある種の数字"（たとえば，平均）を表す。たとえばこれらの四つの定義を順に用いて文章を作ってみると次のようになる。ある会社の統計課の研究者は，統計（統計的方法）を用い，新しい洗剤の売り上げにつ

いての統計（データ）を集め，それを解釈し，その結果気づいたこと（たとえば「いろいろな町における千人当りの平均売上げとか，売上げの相違」といったもの）を統計としてまとめる．

　この本でとくに強調したい統計の定義は，上で述べた第二のものである．すなわち，調査の方法としての統計である．それによって定量的な測定や観測が必要なさまざまの状況において，統計的に物を考える——それは非常に力強い思考法である——ことができるようになる．

　広い意味での統計的思考は，古くから行われている．はるか昔から国王や政府は，自分たちの領地の人口や資源について統計を集めてきた．英国王ウイリアム一世（William the Conqueror）のために編集されたThe Domesday Book（最初のイングランド土地台帳）ですら，比較的最近の例といえよう．古くは旧約聖書においてすら，古代エジプトのファラオのように，ピラミッドを建てたり，戦争に勝つために何人の国民を使うことができるかとか，あるいはどれだけの富を国民から税金によってしぼり取ることが可能であろうか，というデータに非常に興味を抱いた支配者のことが述べられている．今日でも政府は，生計費，失業，生産額，出生率，輸出入額などの（データの集合という意味での）統計を最も多く作成するところである．たとえば，年間統計彙報を見れば，何百ページものデータが英国政府から発行されており，また同様な刊行物は他の多くの先進国でも発行されている．

　さらに，統計的思考という面ではギャンブラーもまた重要な貢献を果たしたといえる．偶然を伴うゲームにおいて，オッズを何とか計算したいと考えた彼らのおかげで，今日の確率論が発展を遂げた．確率論は，ほんの17世紀になって研究され始めたばかりであるが，フランスの数学者ブレイズ＝パスカルが，サイコロ好きの友達によって出された問題に興味を示したことに始まるといわれている．ギャンブルをするためのテーブルは予測に関する理論を実験するための格好の場所であったわけである．がしかし，確率論はすぐに天文学・遺伝学・経営学等の分野において，さらに戦術学においてもその力を発揮した*(次頁)．

　今日，統計的思考法にかかわらない専門分野は皆無といえるほどで，大部

分の学問領域で多かれ少なかれそれを利用している。その科学における応用は，特に遺伝学や医学や心理学といった生化学においては膨大にあることがよく知られている。しかし，自然科学（たとえば気象学，そして物理学）においてもまた，統計的手法は必要である。そしてさらに，人間のかかわる分野においてすら，たとえば，古代の編物や陶器の断片からそれらの作られた時代を推定する方法も，本質的には統計的手法といえるラジオ-カーボンを用いた方法によって大変革が遂げられた。さらにまた，統計的手法は文学においても，たとえばある本がある著者によって書かれたかどうか，あるいはそれはいったい彼の人生のいつごろ書かれたのであろうかといったような疑問に答えるためにも使われてきた。このようにして統計は，われわれの日常の思考から発展し，体系的な研究のために随所に用いられる道具となったわけである。

　それにしても，統計的な思考法がこのようにさまざまな目的に用いられるのは，いったいなぜであろうか。統計は，不確実性に対する警戒心から生まれたものである。統計的な考え方は，世の中に対するわれわれの観察が完全なものではありえない，ということを認識するものである。われわれのなす観察は常に何らかの不確実性を伴う。たとえば，ある子供の背丈が1m20cmであると記録したとしよう。その場合，おそらく彼の身長は，1m19.5cmから1m20.5cmの間であって，正確に1m20cmということではないであろう。もし現在ある観測値によって，他にどのような観測値が得られるかを推定しようとすれば，不確実性の度合いはさらに大きくなる。たとえば，この子供のクラスの平均身長が1m20cmであるということに基づき，他のクラスの平均身長を予測するようなケースである。

　このような問題においては，100％確実であるということは，まずありえない。しかし，統計学によって誤差の程度を推定することが可能となる。つまり，ほぼまちがいなく子供の身長は1m20cmからプラス・マイナス5mm

---

　　＊　日本語で書かれた確率に関する本はたくさん出版されているが，本書と同レベルのものとして『確率のはなし』（大村平著，日科技連出版社）をあげておくので，興味のある読者は参照されるとよい。

の範囲の中にあるというように主張しうる．あるいは，他のクラスの平均身長が，たとえば1m20cmの前後5cmの間にある可能性は，百中九十九であるというように計算することも可能である．

記述統計と推測統計

統計の教科書においては普通
(1) 記述統計（観測値を要約し，記述するための方法）
(2) 推測統計（観測値を推定や予測をするための基礎として用いる方法．すなわちこれまでに観測されていない状況について推測する方法）

の二つの区別がなされている．

すでに述べた日常生活における三つの話題をふり返ってみよう．さて，上に示した意味で，いずれが記述的でありいずれが推測的であろうか．

(ⅰ) 平均すれば，私は車を一週間に約150キロメートル運転する．
(ⅱ) 毎年この頃になると雨が多く降る．
(ⅲ) 試験勉強を早く始めれば，試験においてよい成績を修めることができる．

*　　　　　*　　　　　*

(ⅰ) は経験をまとめようとしており，よってこれは記述的である．しかるに (ⅱ) と (ⅲ) はこれまでに観測された以上のことを述べており，将来において何が起こりそうかという推測を行っている．

記述統計と推測統計の相違は，標本と母集団の相違であるといってもよい．

統計的な専門用語としての母集団は，必ずしもその英語（Population）が示すように人々の集団を表すわけではない．それは，人々を表すこともあるが，そのほかにもハツカネズミを表すことや，特別なブランドの電球を表すこともあり，さらにバーミンガムの市街地にある標準的家屋，隕石，英国の高校における期末試験の成績を表すなどさまざまである．要は母集団とは統計家が推測や推定を適用したいと考えているすべての物や状況をさすのである．それゆえ，さまざまな統計家がいて，それぞれが（すべての）ハツカネ

ズミの学習能力を推測したり，ある特別なタイプの（すべての）電球がどれくらい長くもっているであろうかを予測したりする。あるいは（すべての）標準的家屋を修繕するためのコストを推し量ったり，（すべての）隕石の構成を予測したり，さまざまな試験に合格する（全）受験者の数を推し量ったりするわけである。

　もう一点注意しておきたいことがある。研究者は何も母集団中の個体のすべての面に興味をもってはいないということである。むしろ彼は，個体が共通してもつ数多くの属性や特色のうち，いくつかにのみ（それも一つだけのことが多いが）興味をもつことの方が多い。たとえば心理学者は，ハツカネズミの尾の長さや，一度に生まれてくる子供の数について知りたいとは思わないであろう（もちろん他の研究者にとっては，これらの特性は興味深いものであろうが）。彼は単にハツカネズミの学習能力にのみ興味を抱く。さらにまた宇宙物理学者にとっては，落ちてくる隕石の地理的分布とか大きさは，その成分の構成に比べて，おそらくさほど興味深いものではないだろう。

　しかしながら，たとえこれらの研究者が母集団の一つの特性にのみ興味の対象を絞ったとしても，それらすべての個体について調べることはまず考えられない。通常，彼ができることといえば，母集団内から選ばれた標本——比較的小さく選ばれたもの——を扱うことである。時間と費用の節約からこれを行わなければならないことも多い。たとえば宇宙物理学者にとってみれば，これまで地球上に落ちてきた隕石をすべて調査するために，世界中を旅行することは膨大な費用のかかることである。また，ある会社の研究者が自社の電球の寿命を"破壊テスト"によって推定しようとしたならば，母集団すべてを試験することは不可能である。そうすれば，一つも売るものがなくなってしまうからである。

　ときには，母集団のすべての個体を調べること自体，論理的に不可能なこともある。母集団が無限のこともあれば，あるいは調べようにも手に入らないこともある。たとえば，ハツカネズミの学習能力について研究している心理学者は，彼の得た結果とそれに基づく推測を，何らかの形ですべてのハツカネズミに対して適用したいと考えるであろう。単にこの時点で存在してい

る幾百万ものハツカネズミだけではなく，まだ生まれていない数え切れない数のハツカネズミに対してもである。さらに彼は，彼の得た結果を一般化して人間の学習能力を説明できればと考えるかもしれない。同様に宇宙物理学者は，彼の統計を用いて，単にこれまでに地球上に落ちてきた隕石だけではなく，さらに将来落ちてくる隕石に対して一般化したいと考える。さらに彼は，宇宙を飛び交うその他の物体の構成についても推測したいと思うかもしれない。

このような研究者はすべて，現在利用可能な情報をはるかに超えたことを試みている。彼らは，標本から母集団へ，現在見えるものから見えないものへと一般化しているわけである（誰もが日常の"常識"を用いる場合，気付かぬうちに何らかの形で一般化を行っているわけである）。標本を一般化するというこの考え方は，科学のみならず芸術の分野にも用いられている。たとえば，D.H.ローレンスとジョセフ・コンラッドが小説家としてどのように異なるかを一般的に述べるためには，彼らの作品のすべてを読む必要はない。各々の著者による二三の作品からなる標本を見ればよい。

ともかく，記述統計というのは，標本をまとめたり，記述したりするためのものである。これに対して推測統計は，標本に基づき，より広い母集団に対して推定，推測を行うためのものである。生物学者が，ひな鳥の餌付けの実験を行ったとしよう。彼は記述統計を用いて60匹のひな鳥からなる標本が，ある混合物を餌として与えたならば，通常の餌を与えられた同様の標本よりも速く成長すると報告したとしよう。通常，彼はそこに見られる事実以上のことをいおうとしている。つまり，彼は推測統計を使ってすべての同様なひな鳥（より広い母集団）も同様な餌を与えれば，より速く成長すると主張するのが普通である。

このような"部分から全体へ"の一般化には，どれほどの危険が伴うのであろうか。まさにこれが統計学の興味の対象となるところである。すなわち，誤りを犯す確率を定量化することにある。以下の章において，その基本的な考え方を見るであろう。しかしながら，この段階で一つだけいうことができるのは，一般化の信頼度というのは，いかにその標本が母集団を写している

かによるということである。はたしてその標本が本当に母集団を代表するものといえるかどうかである。

たとえば、「ある 12 歳のイギリスの少年たちのグループに対し、会話によってフランス語を教えたところ、教科書を用いて教えた同様のグループよりも目に見えて上達が速かった。」というある教育学研究者の意見が発表されたとしよう。他の研究者と同様、彼もまた、その標本の中に含まれる特別な少年たちの語学修得力にのみ興味を抱いているわけではない。彼はその他の人々（彼にとってのより広い母集団）が、どのようにすれば最もよくフランス語を学ぶことができるかを示すために、それを一般化したいと思っている。さて、ここで用いられた標本と同様、会話による方法が効果的であるという事実は、次の母集団のうち、いったいどの集団に対して最もあてはまるであろうか。また、それらのうち、どの集団に対しては最もいえそうもないであろうか。

（ⅰ）すべての 12 歳のイギリスの子供たち
（ⅱ）すべての 12 歳のイギリスの少年たち
（ⅲ）すべての 12 歳の少年たち
（ⅳ）すべての少年たち
（ⅴ）すべてのフランス語を勉強する人たち

* * *

問題となるのは、「その標本はどの母集団を代表するものと最も考えられるか、またその反対に、最も考えられそうもないか」ということである。それゆえ、その標本に見られた会話による方法の優位性は、母集団（ⅱ）、すべての 12 歳のイギリスの少年たちに対して最もあてはまるように思われる。しかしこれには大いに疑問の余地がある。すなわち、その標本がどうしてすべての 12 歳の少年を代表しているといえるであろうか。たとえば、その標本は、母集団全体に見られるさまざまな才能、語学に対する興味、語学経験などをもった少年たちをすべての面において同様に扱っているといえるであろうか。標本から母集団への一般化の試みが大きくなるほど、より多くの誤りを伴うこととなるのはしかたのないことである。少年と少女とでは、異な

る方法で勉強するのがよいかもしれない。また，外国の子供たちはイギリスの子供たちと同様の方法で勉強するのがよいとはかぎらない。さらに，大人の場合には子供たちとは異なる勉強方法が必要かもしれない。このように考えれば，この標本からの結論が最もあてはまりそうにもないのは，（v）の母集団，すなわち勉強する人すべてである。

　一般化のしすぎは日常会話には数多く見られるが，ときには科学論文においても散見される。研究者の中には，標本中の個体が一般化したいと思っている母集団の個体とは重要な点で異なるということに気づかないこともありうる。次のような例を考えてみよう。第二次世界大戦中，R.A.F.（英国空軍）爆撃機の操縦士たちが襲撃から帰ってきて，次のような質問を受けた。「敵機による攻撃はどの方向から最も多かったですか。」大部分の答えは"後上方から"ということだった。さて，読者が操縦士であるとした場合，このことがR.A.F.爆撃機について一般的にあてはまると考えることはなぜよくないのであろうか。（ヒント　操縦士の標本がどのような母集団からとられたかを考えてみること。）

＊　　　　＊　　　　＊

　この問題は決して簡単ではない。もし一般化に誤りがあるとすれば，それは敵の攻撃からの生存者にのみインタビューできたということである。後下方からの攻撃も後上方からと同様に行われたと考えられるが，敵からすればその方が成功したわけで，その結果，標本の中にはそれらが反映されていないわけである。

標本の収集（サンプリング）

　ここで論ずる問題は，いわゆるサンプリングのパラドックスと呼ばれるものである。標本はそれが母集団を代表していないかぎり，誤った理解を導くもととなる。しかし，その標本をとる前に，その母集団について何を知るべきかを知らないかぎり，どうしてその標本が母集団を代表しているということができるであろうか。ということは，標本を取る必要がないことになる。

このパラドックスを完全に解決することはできない。ある種の不確実性は，残らざるをえない。それにもかかわらず，統計的な方法を用いることによって，できるかぎり代表的であると考えられる標本を収集することが可能となる。それによって，最大限の注意を払うことにより，過度の一般化を避けることが可能となるわけである。

統計的調査においては，"標本がそれ自体を選ぶ"こともある。たとえば，ある開業医が彼の治療を受けにやってきた患者たちに見られる様々な病気の頻度に基づき何らかの研究を行うことを考えたとしよう。彼の標本中の個体はそれ自身を選んでおり，より広い母集団へと一般化するには十分注意を払う必要がある。その開業医は，標本中に見られるさまざまな病気が，一般の人々の典型であると思ってはいけない。その地方に住む他の開業医たちの患者も同様であると推測するならまだしも，異なる地域における医者たちが患者を同様の割合で治療していると考えるとすれば，それは誤りである。要するに，彼は次のように自問しなければならない。「私は，標本として興味あるデータをもっている。しかし，これを一般化することが可能な母集団は存在するであろうか。」

とはいえ，研究者があらかじめ心の中に母集団を描きながら調査することもある。その場合，彼はその母集団を代表していると信じつつ標本を選ぶ。標本が母集団を本当に代表しているといえるためには，各個体はそこからランダム（無作為）に選ばれなければならない。すなわち，母集団の各個体には，標本として選ばれる機会が同等に与えられなければならない。このことは，決して簡単なことではない。たとえば，読者が人混みの中へ行き，通行人の"ランダム"な標本にインタビューしようと試みても，決してうまくはゆかない。なぜであろうか。それは，読者が近づきやすそうな人に近づき，どこかへ大急ぎで行こうとしている人は避けているからである。インタビューできた人々は，無愛想であったり，機嫌が悪そうに見えたり，急いでいる人々とはその政治的な意見も異なっているかもしれない。つまり，読者は標本に不均衡，あるいは偏りを導入したことになる。そのような標本は決してランダムとはいえない。

偏りを避けるためには，機械的な方法によってランダム標本を選ぶことが望ましい。たとえば，その母集団の各個体に数字をふりあて，乱数表*と呼ばれている数表を見る。この表からは，欲しいだけの数をランダムに選ぶことができる。——たとえば，10個の標本を欲しいとすれば，04，34，81，85，94，45，19，38，73，46というように。そこで，その母集団からそれらの数字のついた個体を選び出せばよい。この方法は，宝くじつき郵便貯金の当選者を選ぶときに，郵便局のコンピュータによって実際に行われている。

もし読者の手もとにコンピュータも乱数表もないとすれば，仕方がないのでくじ引きの要領で行うことになる。読者の母集団が十分小さい場合には，箱の中に各々の個体の名前か番号をつけたくじを入れておき，それらを十分よく振って，目隠しなどの方法によりランダムにそのくじを引き，それによって標本を作ればよい。

しかしながら，先ほどの道路上でのインタビューにおいてランダム標本を得ることは，さらにむずかしい。結局，誰が現れるかがわからず，あらかじめその人たちに番号を与えておくことができない。さて，読者はこのケースにおいて標本を機械的に抽出する方法を何か考えつくであろうか。

＊　　　　＊　　　　＊

たとえば，一つの方法は，街角の近くに立ち，前のインタビューが終わった後，その角をまわる5番目の人に近寄って話しかけることにすればよい。もしくは，1分間たった後，その角を曲がった最初の人にインタビューをすることにすればよい。どちらにしろ，目的はその母集団のすべての個体（その日のその時間にその道路にいた人々）に同様に選ばれるチャンスを与えることにある。

しかしながら，ランダムな方法を用いたとしてもなお，標本に偏りが残っているということは十分考えられる。それは，偶然の結果，その標本が読者が一般化したいと思っている母集団の代表とはなっていない場合である。たとえば，ある大学の食堂で出されるランチメニューについて，学生たちがどのように感じているかを調査したいとしよう。その大学には1,000人の学生

＊　たいていの統計学の教科書の巻末に付いているので一度見てみるとよい。

がいる（男子学生が600人，女子学生が400人）。いま，100人の標本を取ることにし，それらを乱数表を用いて大学の学生名簿から選んだとしよう。さてこのとき，この標本がすべて男性，あるいはすべて女性であるということはありうるであろうか。

＊　　　　＊　　　　＊

イエス。もちろんその標本がすべて男性であったり，すべて女性であったりということはありうる。結局，600人の男性と400人の女性がいて，読者はそのうちのたった100人の学生を選んでいるにすぎない。同様に，その標本が新入生ばかりであるということもありうる。もちろん，このような標本はめったにないであろう。しかし，標本がある程度は偏っているということはほぼ常に起こっている。すなわち100人の学生たちの標本において，ちょうど60人が男性であり，40人が女性であるということは考えられないし，また，新入生，2年生，3年生の学生数の比どおりにちょうど標本がとられているとも考えられない。けれども，このことが一概に問題であるとはかぎらない。男子学生と女子学生の食べ物の嗜好の相違が，青い瞳の学生と緑の瞳の学生の相違よりも大きいという根拠は何もない。しかし，もし異なるカテゴリーに属する学生たちの意見に系統だった相違があるとすれば，その標本は偏りがあることになる。そして，そこでの意見をまとめて母集団の意見として一般化することはできない。その場合には，たとえば，標本中の女子学生から母集団の女子学生へ，男子学生から男子学生へといった具合に一般化しなければならない。

このような場合，いわゆる**層別ランダム（無作為）標本**と呼ばれているものを使う方が望ましい。すなわち，母集団の中のグループが異なれば（たとえば，性別や年令層や所得水準の相違による）われわれにとって関心のある特性も同時に異なる可能性がありうる。それゆえ，あらかじめ標本の中に必要な男性と女性，大人と子供，富める者と貧しい者の数を定めておく。そうした後に，その母集団の中の**それぞれのグループ（あるいは層）**からランダムに選ぶわけである。

さて，最後に標本の中に偏りが生ずる劇的ともいえる例をあげて，この章

を終わることにしよう。この標本は，以前にカナダの病院で，医者たちによって集められたものである。それは，何百人かの患者からなり，彼らには新たに使われるようになったジフテリアのワクチンが試された。同時に患者の"対照群"も治療を受け，彼らはワクチンではなく，それまでに使われていたごく普通の方法で治療された。幾年にもわたり，その試みを続けたところ，ワクチンを投与された患者たちはその16パーセントが死亡し，しかるに通常の方法で治療された患者たちはわずか8パーセントが死亡したにすぎなかった。これを一般化すれば，「患者にワクチンを与えると，かえって生き伸びる可能性が低くなる」となるであろう。しかし，これと同じジフテリアのワクチンが，今日ではごくあたり前の予防手段として用いられている。上のような結果が得られたのはいったいなぜであろうか。その答えは標本の中に導入された偏りにある。その偏りとはいったい何であろうか。

＊　　　　＊　　　　＊

ワクチンを与えられた標本も対照群も共に，今日そのワクチンが用いられている患者の母集団を代表するものではなかったということである。その医者たちはおそらく専門的立場から，重体の患者にのみそのワクチンを投与すべきであると考えたのであろう。一方，比較的軽い患者に対しては，それまでの治療法がとられたと思われる。かくしてその二つの標本はそれぞれ異なる方向に偏っており，共にすべての患者の母集団を真に代表するものではなかった。

標本の中に偶然偏りが生ずる可能性については，この本の後の章で再び考えることにしたい。そしてそのときに，もう一度標本から母集団への一般化について考えてみよう。とりあえず2章においては，標本の中に見られる事実を記述する"言葉"について考えることにしたい。

練習問題 1.

1. 読者が今日の行動を振り返ったとき，どのような統計的思考を行ったであろうかを考えてみよ．

2. 野球の試合において，ある解説者は次のように述べた．"次の打者は打率3割3分3厘なのにもかかわらず，現在のところ2打数ノーヒットである．よって次打席にはヒットを打つはずである"．この解説について，読者はどう考えるであろうか．

3. 以下に述べる文章においては，いずれが記述的であり，いずれが推測的であろうか．
（i）あるクラスの男子生徒の平均身長は167cmである．
（ii）東京の桜が満開になるのは4月上旬である．
（iii）隣の町のスーパーで買い物をすれば安くつく．
（iv）女性は男性に比べて平均体温が低い．
（v）東京の空には約2,000個の星が見える．

4. 以下の事実を注意深く一般化すれば，どのようになるであろうか．
（i）この本の原著の第1ページに見られる約50の文を調べたところ，一つの文は平均約20語からなっていた．
（ii）私の身近には，3人のキャリアウーマンがいる．彼女らはいずれも大きな声で話す．

5. サンプリングの失敗の有名な例がある．それは1936年の米国大統領選のときのことである．某雑誌社は勝利者を予想するため，自社の雑誌の購読者および電話所有者の中から計1,000万人の人々をランダムに選び出し，彼らにアンケート調査を行った．その結果からすれば，共和党候補ランドン氏が大差で勝つはずであったにもかかわらず，ふたをあけてみると民主党候補ルーズベルト氏が圧倒的勝利をおさめた．この雑誌社の調査には"偏り"が導入されていたわけであるが，それは何であろうか．

6. 以下のうちで，1桁の乱数を得る方法として適切であると思われるものは，どれであろうか．またその他のものはなぜ不適当なのだろうか．
（i）目をつぶって電話帳をめくり，左側のページの左欄の最初から数えて10番目の人の電話番号の10の位の数字をとる．
（ii）友人に1桁の数字をでたらめに言ってもらう．
（iii）ルーレットを回し，出た数の1の位の数字を採用する．たとえば，16が出たとすれば6を選ぶことになる．

（iv）$\pi = 3.1415\cdots\cdots$の適当な位から後の数を使う。
（v）正二十面体に0～9までの数を2回ずつ書いておき，それを転がし一番上に出た数を用いる。

7. 最近カリフォルニアから送られてきたフルーツが何箱もある。ところが，カリフォルニアでは，地中海ミバエという害虫が発生したという噂である。そこで，このうちいくつかの箱をでたらめに選び，それらを開けて検査したい。読者ならば，どのようにしてその箱を選ぶであろうか。

2章　収集された標本の記述

　さて，ひとたび標本が収集されたならば，その中の個体一つ一つをいかにとり扱えばよいのだろうか。こと統計学に関するかぎりは，少なくとも当面興味のあるそれらの個体に共通した特性を，"数字の集合"を用いて表現することとなる。その一例としては，既婚者，独身者，未亡人，そして離婚経験者の割合といったものがあげられる。また，ときにはこれらの人々の年齢や収入を表すこともある。人間を対象にした標本の場合，極端なヒューマニストは「人間を数字に置き換えている」といって憤るかもしれない。事実，その標本には，このように数字で把握できる以上のものが含まれていることを忘れてはならない。この点は，単に倫理上の問題としてのみならず，統計学的にも注意すべきことである。それは，われわれがいかに結果を解釈するかに大きな影響を与えるからである。

統計的変量

　標本は個体によって構成されている。ある標本をとった場合，そこでの個体とは人間をさすこともあれば，牙をもった動物のこともあり，あるいは電球や一年の各月，じゃがいも畑などさまざまである。その標本の個体はすべて，当面興味の対象となっている何らかの属性，あるいは特性を共通してもっている。たとえば，色，性別，重さ，価格，耐久性といったようなものである。その標本の個体はこれらの特性についてみれば，「それぞれさまざまな色をしている」，「男性もいれば女性もいる」，「軽いものもあれば重たいも

のもある」，といった具合に異なっている。

　結局，標本の中の個体を見て，こういったいくつかの特性についてそれらがどのように異なるかが問題となる．個体間における変動のゆえに，このような特性は変量特性，あるいは単に変量と呼ばれている．それゆえ，統計学における変量とは，それにより各個体を区別することができるような任意の属性，あるいは特性のことであるともいえる．

　たとえば，いま読者が中古の自動車を買うことを考えているとしよう．そのとき，中古車店に売られているさまざまな自動車のちがいを表す変量をいくつかあげることができるだろうか．

＊　　　　＊　　　　＊

　以下に，私ならば興味をもつ変量をいくつかあげてみた．その中には，読者の思いついたものもいくつか含まれているであろう．

　　自動車のブランド（たとえば，トヨタ，日産，ホンダ，三菱，マツダ，…など）

　　自動車のタイプ（たとえば，セダン，ＲＶ車，スポーツカーなど）

　　色

　　製造されてからの年月

　　状態（よい，普通，悪い）

　　価格

　　排気量

　　座席の数

これらの特性のいずれを見ても，どの自動車も少なくとも一つは他と異なっているであろう．それゆえ，これらは変量特性といえる（かといって，タイヤの数は変量ではない．なぜなら，タイヤの数が四つではないような乗用車が売りに出されることは，まずありえないから．そこでは，変動は排除されている）．

　さて問題は，われわれの手元にある標本の中の各個体をこれらの変量によっていかに評価すべきかということである．これは，変量のタイプに依存する．

たとえば，自動車のブランドのような変量の場合には，まずトヨタ，日産，ホンダ，三菱，マツダ，…といったカテゴリーを作る。次に各自動車をそのブランド名だけを見ることによって分類する。あるいはカテゴリーに分けるといってもよい。このように各個体がカテゴリーに分けられるような変量の場合には，この本ではそれを**質的変量**（カテゴリー変量）と呼ぶことにする。ただし，自動車のブランドのような質的変量は，とくに**名義変量**と呼ばれる。これはその変量がとるさまざまな形態に対して名前をつけているところからくる。

それでは，上のリストに並べられた変量のうち，いずれが質的変量であろうか。

＊　　　　＊　　　　＊

自動車のタイプと色は，まちがいなく質的変量である。どちらも買おうとしている自動車を調べ，それがどのカテゴリーに属しているかを決める（それらは，もちろん名義変量でもある）。

しかし，読者は自動車の"状態"もまた質的変量だと考えたのではないだろうか。その通りである。状態についての三つのカテゴリーは，上で述べられたように"よい，普通，悪い"の三つであった。しかしながら，この質的変量はやや性質の異なるものである。というのは，このカテゴリーは，ある自動車が他と比べてよりよいとか，悪いとかいう判断がくだしうるものである。

ある標本の個体に対して，それがよりよいとか，より大きいとか，より速いとか，あるいは何らかの意味で，他のものよりもある性質をより多くもっている場合には，それらを順に並べることができる。つまり，上で述べたよい―普通―悪いというのは，順序のついたカテゴリーであり，それゆえこのような質的変量は，とくに**順序変量**と呼ばれる。

さて，現在中古店にちょうど10台の自動車が売られているとしよう。それらを"相対的な状態"によって判断することにし，1番（最もよい状態の自動車）から10番（最も悪い状態の自動車）まで順番を付けることにする。このように考えれば10個のカテゴリーを作ることとなり，それぞれにその

標本中の個体が一つ一つ割り当てられる．さてこのとき，この質的変量の種類は
 (a)　名義変量
 (b)　順序変量
のいずれであろうか．

＊　　　＊　　　＊

 "相対的状態"は，順序変量である．われわれは，標本の各個体がどれだけその性質を保有しているかを判断し，それに応じて順に並べなければならない．そうしてはじめて，それらに1番から10番まで順番を付けることができる．

 しかし，ここで注意してほしいことは，自動車を三つのカテゴリーに分けることと，それらを1番から10番まで順に並べることの間には重要なちがいがあるということである．さて，自動車をよりくわしく調べてみなければならないのは，どちらの方法をとった場合であろうか．そして個々の自動車のちがいについて，より多くの情報をもたらすのは，どちらの方法であろうか．

＊　　　＊　　　＊

 よりくわしく調べてみる必要があり，かつ個々の差についてより多くの情報をもたらすのは，"順位付け"の方である．たとえば，もし三つのカテゴリーがあったとすれば，5番目と6番目の自動車をともに普通の部類にまとめて入れてしまうかもしれない．しかし，順位付けをすれば，5番目と6番目のカテゴリーに分類される自動車の間にも，ちがいがあることがわかる．

 さて，このほかにも読者に知っておいてもらいたいくつかのタイプの変量がある．しかし，それらを述べる前に，順位付けにはいかにして数字が用いられているかに注意したい．実際，数字は単に1番，2番，3番，4番というラベルとして使われているにすぎない．それゆえ，これらの数字に算術を施すことはできない．

 たとえば4番と順番のついた自動車は2番の自動車より2倍悪いということができるであろうか．さらに，1番目と2番目の状態間のちがいは，3番

目と4番目の間のちがいに等しいということができるであろうか。

＊　　　＊　　　＊

　読者は，もちろんこういった算術に意味があるとは考えなかっただろう。それらの数字は単に順位を示すにすぎず，各々が他のものと比べ，"どれだけよいか"を表すものではない（これは競争の順位のようなものである。たとえば，最初の二人のランナーがほとんど同時にゴールに入り，その後，3番，4番，5番目の人は，数秒間遅れてゴールに入る。さらに残りのランナーもそれぞれ，さまざまな時間間隔でゴールに入ることを想像すればよい）。

　しかし，次に述べるタイプの変量では，数字の使われ方がまったく異なる。実際，次のタイプでは，標本中の個体が数字を用いてしか表すことができない。すなわち，ある個体がその特性に関して他のものといかにちがっているかを見るには，数えたり測ったりすることのできる"数量"を知らなければならない。自動車の例の場合には"座席の数"が，このような変量に相当する。

　それでは自動車を見て，それぞれいくつ座席あるかを考えてみよう。5つだろうか，7つだろうか，あるいは2つだろうか。このような場合，数字は単なるラベルではない。4個の座席を持った自動車は2個の座席を持った自動車の2倍の座席を持っている。もし，5個の座席を持った自動車と7個の座席を持った自動車を買ったとすれば，二つの自動車は合計12個の座席を持っている。つまり座席の数は算術を施すことのできる数字（数量）である。

　さて，25ページにあげられた変量をもう一度見てみよう。それらのうち，いずれがこのタイプの変量――標本中の個体間のちがいを数量で表しうるもの――であろうか。

＊　　　＊　　　＊

　自動車間のちがいを数量で表しうる変量といえば，座席の数のほかに製造されてからの年月，価格，排気量が考えられる。ある自動車がいくつの座席を持っているかを考えたのとまったく同様にして，それが造られて何年たっているか，価格はいくらか，排気量はどれだけか等を考えることができる。このような変量はすべて，われわれの知るべきものが数値や数量であるとこ

ろから，**量的変量**と呼ばれる。

　質的変量の場合と同様，量的変量も一種類ではない。そこで，使われる数のゼロ点がその特性のまったくないことを意味するかどうかによってそれらを区別する。ほとんどの量的変量（たとえば，所得）は，このようなゼロ点を持っている。ある人の所得が 0 円であるといえば，彼には何ら稼ぎがないことを意味する。すなわち，彼は完全に収入がないことになる。同様に，日に 10,000 円稼ぐ人は，日に 5,000 円稼ぐ人より 2 倍稼いでいるということがいえる。しかし，このようなゼロ点をもたない量的変量もある。温度がその一例である。温度がゼロである物体は熱がまったくないわけではない。その結果，温度が 10 度である物体は温度が 5 度である物体の 2 倍の熱さであるということもいえない。それは，5 度だけ熱いということにすぎない。知能指数や社会的経済的地位などのように社会科学において用いられる量的変量には，この種のものが多い。

　また，量的変量は，それが離散的であるか，連続的であるかによっても分類することができる。**離散変量**とは，**その取りうる値が一つ一つはっきりと離れているもの**である。昔からある例としては，家族の構成人数が考えられる。ある家族の子供の数は 1，2，3，4，5 といった数をとる。しかし，決して $2\frac{1}{2}$ とか 4.75 といった値をとることはない。

　これに対し，**連続変量**の場合，**任意の二つの値の間に別の値が常に存在する**。そのよい例は身長である。ある子供の背丈は，今年 120cm で，翌年には 127cm になるとしよう。彼はその一年間に，ちょうど 121cm，122cm といった値をとって大きくなるのではなく，たとえば，120.01cm ……120.05cm ……120.10cm ……といったその間の無限個の背丈の値を取るわけである。

　さて，これら二種類のタイプの量的変量を使ってどのように標本の個体を評価するのであろうか。離散変量の場合には数を数え，連続変量の場合は測定が必要となる。自動車に関する変量のなかでは"価格"は離散的である。お金は測るというよりも数えるものである（もちろん銀行などのように，ときにはコインがカバンに入れられて重さを測られることもあるが，これは例

外)。しかし，要点は以下のように述べることができる。読者がある自動車を買ったとき，その価格として700,000円，あるいは（こういったことはあまりないが）700,001円請求されることがある。しかし，これらの二つの価格のように1円離れたものの間に，もはや別の価格は考えられない。これに対し一方，排気量は連続的である。排気量を調べた場合，1300ccのこともあれば，1339ccのこともあり，その間にも無限に排気量の大きさが考えられる。

さて自動車の例において，その他の量的変量についていえば（25ページ），いずれが離散的でいずれが連続的であろうか。

＊　　　　＊　　　　＊

残るもののうち離散変量は，座席の数だけである。自動車の座席の数を数えてみれば，それらは大体2，4，5，6，7，8，10のうちのいずれかである。これらの間の数字は考えられない（ただしこの場合，その取りうる値が等間隔ではない点が通常の離散変量とはやや異なる）。これに対して，連続変量は，製造されてからの年月である。それを測る尺度は，たとえば10か月と11か月（つまり，任意の二つの値）の間に無限に値を考えることができる。

ここで，変量のタイプ間の関係を図2.1にまとめてみた。

後でみるように，変量に応じてそのデータを取り扱う統計的手法も異なる。

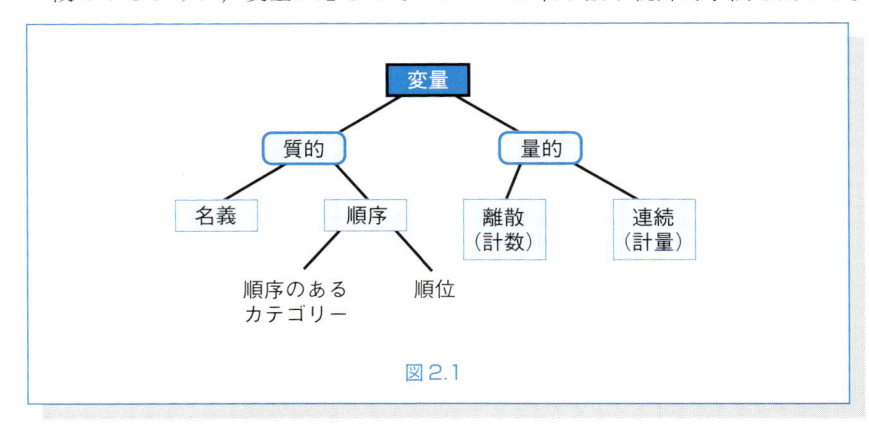

図2.1

しかしここで覚えておく必要があるのは，質的変量と呼ばれるものと，量的変量と呼ばれるものの間の相違である。ただしこれについて話を進める前に，量的変量は，質的変量へと変換することができるという点を注意しておきたい。たとえば身長が150cm以下の人を"小さい"とし，150cmから180cmまでの人を"中ぐらい"とし，180cm以上の人を背が"高い"とすればよいわけである。同様に試験において40パーセント以下しか点をとれなかった人は落第とみなし，40パーセント以上の人を合格とみなせばよい。しかしながら，このようにすれば情報が失われる。上の例でいえば，カテゴリーのみを記録したとすれば，背丈の観測値や正確な試験の点数についてのデータを失うことになる。データを扱いやすくするためには，このような犠牲も，ときには価値あるものである。しかしながら，このような犠牲は，その長所短所を十分考慮した上で払われなければならない。

　ここで，用語の使い方についてあと二点ばかり明確にしておきたい。一つは，本によっては測定という言葉を単に連続的な量的変量に対してのみならず，すべての変量に対して用いている。すなわち，カテゴリーに分類することを測定の非常に粗い形とみなしているわけである。その場合，その粗さは順に，順序のあるカテゴリー，順位付け，離散的な量的変量，そして連続的な量的変量と減っていく。それゆえ，読者は"値"という言葉が（普通は量的変量にのみ使われると思われがちであるが）質的変量のさまざまな名前のついたカテゴリーに対しても使われているのがわかる。

　もう一つは，しばしば"観測値"あるいは"観測された値"という言葉が用いられているのに気づく。これは標本の各個体に対してなされた測定，計数，あるいは分類を表すものである。たとえば，100人の学生からなる標本において，その年令を記録すれば，100個の観測値を得ることになる。そのとき同時に各人の性別をも記録すれば，合計200個の観測値（あるいは，200個の観測された値といってもよいが）を持つことになる。

　"観測値"という言葉は，このようにたとえその学生たちの年令や性別を自分の目で"見ていなくとも"（たとえば，出生証明書には掲載されているが）十分用いることができる。ときには，その学生たちすらまったく見ず，

彼らに対してなされた質問の解答のみを見るにすぎないこともある。このような場合，本当は"記録値"（あるいはデータ）という方が望ましいのかもしれない。

誤差，精度，そして近似値

　一般的にいって標本からデータを採集する場合，次のどちらのデータがより精確であろうか。
(a)　自分の目で観測し，採集したデータ。
(b)　質問を行い，その解答として採集されたデータ。
(c)　(a)も(b)も精度においては変わらない。

＊　　　　＊　　　　＊

　われわれ自身が観測を行い，その結果集められたデータの方がおそらく質問の解答として得られたデータよりも精確であろう。質問事項に対しては，質問をされた人が誤った情報を与える可能性が数多く考えられる。まず，彼らはその質問をまちがえて理解しているかもしれない。あるいは，質問された内容が記憶になく（たとえば，先週彼らがどれだけガソリンを消費したか），かわりに"あてずっぽう"で答えるかもしれない。また，彼らが故意にうそを記録することも，もちろんありうる（たとえば，彼らの年齢や所得について）。

　しかしながら，すでに述べたように，統計的データにおいては，完全な精度というものを期待することはできない。たとえ自らの手によって数え，測定したとしても，何らかの"誤差"はつきものである。仕事に集中し続けたり，あるいは一定のスピードで仕事をし続けることを強いられれば，われわれは誤まったカテゴリーに標本中の個体を割り当てたり，ある個体を二度数えたり，また見落したりする可能性もある。さらに測定を行う場合には，用いられる器具の能力（たとえば，定規の目盛り）の限界から，厳密な長さは決して記録することができず，その値に最も近いセンチメートル，あるいはミリメートルを記録するにすぎない。それゆえ，部屋の長さが4メートルと

記録された場合は，3.5メートルから4.5メートルまでの長さのどれかを測っていることになる（メートルで測ると，これよりほんの少し小さな部屋が3メートルと記録され，またほんの少し大きな部屋が5メートルであると記録されることもある）。つまり，この記録値は大小どちらの方向にも50センチまでの誤差の可能性が考えられる。この場合，その部屋の長さを4メートル±50センチ（プラス・マイナス50センチと読む）であると述べることによって誤差の限界を示すことができる。

さて，この部屋の長さの記録値がそれぞれ

（i）誤差の可能性の範囲が50センチより小さい。

（ii）まったく誤差がない。

となるように測定することは可能であろうか。

＊　　　　＊　　　　＊

たとえば，1センチまで測れるように，より小さな測定の単位を用いれば，誤差の範囲はより小さくすることができる。たとえば，その部屋をセンチの単位まで測ったとき，3メートル90センチであったならば，本当の長さは3メートル89.5センチから3メートル90.5センチまでの範囲に入っている。それゆえ，誤差（記録値と本当の値との差）があったとしても，それはせいぜい0.5センチであろう。しかし，いかに測定の単位を小さくしていったとしても（たとえば1ミリメートルまで測ったり，あるいは0.1ミリメートルまで測ったにしても）決して誤差の範囲をゼロにすることはできない。同じことが，重さや時間やその他のさまざまな測定についてもいえる。実験を行う科学者たちは，測定のためにより精巧な測定道具をあみ出そうと発明の才をいかんなく発揮する。しかし，いかに道具が洗練されたとしても，真の値と観測値との間には，何らかの相違が（無限に小さくなったとしても）残っていることを認めざるをえない。

精度をあげることは，たとえ可能であったにしても，通常，非常にコストのかかるものである。ここでコストというのは，単にお金だけではなく，たとえば時間なども含む。そのため精度をあげようと悩むことは，必ずしも価値あることとはかぎらない。たとえば，もしさきほどの部屋にカーペットを

敷きたいとすれば，読者はその長さや幅を1センチの単位まで正確に知る必要がある．しかし，その部屋の壁を装飾するためにペンキを買うとすれば，50センチの単位まで測れば十分である（あるいはメートルですらかまわないかもしれない）．それ以上正確に測定したとしても，読者の購入するペンキの量は変わらないであろう．

　起こりうる誤差の範囲が，その問題としている分野によって異なるのはきわめて自然なことである．おそらく，自然科学においては，それらは非常に小さく，社会科学では，それに比べれば誤差の範囲はかなり大きいと思われる．さらに，経済学や経営学においては，多くのデータが質問により集められ，ほとんどその解答に対する吟味がなされないため，誤差は非常に大きなものとなる可能性がある．たとえば，さまざまな町における失業率やさまざまな産業からの生産額といったような国レベルの数字では，10パーセントや15パーセントの誤差はいとも簡単に起こる（これが，将来の人口やインフレ率等の予測があまりにもあたらない原因でもある）．

　問題としている分野が何であれ，観測値や記録値が何らかの真の値の"近似"にすぎないということを認識しておくことは大切である．注意深く数を数え，そして質問に対する解答者の十分な協力が得られたならば（あるいは十分小さな単位まで注意深く測定したならば），データに含まれる誤差は最小のものとなるはずである．そのとき，標本に現れる数字は，それらに基づき意味のある決定を行うにたる程度には，精確なものとなっているであろう．しかし，もしわれわれの勘定や測定が不注意なものであったり，粗雑なものであったなら，あるいは誰か他人が手抜きをして集めた可能性のある（可能性があるというのは本当のところは知りようがないから）データに頼らざるをえないとすれば，誤差は大きなものとなる可能性がある．とすればそのデータを解釈する際，さほど確信が持てないこととなる．一般に言われていることには反するが，統計では「石炭をみがいてダイヤモンドを作る」といったことはなしえない．いったんデータが集められ記録されたならば，たとえそれがうまく集められていようがいまいが，いかに統計的な操作を施したとしても，そのデータの精度を改良することはできない．

3章では，データを集めた後その標本データに何がなしうるかを考えてみよう。

=============== 練習問題 2. ===============

1．（ⅰ）以下の表は，2001年アメリカ・メジャーリーグの打者を5人抜き出したものである（2001年10月21日現在）。

選手名	打数順位	所属チーム名	打数	安打	打率	本塁打
イチロー	1	マリナーズ	692	242	.350	8
ブーン	5	マリナーズ	623	206	.331	37
ソーサ	45	カブス	577	189	.328	64
ボンズ	121	ジャイアンツ	476	156	.328	73
新庄	180	メッツ	400	107	.268	10

上にあげた項目は，それぞれ図2.1の分類のどの変量に対応するであろうか。またメジャーリーグの様々なデータの中で，変量ではないものをいくつかあげよ。

（ⅱ）以下の変量についても同様に分類せよ。

イ．タバコの銘柄に対する選好順序
ロ．ある会社に働く従業員の年令
ハ．ある町で自営業を営む人の年間所得
ニ．日本のいくつかの大都市における日没時間
ホ．あるクラスの学生の父親の職業
ヘ．化学薬品のペーハー度

2．ある雑誌が来年度失業者の予測を行い，2,124,189人であると報告していた。このような数字は，読者にとって奇異に感じられないだろうか。そうだとすれば，何が原因であろうか。

3章　データのまとめ方

標本としてデータを集め終えた時点で，たぶん何ページもの数字の羅列が手もとにあると思う（これがわれわれの観測値である）。まずすべきことは，それらを分類，整理し，誰もがそれらを理解できるようにすることである。

表とグラフによる表現

さて，前章における中古車の例はもう十分だと思うので，話題*を変えることにしよう。

ある大きな町の大学が50人の学生からなる標本をとり，学生たちの健康や学生生活に関連のあるいくつかの変量についてデータを集めたとしよう。

たとえば，変数の一つとして"学生"の大学までの交通手段がある。ここでまず，データを整理するために行わなければならないことは，各交通手段のカテゴリー（バス，車，電車など）の頻度が示されるような表を作成することで，これが"頻度表"と呼ばれるものである。

このような表を作るには（たとえば，質問とそれに対する解答を整理する

＊　ところで，読者に理解していただきたいのだが，この本のバラエティーにとんだ読者（心理学者，経済学者，地理学者，エンジニア，先生，生物学者，社会学者など）に等しく興味をもってもらえる例を探すことは至難の技である。もし，以下で述べる脈搏の例がたいくつで面白くないと感じるならば，かわりに自由にそれらの数字を試験の点数，細胞の厚さ，作物の収穫高，組合交渉に費された就業日，ある物質の耐久度等，何にでも適当なものにおきかえて考えてもらいたい。それらの数字が何に関するものであれ，同様の統計的な考え方が通用されうる。

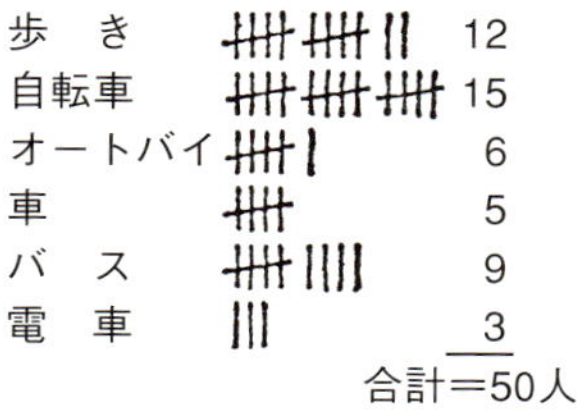

```
歩  き    ||||  ||||  ||    12
自転車     ||||  ||||  ||||   15
オートバイ  ||||  |           6
車       ||||              5
バ  ス    ||||  ||||         9
電  車    |||               3
                   合計＝50人
```

図3.1　学生の通学方法

ときに）各個体が各々のカテゴリーに入ると同時に，その横に印をつけると便利である（上の図3.1に見るように，各観測値に対する印は，縦線を引くことによって表す。ただし，5番目のメンバーに対しては，それまでの4本の線の上に横に線を引く。そしてそれ以上は，次のグループへと移る。このようにしておけば，後に数えるのに便利であろう）。こうして付けられた印は各行の最後に合計され，各カテゴリーに分類された学生の数を与えるようになっている。しかしながら，本例のように，標本を扱っている場合には，むしろ全体に対する割合に興味があるのが普通である。なぜならば，われわれは全母集団における各カテゴリーの割合を推定したいことが多いからである。それゆえ，普通，その数字をパーセンテージへと変換しておく。以下の表3.1では，そのようになされているが，（ ）の中にもとの数字も残しておきたい。それによって読者は，その標本の大きさをも同時に知ることができるであろう。さらに，カテゴリーは大きさの順に並べかえることによって整理されている。

　さて，ここでこのほかに各カテゴリーの割合のちがいを表すためには，どうすればよいであろうか。まず，棒グラフを書いてみることである。棒グラフにおいては，その高さが各カテゴリーに含まれる学生数に比例している。

　このような質的データを図示するには，パイチャート（円グラフ）を使ってみるのも一つである。パイチャートでは，一つの円がいくつかの扇形に区切られており，その中心角が各カテゴリーに分類された頻度に比例している。

表3.1 学生の通学方法

交通手段	各交通手段を利用している学生の%	標本中の実数
自転車	30	（15）
歩　き	24	（12）
バ　ス	18	（ 9）
オートバイ	12	（ 6）
車	10	（ 5）
電　車	6	（ 3）
		（合計＝50）

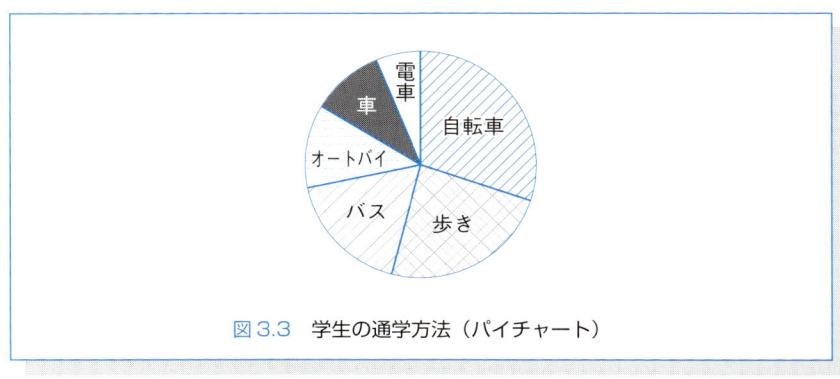

図3.2 学生の通学方法（棒グラフ）

図3.3 学生の通学方法（パイチャート）

どちらかといえば，左の二つのグラフのうち一つは，主として「カテゴリーの大きさの全体に対する割合」を表したいときに適しており，もう一つは，「あるカテゴリーの大きさを他のカテゴリーの大きさと比較する」場合に，薦められるものである。さて，読者はどう考えるであろうか。どちらのタイプのグラフが，それぞれの目的に適しているであろうか。

＊　　　　＊　　　　＊

個人的には，パイチャートの方が各カテゴリー（扇形の部分に対応するのであるが）を全体と比較したい場合には，よりわかりやすい。反対に，一つのカテゴリーを他のカテゴリーと比較したい場合は，棒グラフの方が（柱の高さを比較することにより）よりわかりやすい。

本例では，どちらのグラフを用いようとも，自転車で学校へ行く人がその標本の大きな部分を占めることは，歴然としている。1,000人を超える学生の母集団全体に対しても，この割合が当てはまるとすれば，大学は自転車の駐輪場として，かなりのスペースを必要とするであろう。また，大学の職員は，その数字をこれまでの値と比較したいと考えているかもしれない。たとえば，車で通学している学生の割合が2001年までの過去何年間かにわたりわかっているものとしよう。それを図示すれば，図3.4のようであった。

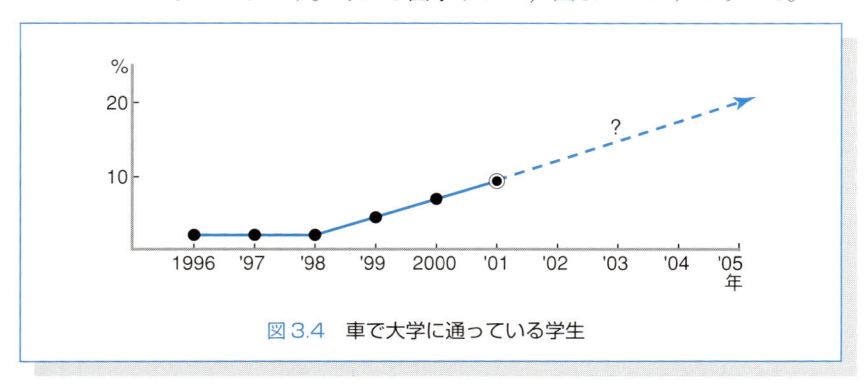

図3.4 車で大学に通っている学生

1998年までは，わずか2パーセントの学生が車で通っているにすぎなかった。しかしその後，その割合は増加し始めた。この傾向が，2000年以降も続くとすれば（点線で示されたように），2005年までに車で大学に通って

いる学生は，おおよそ何パーセントになるであろうか．

*　　　　*　　　　*

もしこの傾向が続くものとすれば（この"もし"は太字である点に注意！），2005年までに20パーセントの学生が車で通っていることになる．

図3.4のように，ある変量の値を時間の順に，あるいは系列として記録し整理したデータは，時系列と呼ばれている．時系列の解析は――すなわち，それは長期にわたる傾向や，短期の規則的変動を捜すものであるが――経営，経済史，医学そしてその他あらゆる分野における重要な統計的手法である．

これまで述べてきた質的データを解析するのに，もう一つ有用な手法がある．それは，"分割表"と呼ばれるものを用いることである．すなわち，各カテゴリーをくわしく分解するわけである．より具体的には，各メンバーを交通手段以外に調査された変量，たとえば出席状況，大学のサークルに入っているか否か，年令，性別などの知識に基づいてカテゴリーへと分割する（標本の個体を年令や性別に応じ分割することに関しては，すでに聞いたことがあると思う）．このようにすれば，バスで通学している者は大部分女性であるとか，自転車通学の場合，女性はほとんどいないといったようなことがわかる．また，車を使っている人は，ほとんど3年生にかぎられるとか，大学から離れて住んでいる女性は，男性よりも早朝のクラスには遅刻する可能性がはるかに少ないが，大学の行事に参加するだけのために大学に来たり，残っていたりはしないといったようなことがわかるわけである．こういった事実は，すべて現在の大学生の生活を理解する上で重要な情報であろう．

次に，量的変量についてとられたデータを，どのようにまとめればよいかを考えてみよう．50人の学生の各人について脈搏数を測ってみた．表3.2にそれらの数字を記録された順に並べてみた．

このように示された場合，こういった数字の意味するところを把握することはむずかしいものである．これらの数字には何らかの傾向が見られるだろうか．それらは一般的にいって，どういったパターンを示しているであろうか．たとえば，最小の脈搏数や最大の脈搏数をたやすく選び出すことができるであろうか．また，その他の脈搏数は，その最大値と最小値の間に均一に

表3.2 50人の学生の脈搏数（1分間当り）

89	68	92	74	76	65	77	83	75	87
85	64	79	77	96	80	70	85	80	80
82	81	86	71	90	87	71	72	62	78
77	90	83	81	73	80	78	81	81	75
82	88	79	79	94	82	66	78	74	72

ちらばっているであろうか，それとも，特定の脈搏数が相対的に現れやすいであろうか．

さていま，読者が自分の脈搏数が1分間に約74であることを知っているとしよう．この値は全体的に見て，これらの学生たちの脈搏数と比べて，遅いであろうか，あるいは速いであろうか（ただし，この問題に関しては30秒以上時間をかけないでもらいたい）．

* * *

この数字の羅列から情報を引き出すことは，決して簡単ではないということがわかったと思う．これらの数字が大きさの順に並べられていたならば，はるかに簡単に感じたのではないだろうか．それでは，実際にそのようにして，何らかの傾向を探すのに役立つかを見てみよう．ただし，量的変量に関する観測値が順に並べられた場合（表3.3のように）それは配列，あるいはもっと一般的には分布と呼ばれる．

表3.3 50人の学生の脈搏数（1分間当り）

62	64	65	66	68	70	71	71	72	72
73	74	74	75	75	76	77	77	77	78
78	78	79	79	79	80	80	80	80	81
81	81	81	82	82	82	83	83	85	85
86	87	87	88	89	90	90	92	94	96

表3.3の分布を見れば，今度は少なくとも最小と最大の脈搏数をたやすく読み取ることができる。それぞれ62/分と96/分である。これから，**レインジ**（範囲）を知ることができる。統計学において，レインジとは当該変量における観測値の最大値と最小値の差のことである。この場合，96から62を引けば，レインジは34/分となる。

観測値を大きさの順に並べることには，このほかにどんなメリットがあるのだろうか。それによって比較的簡単に"**メディアン**"の位置を知ることができる。メディアン（これは英語のmiddle（ミドル）：中央に対応し，ラテン語から派生したもの）は分布の中心を表す一つの尺度で，一種の代表値としてよく使われる。

メディアンとは，分布を二分割する値と定義される。それゆえメディアンより大きな観測値と小さな観測値は同数あるはずである。たとえば，以下の数字は7人の学生たちの1週間当りの自転車走行距離を表すとしよう。

$$0 \quad 16 \quad 18 \quad 20 \quad 33 \quad 48 \quad 68$$

（単位はすべてキロメートル/週）このとき，メディアンは20キロメートル/週である。それ以上とそれ以下の観測値はたしかに同数ある。

しかし，観測値の数が偶数であれば，その大小それぞれの側に同数の値をもつようなものは観測値の中に存在しない。このような場合，メディアンは二つの中央の値の真中の値とされる。先ほどの例で68キロメートル走った学生が標本の中に含まれておらず，分布が以下のようであったとしよう。

$$0 \quad 16 \quad 18 \quad 20 \quad 33 \quad 48$$

その場合，メディアンは二つの中央の値18と20の真中の値とされる。すなわち，$\frac{18+20}{2}=19$ となり，19という値の両側には，等しい個数の観測値がある（もちろん，実際に19キロ走った学生はいないのだが）。

もし偶然二つの中央の観測値が同じ値であったとすれば，その値自体がメディアンとなる。たとえば，もし20キロ走った学生の走行距離があと2キロ少なかったならば，二つの中央の値は共に18となり，それがメディアンということになる。

それでは，上述の脈搏数の分布のメディアンはいくらであろうか。

* * *

そこには観測値が50ある。それゆえ，それらのうち25個がその値より大きく，25個が小さくなるような値を求めればよい。そこで25番目と26番目の値の真中を求め，$\frac{79+80}{2} = 79.5$ がメディアンとなる。

メディアンは一つの代表的な平均値である（たとえそれが実際に観測された値でなくともよい）。しかし，それ以上によく用いられる代表値は**算術平均**（ミーン）である。算術平均とは，通常小学校の算数において平均と呼ばれているものと同一である（実際には算術平均やメディアンのほかにも，いくつかの種類の平均があるけれども，この算術平均のことを単に平均と呼ぶのが慣わしである）。平均は，すべての観測値を足しあわせ，観測値の数で割ることにより計算される。かくして，前述の7人の学生の自転車の走行距離の平均は，以下のように計算される。

$$\frac{0+16+18+20+33+48+68}{7} = \frac{203}{7} = 29 \text{キロメートル}$$

この場合も，実際に29キロメートル自転車で走った学生はいないことに注意してもらいたい。これは英国の一世帯当りの子供の数の平均が2.35人であるというとき，そのような家族は存在しないのと同様である。

さて，前に計算の必要性はないと約束したように，ここで50人の脈搏数を加え，50で割るといったたいへんな仕事をしてもらうつもりはない。計算してみると，平均脈搏数は1分間当り79.1となる。ただし，これはメディアンと同じ値ではないことに注意してもらいたい。

それでは，読者自身の脈搏数は，この標本の平均より上であろうか下であろうか。

* * *

さて，私は読者の脈搏数を知らないので，自分の脈搏数に関していえば，この標本の平均よりかなり下である。平均という概念は，通常このように用いられる。平均を用いることにより，任意の個体の点数，あるいは値（たとえば，われわれ自身の脈搏数）を分布を代表する値と相対的に位置づけることが可能となる。

さて，これまでのところ，データの集合をどの程度まで記述したことになるのであろうか。脈搏数を大きさの順に並べることによって最大値，最小値やメディアンの値を把握することは容易になった（実際のところ，このようにすることによって平均の計算も簡単になってはいるのだが，詳細にこだわらないことにしよう）。しかしながら，これではまだ分布の全体としての形状ははっきりとしないであろう。

たとえば，もう一度分布を見てもらいたいのだが，それらの観測値がレインジ全体にわたりかなり均一に広がっているのか，あるいはいずれかの点のまわりに集中しがちなのかどちらだろうか（この問題に対しても30秒以上時間をかけないでもらいたい）。

*　　　*　　　*

まず一目瞭然というわけにはいかない。この分布の全体的傾向を把握するには，それを図示した方がよい。たとえば，図3.5のように点図を描いてみれば，脈搏数がレインジの中央に集まる傾向にあることがわかる。たとえば，77〜82間の脈搏数には，それ以上や以下の脈搏数よりも数多くの学生が記録されている。

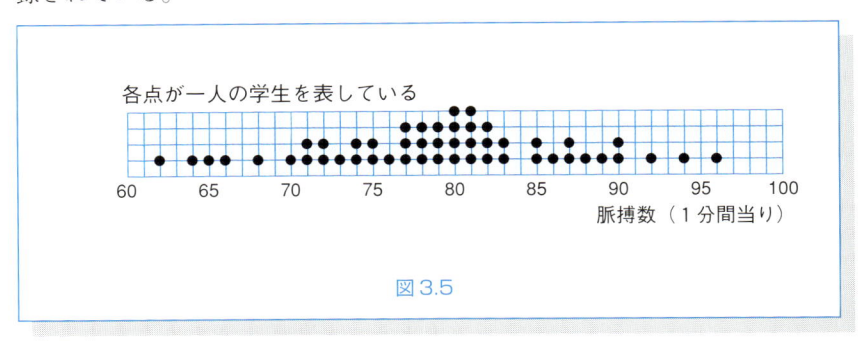

図3.5

図3.5のように図に並べかえたものを**頻度分布**と呼ぶ。それは分布の各値がどれだけの頻度で観測されたかを示すものである。たとえば，1分当り（ⅰ）90，（ⅱ）69という脈搏数は何回記録されているであろうか。

*　　　*　　　*

脈搏数90は2例記録されており（頻度＝2），しかるに69の脈搏数はまっ

たく記録されていない（頻度 = 0）。

　点図に示された頻度分布を用いることにより，任意の脈搏数の頻度を他のものと比べることができる。そのとき，最も頻繁に観測された分布の値をその分布のモードと呼ぶ。それは最も"流行的な"あるいは"人気のある"値ということである。男の靴のモード，いいかえれば最頻値は 8 というサイズである。すなわち，それは靴屋に最もたくさん売られているサイズでもある。モードは記録された値を代表するもう一つの尺度であり，第三の平均ともいえる。

　図 3.5 の分布においては，他の値より頻度の高い観測値は一つではない。二つの値（80 と 81）が共に"最も人気がある"。このような場合，その分布には二つのモード（80 と 81）があることになる。それらは互いに近い値を取っているので，その分布の概形を図示する場合には，比較的便利であろう。ただしモードは，標本が量的変量の場合よりは，むしろ質的変量の場合の記述に役立つことが多い。たとえば，大学の先生を調べたところ，離婚経験者や妻に先立たれたものよりも，現在結婚をしている人が多いことがわかったとしよう。その場合，"現在結婚している"が最頻カテゴリーとなる（ただし，質的変量では平均やメディアンを計算することはできない）。

　さて，脈搏数の例に戻ることにしよう。以上のほかに分布のもつ傾向を表現するには何がなしうるであろうか。一つは，観測値をグループ分けすることである。たとえば，60 以上 65 未満の観測値は何個あるか，65 以上 70 未満の観測値は何個か，そして 70 以上 75 未満は……といったふうに考えてみることができる。このようにすれば，表 3.4 のような表が得られる。

　このように並べられたものを"グループ分けされた"頻度分布と呼ぶ。こうすることによって，全体的傾向がさらにはっきりと現れる。この場合は，観測値が中央に固まっている。しかしながら，このような分布は，個々の観測値に関する情報を失っている。たとえば，記録値の中で最も速い脈搏数は，1 分当り 95 なのか 96 なのか，あるいは 97 か 98 か 99 か，いずれの可能性も等しく考えられる。全体的な傾向をはっきりさせるために，詳細が犠牲になったわけである。

表3.4

脈　　搏 （1分間当り）	学　生　数 （頻度）
60－64	2
65－69	3
70－74	8
75－79	12
80－84	13
85－89	7
90－94	4
95－99	1
合　計	50

　<u>ヒストグラム</u>（棒グラフ）を用いれば，グループ分けされた頻度分布における傾向をさらにはっきりと表現することができる。これは長方形を用いた図で，各長方形の面積が，その階級，あるいはグループにおける頻度に比例している。<u>図3.6</u>のヒストグラムでは，1分当り70－74のグループに90－94の階級の2倍の個体が属しており，よって長方形も2倍の大きさとなっている（ただし，横軸にはその階級の中央値にあたる脈搏数が記入されている）。さらに，そのヒストグラムによって囲まれた"全面積"（すなわち斜線部の面積）は観測値の数（50）に対応している。たとえば，25人の学生たちに対して，同様なヒストグラムをこの尺度で描いたとすれば，その面積はこのグラフの半分になる。

　さて，このヒストグラムにおける八つの階級（60－64，65－69，……）のうち，いずれが"最頻"階級だろうか。

＊　　　　＊　　　　＊

　"最頻"階級は，最大の頻度を持っているものである。よってこの場合，"1分間当り80－84"である（75－79の階級より一つだけ頻度が大きい）。

　これまでのところを振り返り，標本として得られた結果をまとめる場合，

図3.6　50人の学生の脈搏数

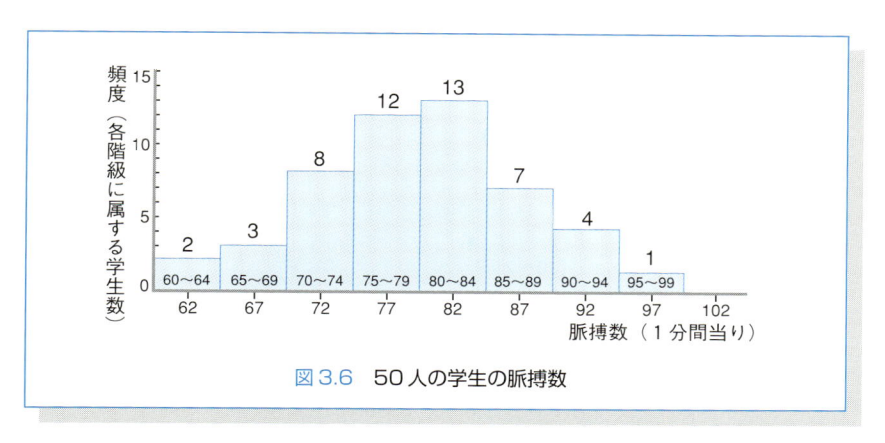

どのような点に注意すべきかをもう一度見てみよう。"生のデータ"——手を加えてない数値——の集合は，全体的に把握しにくいものであることを知った。まずなすべきことは，それらを大きさの順に並べ変えることである。そのとき，それらをグループ分けしてみると，分布における何らかの傾向が明らかになることもある。また，図を描くことにより，単に数字だけを見るよりも分布の形状について，よりはっきりとしたイメージがつかめる。

また，分布の重要な特性を数量化する数字（平均やレンジのように）を考えた。実際のところ，分布を統計的に記述するには，あるいはそれを用いて推測や予測を行うには，このような数字が必要不可欠である。それらのうちで最も重要なものを二つあげれば，"中心化の傾向"の尺度（あるいは平均）と"ばらつき"（あるいは変動性）の尺度である。もう少しくわしく見てみよう。

中心化の傾向（あるいは平均）

中心化の傾向というのは，観測値がレンジ全体，あるいは各カテゴリー間に均一にちらばっているのではなく，むしろある特別の値のまわりに集中する（あるいは特別なカテゴリーに何度も現れる）傾向のことである。すでに，こういった傾向の尺度として三つあげた。それらはモード，メディアン，

平均という三つの尺度である。そのいずれを用いるのがよいかは，変量のタイプにも依存する。

たとえば，表3.5のようなタイプのデータに関しては，いずれの"中心化の傾向の尺度"（あるいは平均）を用いればよいだろうか。

それは，(a) モード，(b) メディアン，(c) 平均 のうちのいずれであろうか。

表3.5

交通手段	学生の数
自転車	15
歩 き	12
バ ス	9
オートバイ	6
車	5
電 車	3
合 計	50

*　　　　*　　　　*

このような質的データに対して用いられる中心化の傾向，あるいは平均はモードである。そしてこの場合"自転車"が最頻カテゴリーとなる。この場合，交通手段当りの平均学生数を求めたとしても（50を6で割ることにより）メディアンを求めようとしても，何の意味もないことである。

質的データの場合には，たしかにモードが最もよく使われるが，量的変量の場合にはそうではない。量的変量では，算術平均が平均として最もよく使われ，ときにはメディアンも使われる。

中心化の傾向の尺度として，算術平均にはいくつかの長所がある。その主たるものは，標本ごとにかなり安定しているということである。すなわち，同一の母集団から数多くの標本を取った場合に，それらの平均は，メディアンやモードほどは変化しないということである。それゆえ，標本の算術平均

（標本平均）は，母集団の中心化の傾向を推定する際には，最も信用のおけるものといえる。

しかしながら，中央値の大きさにのみ注目し，平均のかわりにメディアンを使った方がよい場合がある。たとえば，次の二つの所得分布を見てもらいたい。それぞれ5人からなる別個のグループを表すものである。

この二つのグループにおいては，メディアン所得は等しく，4,200（千円）である。しかし，グループXの平均所得は4,800（千円），グループYの平均所得は8,220（千円）である。

表3.6 所得分布（単位は千円）

X	3,000	3,800	4,200	5,700	7,300
Y	3,000	3,800	4,200	5,700	24,400

グループXの代表値としては平均とメディアンのどちらでもかまわない。それではグループYの所得の代表値としては，どちらの平均が適当であろうか。(a) 平均だろうか，(b) メディアンだろうか。

    *   *   *

グループYにおいては，(b) メディアンの方が所得全体をよりよく代表していると考えられる。平均は1個の異常な値のためにかなり押し上げられているが，メディアンはその影響を受けていない。

それゆえ，いくつかの極端な（大きくとも小さくとも）観測値があるような分布においては，メディアンの方が好ましい。こういった極端な観測値は異常値と呼ばれる。異常値のために平均は大きくゆがめられ，分布の中心からはるか遠くに引っぱられるわけである。

また，分布におけるいくつかの値の大きさがはっきりとわかっていないような場合にも，メディアンを用いなければならない。たとえば，5人のバスの乗客の年令が以下のように与えられたとしよう。

12歳以下，22, 48, 54, 65歳以上

この場合，平均年令を計算することはできない（最も若い人と最も年寄りの人のそれぞれに恣意的に適当な年令をふり当てないかぎり）。しかし，メディアンは明らかに48歳である。乗客の半分がそれより年上で，残り半分が年下であるといえるから。

以上，中心化の傾向（平均）は分布の中心を表すために通常用いられる。量的変量を取り扱う際，次に必要となるものは，この中心から観測値がどの程度広がっているかを表す尺度である。その値がより大きいほど，観測値はばらついているといえよう。そこで，われわれは"ばらつき（あるいは変動性）の尺度"を捜すことになる。

ばらつきの尺度

ばらつき具合を図示するために，図3.7の二つの点図を比較してみよう。このうち上図に関しては，読者はすでに一度見たはずである。

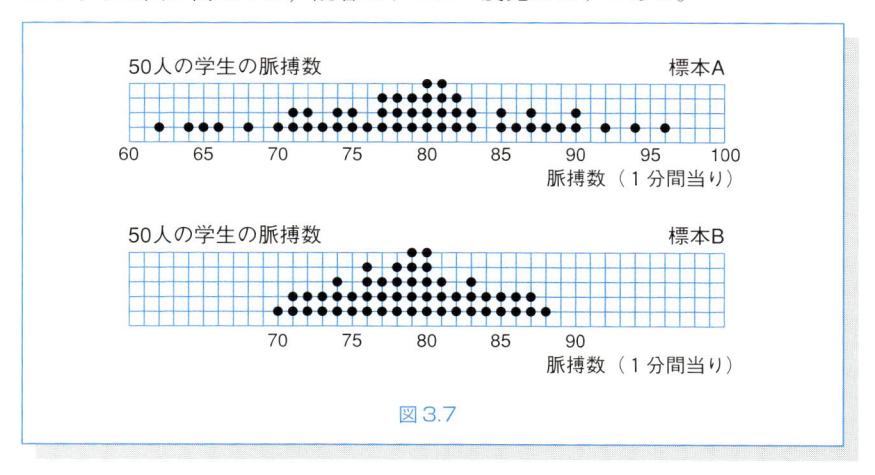

図3.7

二つの分布について，最も顕著な相違は何であろうか。読者はその相違を数字（読者がこれまでに知っている統計量）によって表すことができるであろうか。

*　　　　*　　　　*

最も顕著な相違は，Bの観測値はAのものに比べて，はるかにばらつきが小さいということではないだろうか。二つの分布におけるばらつき具合を数量化するには，そのレンジを比較するのがおそらく最も簡単な方法であろう。Aにおいては，

$$レンジ = 96 - 62 = 34/分$$

Bにおいては

$$レンジ = 88 - 70 = 18/分$$

となる。明らかに，標本Bの方がAよりもはるかに変動が小さい。

さて，レンジは手短かなばらつきの尺度である。その最大の長所は計算しやすく，一目見ただけでも簡単に求められるという点にある。しかし残念ながら，レンジは通常ばらつきの尺度として必ずしも信頼がおけない。というのはそれがたった二つの値，すなわち二つの最も極端な値にのみ依存しているからである。これらはもしかすると異常値であり，標本の中の他の値とはまったく異質なものかもしれない。このことについては，49ページにおけるグループYの所得分布ですでにふれた。

これを点図で見てみよう。図3.8に20人の学生からなる二つのグループの，テストの点数がある。

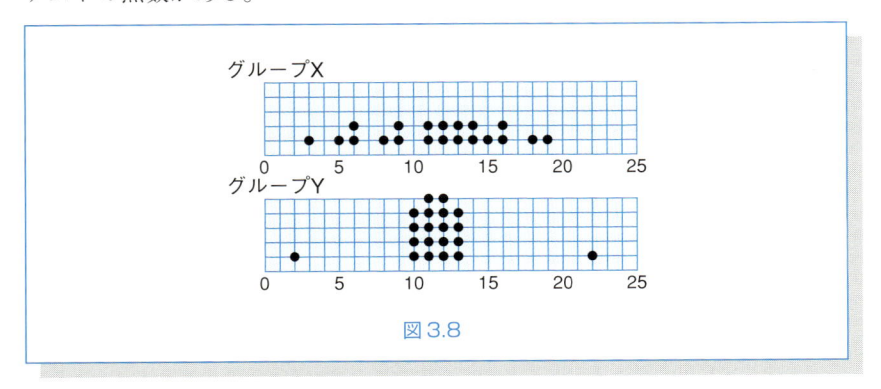

図3.8

さて，図3.8の二つの分布では，どちらがよりばらついているといえるだろうか。グループXだろうかグループYだろうか。そのとき，よりばらつきの大きいグループが，そのレンジもまた大きくなっているであろうか。

＊　　　＊　　　＊

　全体を見れば，グループXの分布の方が，よりばらついていることはまずまちがいない。グループYでは，二つの極端な値を除けば，10，11，12，13というたった4個の値だけ（それらはすべてがくっついている）が観測されている。それに対し，Xでは異なる13個の値が観測されている。それにもかかわらず，Yにおいては，たった二つの異常値の影響を受け，そのレインジはXよりも大きなものとなっている。

　より"公平な"ばらつきの尺度を得る一つの方法は，異常値の影響を避け，分布の中心のあたりに，ある種のミニ・レインジを取ることである。このレインジは分布の**四分位点**と呼ばれるものに基づき作られる。ちょうどメディアンがその観測値を二つに分ける値であったように，**四分位点とは，その観測値を四つの等しい部分に分ける値**である。

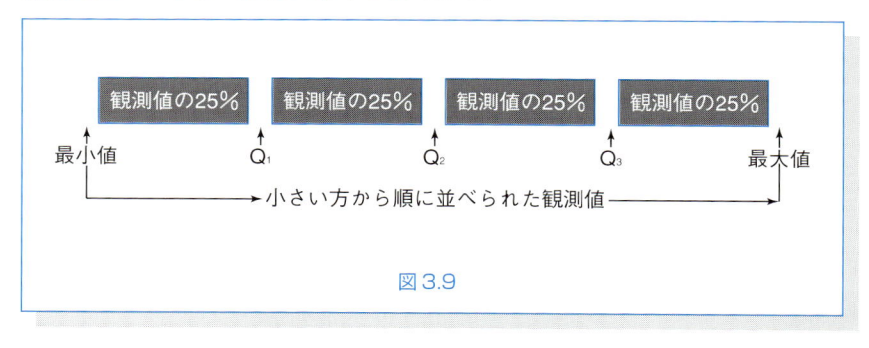

観測値の25%　観測値の25%　観測値の25%　観測値の25%

最小値　　Q_1　　Q_2　　Q_3　　最大値

←─── 小さい方から順に並べられた観測値 ───→

図3.9

　図3.9が示すように四分位点はQ_1，Q_2，Q_3と三つある。第2四分位点はメディアンと同じ値をとる。

　上で述べた"ミニ・レインジ"は**内側四分位レインジ**と呼ばれる。それはQ_1とQ_3の間の距離のことである。

　それでは，これを前述のグループXとグループYの二つの分布に適用してみよう。各グループには20個の観測値があるので，下から5個の値と上から5個の値を切り離す値が必要である。かくしてQ_1は5番目と6番目の観測値の真中の値となり，Q_3は15番目と16番目の観測値の真中の値となる。

　分布Xでは，5番目の値は8で6番目の値は9である。よって，Q_1は$8\frac{1}{2}$

となる。同様に，15番目の値は14で16番目の値は15である。よって，Q_3 は $14\frac{1}{2}$ となる（図3.10）。それゆえ，内側四分位レインジ $= 14\frac{1}{2} - 8\frac{1}{2} = 6$ 点と計算される。

図3.10

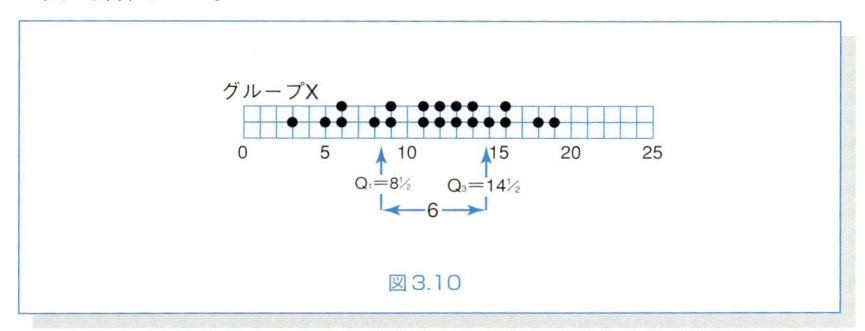

さて，分布Yの内側四分位レインジは，いくつであろうか。

*　　　　*　　　　*

分布Yでは，5番目の値は10で6番目の値は11である。よって，Q_1 は $10\frac{1}{2}$ となる。また，15番目の値は12で16番目の値は13である。よって，Q_3 は $12\frac{1}{2}$ となる。その結果，

$$\text{内側四分位レインジ} = 12\frac{1}{2} - 10\frac{1}{2} = 2 \text{ 点}$$

と計算される。

読者は，これらの二つの分布においては，内側四分位レインジがレインジに比べて，より適切なばらつきの尺度であることに異議はないと思う。

たしかに内側四分位レインジは，ばらつきの尺度としてよく使われ，特にメディアンとともに用いられる。しかし，それ以上によく用いられるばらつきの尺度がある。次にそれを紹介することにしよう。それは**標準偏差**である。平均と同様，標準偏差は"すべて"の観測値を用いて計算される。

さて，標準偏差とはどのようなものであろうか。ある分布において，ばらつきがまったくないならば，すべての観測値が等しい値をとる。このとき，平均もまたこの繰り返し観測される値と等しくなる。すなわち，平均と異なる，あるいは平均から離れている観測値はない。しかし，もしばらつきがあ

れば,観測値は平均から大小さまぎまの乖離(偏差)を示す。分布の標準偏差を用いることは,すべての観測値の平均からの乖離の一種の"算術平均値"を示すことである。ばらつきが大きくなればなるはど,乖離は大きなものとなり,その結果標準("平均")偏差も大きくなる。

それでは,以上の二組の集合のうち,どちらの標準偏差がより大きいと想像されるだろうか。

(a)　6, 24, 37, 49, 64（平均 = 36）
(b)　111, 114, 117, 118, 120（平均 = 116）

*　　　*　　　*

(a)における値の方が,(b)における値よりばらついている(すなわち,それらは平均からより離れている)。それゆえ,おそらくその標準偏差も大きいと思われる。それを確認してみよう。(b)においてそれぞれの値の平均116との差をとれば,表3.7のようになる。

表3.7

値	111	114	117	118	120
116からの偏差	−5	−2	+1	+2	+4
偏差の二乗	25	4	1	4	16

ここで上の偏差の平均(算術平均)を取っても意味がない。なぜならば正の値が負の値とちょうど打ち消され,常に合計がゼロになることがわかるからである。そこで少し工夫し,各偏差を"二乗"し負の符号をなくす。これらの偏差の二乗の平均は分散と呼ばれる。すなわち,

$$\text{分散} = \frac{25 + 4 + 1 + 4 + 16}{5} = \frac{50}{5} = 10$$

である。分散はそれ自体,有用な尺度ではあるが(このことはこの本の後にふれる),同時に,日常の実用的な目的のためには,ある種の欠点を持っている。すなわち,その分布のもとの値(それゆえ,平均もである)が,たと

えば"1分当りの脈搏数"という単位で測られているとすれば,そのとき分散の単位は"1分当りの脈搏数の二乗"となってしまう。これはいったい何を意味するのかさっぱり見当がつかない。それゆえ,ばらつきの尺度の単位をもとの観測値の単位と同じに(そして中心化の傾向の尺度とも同じ単位に)もどすために,分散の平方根をとる。これが,いわゆる標準偏差と呼ばれるものである。すなわち,

$$\text{分布(b)の標準偏差} = \sqrt{10} = 3.16$$

同じような計算を上の分布(a)に対して行うと以下のようになる。

値	6,	24,	37,	49,	64 (平均=36)
平均からの偏差	−30	−12	+1	+13	+28
偏差の二乗	900	144	1	169	784

$$\text{分散} = \frac{900+144+1+169+784}{5} = \frac{1998}{5} = 399.6$$

$$\text{標準偏差(a)} = \sqrt{399.6} = 20$$

読者の予想どおり,分布(a)の標準偏差は分布(b)の標準偏差よりもかなり大きいことがわかる。これは分布(a)がはるかにばらついているからである。

さて,51ページに図示された図3.8の二つの分布をもう一度見てみよう。どちらの標準偏差がより大きいであろうか。

*   *   *

51ページの図3.8の二つの分布では,XがYよりも大きな標準偏差を持っている。実際Xの標準偏差は4.3点で,Yのそれは3.3点である。

今度は,50ページに図示された図3.7の二つの分布(AとB)を振り返って見てみよう。以下のリストにある数字の組合せのうちの一つが,その二つの分布の標準偏差を表している。さて,読者は(a),(b),(c)のいずれの組合せがそうだと考えるか。さらに,その二つの標準偏差のうち,どちらがどちらの分布に対応しているだろうか。

(a) 1分間当り4.6と7.6 　　(b) 1分間当り7.6と37
(c) 1分間当り19と37

*   *   *

Aの標準偏差は7.6/分，Bの標準偏差は4.6/分と考えられる。一つの組合せの中では，大きい方の標準偏差がよりばらつきの大きい分布のものであることは簡単にわかったと思う。しかし，いずれが正しい組合せであるかを決定するのは，むずかしかったのではないだろうか。たとえば，(b)において，7.6がばらつきの小さい方の分布の標準偏差として正しい値であったとすれば，37はもう一つの分布のレインジすら超えてしまう。そう考えれば，(b)ではないということができると思う。同様に，(c)において与えられる数字は，共に分布のレインジを超えている。

実際，標準偏差がレインジの大きさにまで近づくことは決してない。たとえば，1，2，3，997，998，1000といったような非常にばらついた値からなる集合ですら，レインジは999であり，標準偏差は約500にすぎない。だいたい10個くらいの標本の場合には，標準偏差はレインジの $\frac{1}{3}$ くらいであると考えられる。標本数が100の場合には，それはだいたい $\frac{1}{5}$ くらいにまで下がる。これらのおおまかな値を覚えておけば，標準偏差の値を想像するのに役立つであろう。

これまでのことを要約すると，標本の個々の値が与えられるようなデータは，いかにまとめればよいのであろうか。これらは"生"のままで表すよりは，むしろ次のようにした方がよい。

(1) データの全体的な傾向を表すような表にまとめる。
(2) そこに含まれている数量を図を用いて表現する。
(3) 中心化の傾向を示すような適当な指標をさがす（たとえばモード，メディアン，平均）。また，量的変量の場合にはそのばらつきを示す何らかの指標をもさがす（たとえばレインジ，内側四分位レインジ，標準偏差）。

そのとき用いられる図や表や数字の種類は，そのデータのタイプ，すなわち質的変量か，量的変量かに大きく依存している。次章で，こういった考え方に基づき，さらに議論をすすめることにする。

3章 データのまとめ方　57

練習問題　3.

1. 以下に述べられるような統計をグラフにまとめたいとすれば，どのようなグラフを用いるのがよいであろうか．
   （ⅰ）円の対ドル価値の推移
   （ⅱ）世界各国における穀物の生産額
   （ⅲ）軍備増強に関して行った世論調査（賛・否・保留）の結果
   （ⅳ）2000年の日本における死因別死亡率

2. 現在，Y大学に学んでいる1，2年生の留学生の出身地域を調べたところ，以下のような結果が得られた．

	イニシャル	出身地	入学年		イニシャル	出身地	入学年
1	M.K.	北米	2000	11	J.S.	北米	2000
2	T.T.	アジア	2000	12	M.M.	アフリカ	2001
3	S.I.	アフリカ	2001	13	H.M.	オセアニア	2000
4	G.N.	アジア	2000	14	C.T.	アジア	2001
5	N.K.	オセアニア	2001	15	H.G.	アフリカ	2000
6	S.M.	アジア	2000	16	B.A.	北米	2000
7	H.S.	北米	2000	17	S.R.	オセアニア	2001
8	R.O.	オセアニア	2001	18	Y.I.	アフリカ	2000
9	K.A.	北米	2000	19	H.Y.	北米	2001
10	A.Y.	アジア	2001	20	D.M.	オセアニア	2001

このデータを表やグラフにまとめ，統計的に何がいえるかを注意深く考えてみよ．

3. 最近3日間の朝10時の気温を計ったところ，それぞれ14℃，15℃，16℃であった．このことから，明日の同時刻の気温は17℃であろうと予測することは，意味あることなのであろうか．

4. ある工場の工員数人を選び，彼らが製品1個を処理するために要する時間を計ったところ次のようなデータを得た．10　12　8　10　20　14　12　10（単位は分）．このメディアン，モード，平均，レインジを求めよ．また，中心化の傾向を表す尺度としては，どの平均が適当であろうか．

5. 56ページに述べた標準偏差の値に対する目安を，もう一度思い出してもらいた

い。次のような分布がある。1　2　3　4　5　6　7　8　9　10。この分布の標準偏差は，次の値のうちいずれに近いと予想されるであろうか。

(1)　9，(2)　6，(3)　3

次に実際にその値を求めてみよ。

6.　10人ずつからなる二つのグループの学生の血圧を測定したところ，以下のような結果が得られた。点図を描いた後，レインジ，内側四分位レインジ，分散，標準偏差を求めることにより，ばらつき具合を比較せよ（単位はmmHg）。

(A)　120　125　140　115　120　125　120　100　115　120
(B)　120　110　120　130　120　110　110　130　120　130

4章 分布の形状

算術平均と標準偏差を学んだことにより，量的変量に関するほとんどの分布に適用しうる二つの非常に力強い手段を持ったことになる（もちろん，メディアンや内側四分位レインジもまた，ときには有用である）。しかしながら，特に分布の全体的な形を知るには，絵を描くことがいかにパワフルかをも見逃すべきではない。

読者はすでに気づいているかもしれないが，これまで見てきた分布は，すべてかなり対称的であった。それも，それらはすべてほとんどの観測値がレインジの中央付近に記録され，両端にいくに従い徐々に少なくなってゆくというふうであった。たとえば，以下の図4.1に示されるとおりである。

こういった対称性は，統計分布において，特に生物学的変動に関する場合には，非常によく見受けられるものである。しかしすべての分布がそうだと

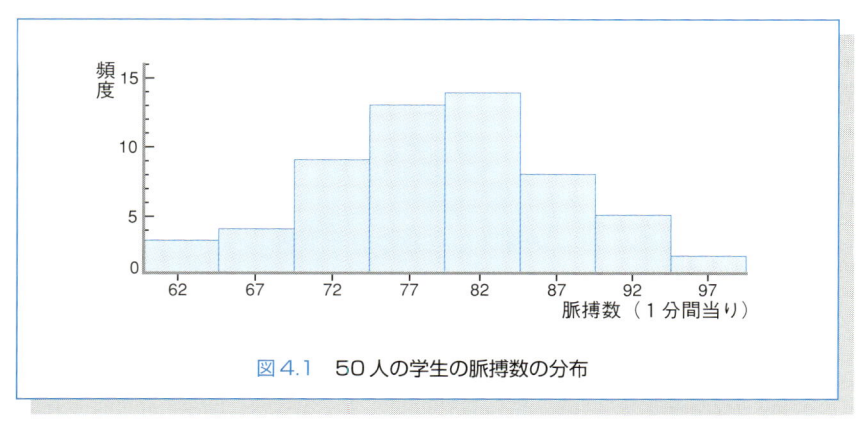

図4.1　50人の学生の脈搏数の分布

いうわけではない。

歪んだ分布

　以下の表4.1を見てもらいたい。二種類のグループ分けされた分布（XとY）が示されている。それらは，2回行われた数学の試験における学生たちの点数の分布を表している。

表4.1

点数	学生数	
	テストX	テストY
0—4	4	0
5—9	10	1
10—14	17	2
15—19	13	5
20—24	11	7
25—29	7	13
30—34	4	19
35—39	2	14
40—44	1	8

　図4.2の二つのヒストグラム(a)，(b)は，それぞれXとYのいずれに対応しているだろうか（横軸には各グループの中央値のみが記入されている）。また，この二つの分布のちがいはどこにあるといえばよいだろうか。

＊　　　　＊　　　　＊

　左のヒストグラム(a)は試験Xの点数の分布を表し，右のヒストグラム(b)は試験Yの点数を表している。

　明らかにこの二つの分布は共に非対称的で，これまで見てきたものとは異なっている。これまでの分布においては，大部分の観測値が点数のレインジの中央（ここでは20－30のまわり）に見られ，より極端な値が記録される

図4.2

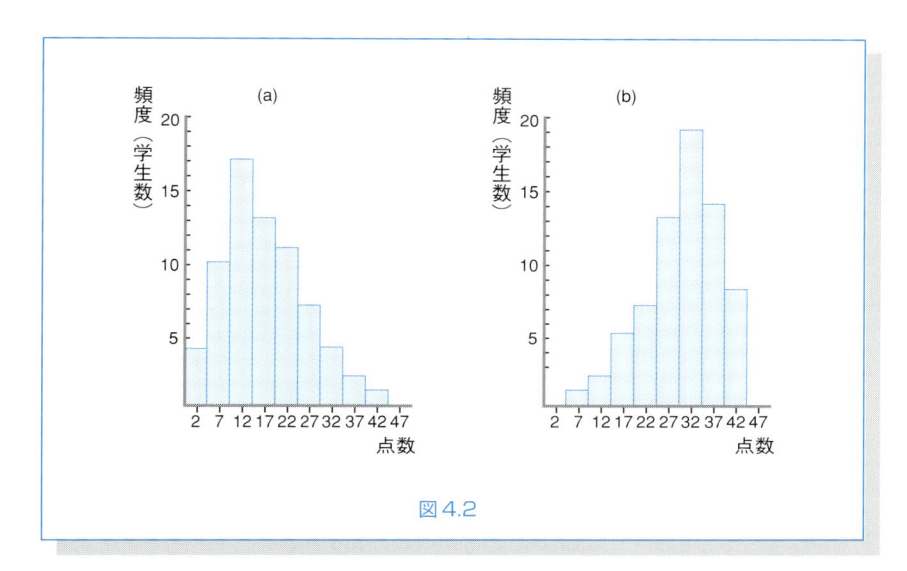

につれ，観測値の数は両側にかなり均一に少なくなってゆくという具合であった。しかし，ここではそういうわけにはいかない。どちらの分布においても，どちらかといえばむしろ，大部分の観測値が一方の端のまわりに積み上げられ，反対の端の方に徐々にその裾が消えていくといった具合になっている。しかし，それらの分布は，それぞれ異なる方向に観測値が積みあげられているという点が異なる。

このような分布は歪んでいるといわれる。歪むとは観測値が長い裾を持つことに等しい。分布は正負どちらに歪むこともありうる。もし歪み（裾）が右側（正の方向）であるならば正に歪んでおり，その左側ならば負に歪んでいるといわれる。

それでは，図4.2の二つの分布はどちらが正に，どちらが負に歪んでいるであろうか。

＊　　　　＊　　　　＊

分布(a)は正に歪んでおり，(b)は負に歪んでいる。(a)では長い裾が右側にあり，(b)では左側にあるからである。

この二つの分布においては，その最大と最小の観測値はほぼ等しいが，平

均は大きく異なる。(a)では平均は17.1点で，(b)においては30.2点である*。

歪みが，平均，メディアン，モードの相対的な大きさと位置関係にもたらす影響は特に注意すべきである。これまでのような対称な分布においては，中心化の傾向の三つの尺度は，すべて同一の場所，すなわち分布の中心にあった。たとえば，図4.3のような簡単な点図を見てもらいたい。

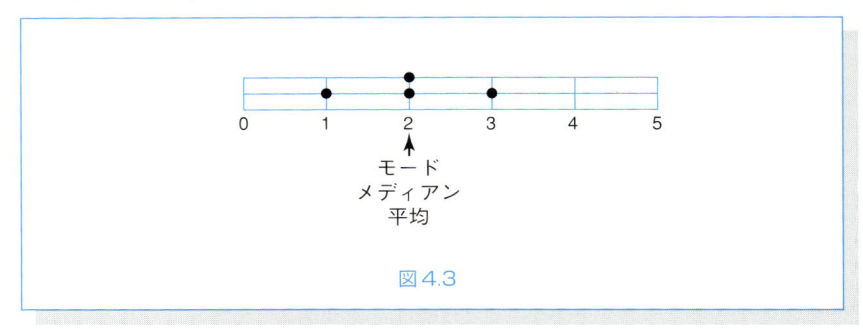

図4.3

この図は，1に1個，2に2個，3に1個の観測値があることを表している。モードは，最も頻度の高い観測値であることを思い出せば2となる。同様にメディアンは，分布をそれより大きいものと小さいものに二等分する値であるから，やはり2となる。そして平均は，観測値の総和をそれらの間に等しく分け与えたとすれば，$\frac{1+2+2+3}{4}$ と計算され，やはり2となる。

それでは，右端に2個の観測値を加え，裾を作り，簡単な分布を歪めた場合，どのようになるか見てみよう（図4.4）。4と5という観測値を1個ずつ加えることにする。

これらが三種の平均にどのような影響を与えるであろうか。まず，最も頻繁に観測される値は依然として2である。それゆえ，モードはこのまま変化

---

* 読者は分布がグループに分けられている場合，その平均をどのように計算するのか疑問に思うかもしれない。ここではあるグループに属する観測値が，あたかもすべてそのグループの中央値に記録されたかのように考えて計算した。すなわち，たとえば(a)において，20－24点の11個の観測値がすべて22点であったかのように扱うわけである。また，標準偏差を計算する場合も同様にした。このように計算したとしても，その結果は生の点数を用いて得られる結果と大きく異ならない。

図4.4

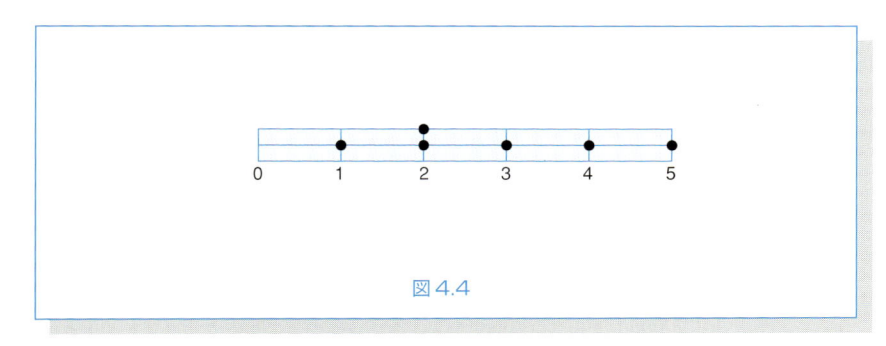

しない。しかし，メディアンはどうであろうか。今度は分布に6個の観測値（4個ではなく）があるわけだから，メディアンは3番目と4番目の値の真ん中になければならない。3番目の観測値は2で，4番目の観測値は3である。よって，メディアンは$2\frac{1}{2}$となる。このことからメディアンはモードから離れ，歪みの方向へと引き離されたことがわかる。

それでは，平均はどうであろうか。分布が歪んでいる場合，それは他の二つの平均とどのような関係に位置するであろうか。

*　　　　*　　　　*

平均は歪みの方向へさらに大きく引っぱられる。なぜならば，それは何個の観測値が新しく加わったかということのみならず，それらの大きさによっても影響を受けるからである。実際，新しい分布の平均は

$$\frac{1+2+2+3+4+5}{6} = \frac{17}{6} = 2.8$$

となる。それゆえ，歪んだ分布においては，三つの平均の位置は図4.5のようになる。そして，分布の裾が反対側にあるならば，この位置関係はちょうどひっくり返る。すなわち，図4.6となる。

歪んだ分布においては，三つの平均の相対的な位置関係は，常に予想しうる。モードは分布のピークの下にあり，平均は歪みの方向（左右どちらにでも）に引っぱられており，メディアンはモードと平均の間にある。歪みが大きいほど，モードと平均の間の距離も大きくなる（歪みの大きさを記述する尺度として，歪度（わいど）と呼ばれる統計量があるが，あまり使われてお

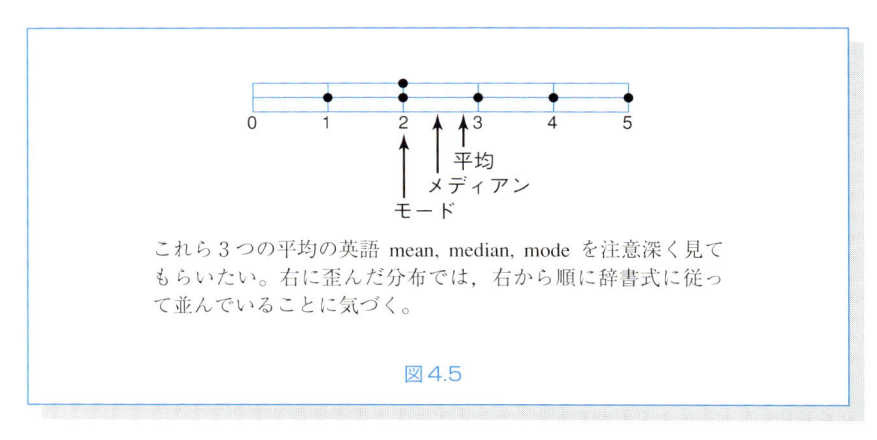

```
         •
    • •  •  • •
 ┼──┼──┼──┼──┼──┼
 0  1  2  3  4  5
       ↑  ↑
       │  平均
       │  メディアン
       モード
```

これら3つの平均の英語 mean, median, mode を注意深く見てもらいたい。右に歪んだ分布では，右から順に辞書式に従って並んでいることに気づく。

図 4.5

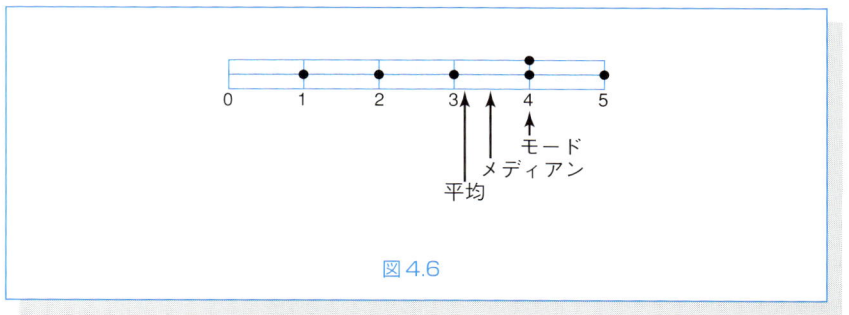

```
              •
       •  •  • • •
 ┼──┼──┼──┼──┼──┼
 0  1  2  3  4  5
          ↑ ↑
          │ モード
          │ メディアン
          平均
```

図 4.6

らず，ここでも省くことにした）。

　さて，ここでもう一度二つの点数の分布を見てみよう。今度は，三つの平均がそれぞれどこにあるかを矢印で示してみた（図 4.7）。

　歪みに関する読者の理解度をテストするため，それぞれの破線（点線）の上に三つの平均の名前を鉛筆で記入してもらいたい。

＊　　　＊　　　＊

　分布(a)においては，左から右へモード，メディアン，平均，分布(b)においては平均，メディアン，モードとなる。

　ところで，これらの二つの試験における二種類の歪みに関しては，その原因を説明することができる。分布(a)はレッスンを始めた直後の数学の試験の点数を表しており，(b)はそのコースの最後に行われた試験での点数を表

図4.7

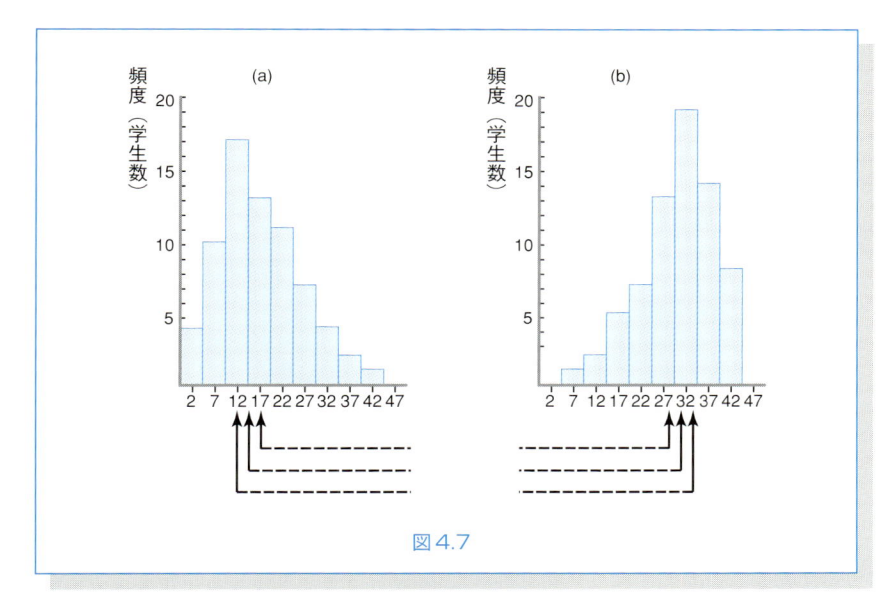

している。数人の学生はレッスンの効果が上がらず，依然として低い点数に留まっているが，明らかに大部分はかなりよい点数を取るようになった。

　それでは，ヒストグラムにもどってみて，分布(b)におけるばらつきは分布(a)と比べて増加したであろうか，減少したであろうか，あるいはほぼ変化なしであろうか。

＊　　　　＊　　　　＊

　実際のところ，明白な相違はほとんどない。しかしながらよく見ると，分布(b)のばらつきは，分布(a)におけるよりもやや小さいように思われる。(b)の方のレインジが少し小さく，背の高い三本の柱も(a)に比べ，少しばかり高いことに注意してほしい。実際に標準偏差を計算してみると，分布(b)においては8.1点また分布(a)では9.0点となる（つまり，こういった値は，図ではそれほど明白ではないものをはっきりさせる）。

　実際に出会う分布は，すべて多少なりとも歪んでいるであろう。その中には，上の例で見たものよりもはるかに歪んでいるものもある。

　たとえば，交通の激しい交差点に1か月間立って，毎日そこで起こる交通

事故の件数を数えたとしよう。そうすれば，多分事故の数が0である日がもっとも多いということになりそうである。そして，次に1，2，3，4と順にその頻度は減少してゆくであろう（図4.8）。

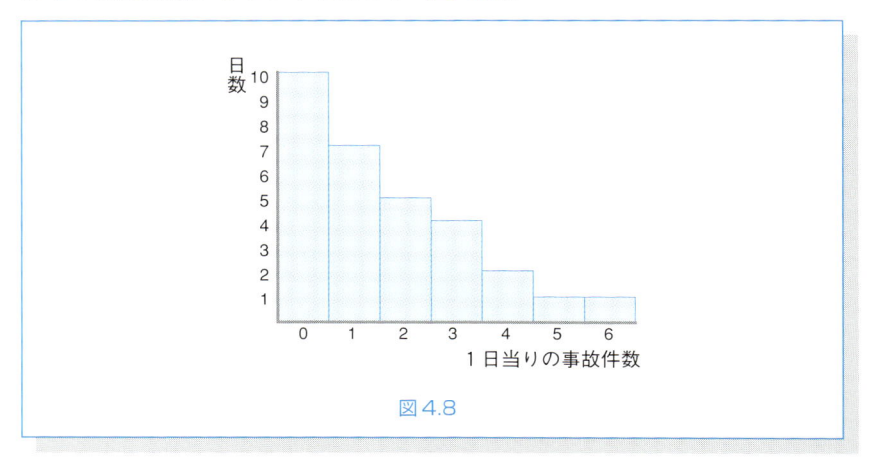

図4.8

このほかにも，日常見受けられるひどく歪んだ分布の例としては，サラリーマンの所得や新しく製造されたテレビのブラウン管の1グループ中の不良品の個数などがある。

しかしながらこの本では，中央のピークのまわりに，ある程度対称的であるようなごくありふれた分布を中心に議論をすすめることにする。ただし，対称分布のなかには次のような分布もあることに注意しなければならない。それは，図4.9のヒストグラムに見るような二つのピークを持った二山対称分布である。二つのピークはそれぞれレンジの端近くにある。これは，まったくレベルの異なる二つのグループの学生たちに対して行った試験の結果を表しているともいえる。つまり，二つの異なる分布が重なっているわけである。

正規分布の導入

分布についてさらに議論を進める前に，それらをもっと簡単に図示するこ

4 章　分布の形状　67

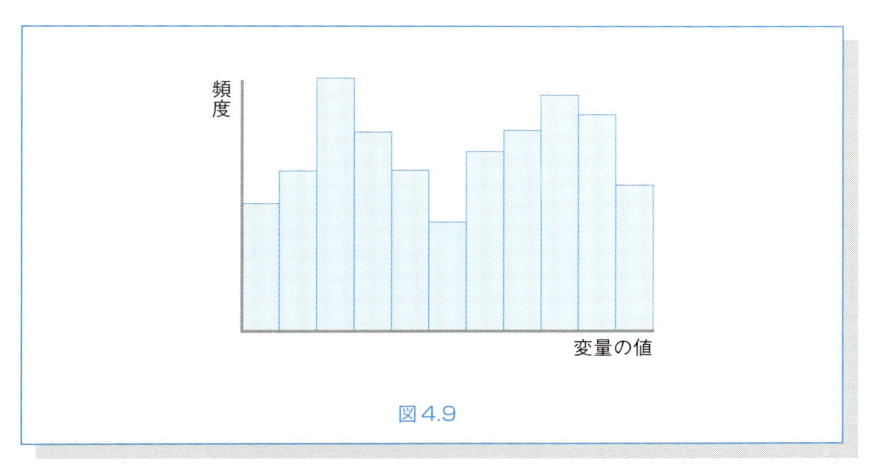

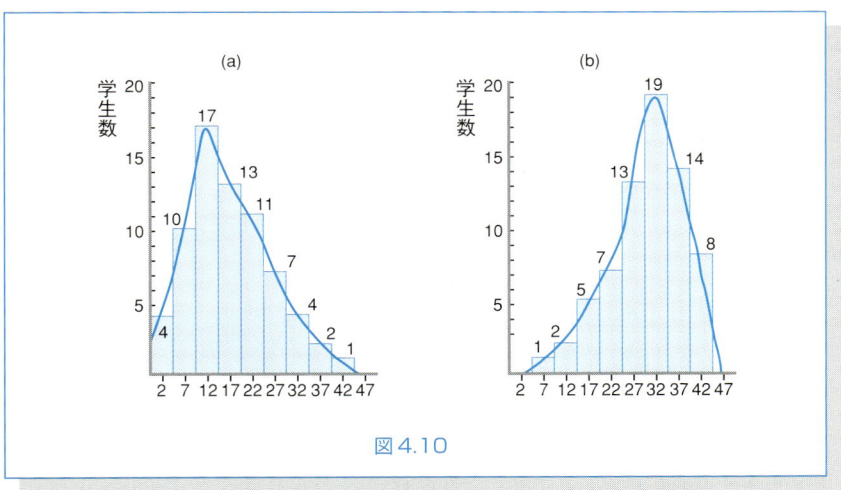

図 4.9

図 4.10

とにしよう．点や長方形を描くのをやめ，その代わりに分布の輪郭だけを描くことにする．具体的には，点図の最上点やヒストグラムの各柱の上端を滑らかな曲線で結べば，いわゆる分布曲線が得られる．これがその図やグラフの背後にある分布の形である．たとえば，前述の二つの分布に対してそれらの分布曲線を描いてみた（図 4.10）．

さて，再び上で示した交通事故の分布（図 4.8）と二山分布（図 4.9）の

二つを見てもらいたい。これらの分布に対して，分布曲線のおおまかな輪郭を描いてみよ。

*　　　　*　　　　*

曲線はおおまかにいえば，図4.11のようになっているはずである。

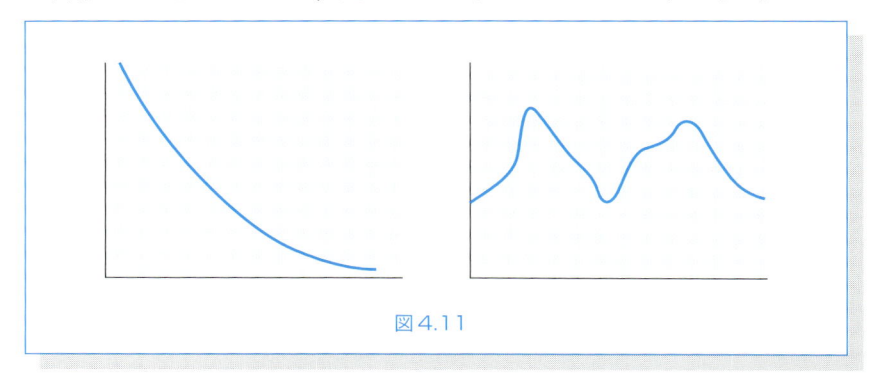

図4.11

さて，それでは点図に対しても同様のことを試みてみよう。再び50人の脈搏数の分布を考える。その輪郭を曲線で描こうとすれば，かなり凹凸の激しいものになることがわかるであろう（図4.12）。

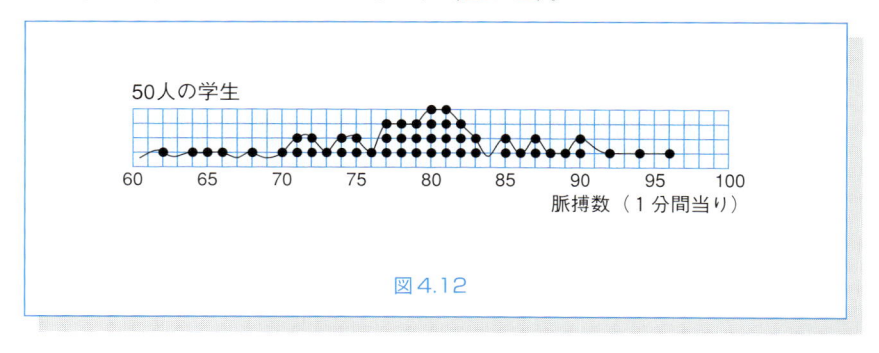

図4.12

学生たちは，レインジの中央付近に数多く現れる傾向が見られる。しかし，この傾向はそれほど強くはなく，曲線はいくつもの山と谷をもっている。さらに，この曲線はこれまで見たものほど滑らかではない。

しかしながら，あと25人の学生についてその脈搏数を測り，この点図にそれを加えたとしよう。そうすれば，この図は75人の学生の脈搏数の分布

を表すことになる。さらに，どんどん学生の数をふやし100人，150人，200人の学生の脈搏数の分布を表すようにすることも可能である。

　次々と分布にデータを加えていくにつれ，それまであった山や谷がなくなりだすのがわかる。そして，標本数が増加するにつれ，分布曲線の輪郭はだんだん滑らかになる。たとえば，図4.13のようになる。

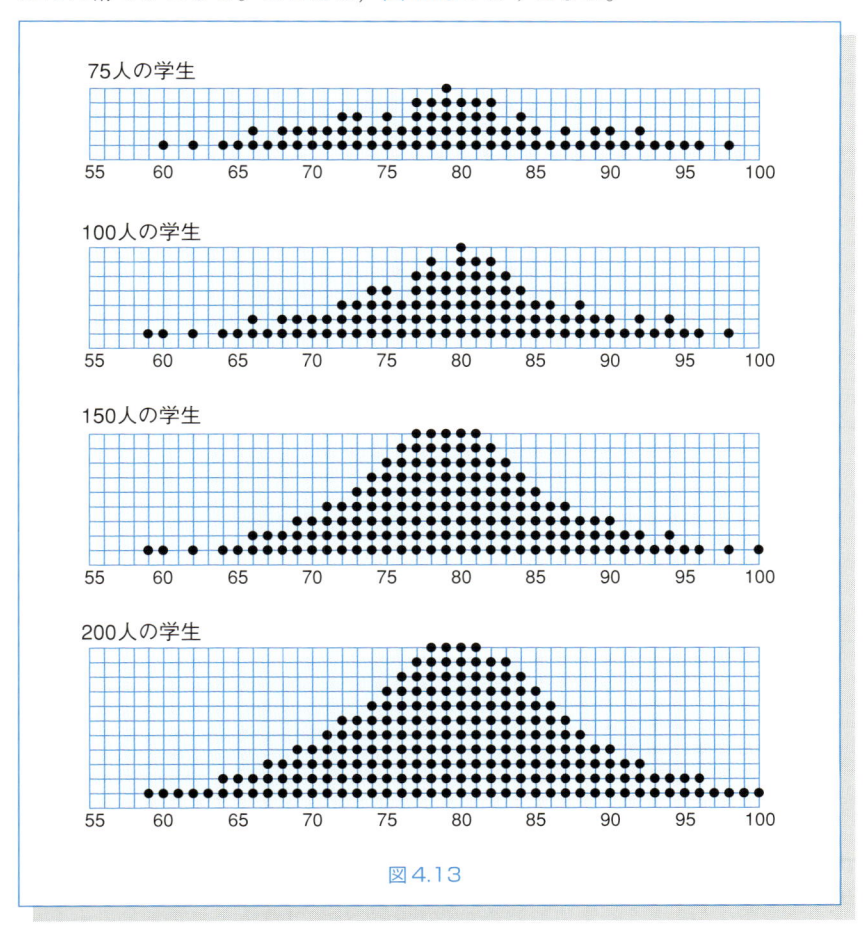

図4.13

　さて，最後の図で示されている200人の学生の脈搏数について分布曲線の輪郭を描いてみよ。

* * *

読者の図は図4.14のようになっているはずである。

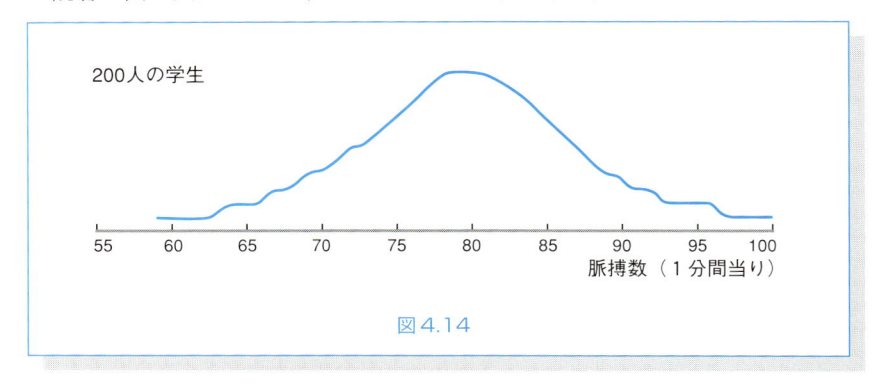

図4.14 200人の学生　脈搏数（1分間当り）

明らかにこの分布の輪郭は学生数の増加と共に，どんどん滑らかになってゆく。事実，数百人どころではなく，何千人もの学生について測定を行ったならば，最終的には，図4.15のような形の曲線が得られると思われる。

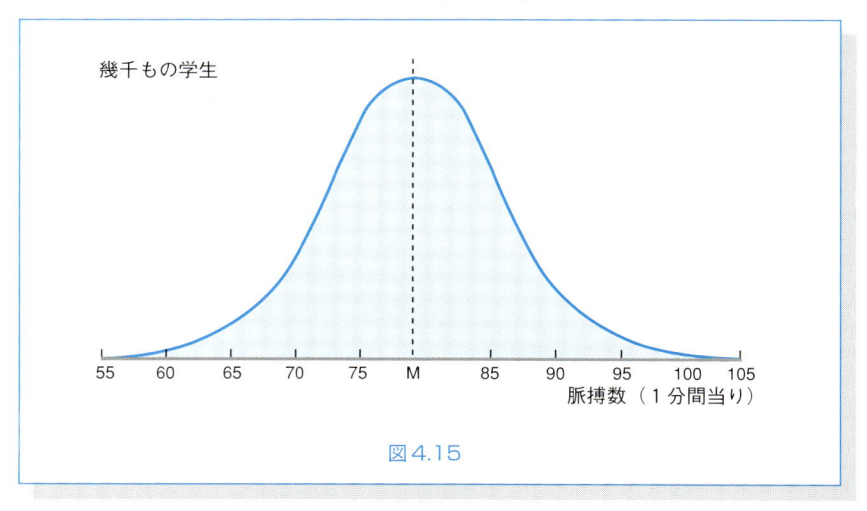

図4.15 幾千もの学生　脈搏数（1分間当り）

これは，これまでの図における点がぎっしりとつめ込まれたため，一つの固まりになってしまったものと考えればよい。つまり，それらの点は，お互いにもはや区別することができなくなっている（実際には，この図の縦軸の

尺度は前の点図の尺度よりははるかに小さくなっている。つまり、曲線の下の面積はヒストグラムと同様、観測値の数に比例している。それゆえ、数百ではなく、幾千人もの学生を表すには、もしこれまでと同様のスケールを保つとすれば、はるかに背の高い図が必要となってしまう）。

上の分布の形は、いわゆる正規分布曲線と呼ばれるものに従っている（この曲線は最初17世紀にイギリスの数学者ド・モアブルによって発見された）。この曲線は釣鐘のような形をしており、完全に対称的である。その結果、その平均もモードもメディアンも分布の中心にある。

ただしここで注意しておきたい点がある。どのような変量であっても測定値を増やしていくと点図の概形が正規分布曲線に近づくわけではない。もし、一日あたりの交通事故件数を何百日と調べれば、点図の概形は図4.8のように歪んだ分布になるであろう。これに対し、身長や試験の点数などの場合は、脈拍数の場合と同様、正規分布曲線が得られる。

任意の分布曲線に関して（それが正規分布であろうとなかろうと）、横軸の任意の値から上方に垂直に線を引けば、分布曲線によって囲まれた領域が二つの部分に分けられる。以下にくわしく議論するが、正規分布の場合には、変量の任意の値に対して両側に何％の観測値があるかを知ることができる。

たとえば、図4.15において平均の両側には（垂直な破線で示されている）、それぞれ全体の何％の観測値があるだろうか。

＊　　　　＊　　　　＊

完全に対称な分布の場合、平均はその中心にある。それゆえ、全面積は破線により二等分されることになり、平均の両側にはそれぞれ50％の観測値がある。

正規分布は背が高くほっそりしていることもあれば、背が低くずんぐりしていることもあれば、非常に平たくつぶれていることもある。これは観測値の数と分布の標準偏差の大小による。あるいは、グラフを描く際の縦軸、横軸の尺度の比にもよる。たとえば、以下の図4.16で、縦軸の尺度を横軸の尺度に対して縮小していくにつれ、だんだん分布曲線が平たくなってゆくことを見てもらいたい。

図4.16

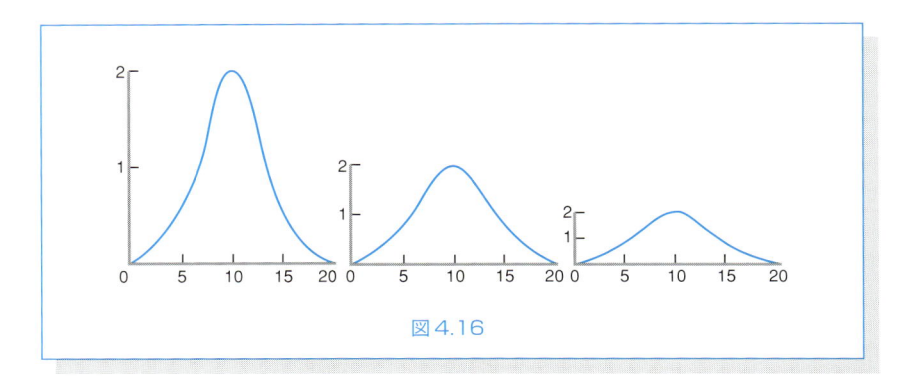

しかし，正規曲線の高さや幅がどうあろうとも，その分布曲線の下にある部分の面積の割合は常に一定である。たとえば，図4.16においては，横軸の15と20という値の間にある部分の面積の全面積に対する割合は，三つの曲線のいずれにおいても等しい。

図4.17に三つの異なる分布曲線（a, b, c）を同一の図の上に描いてみた。三つの曲線のうちいずれが最も正規分布曲線に近いであろうか。

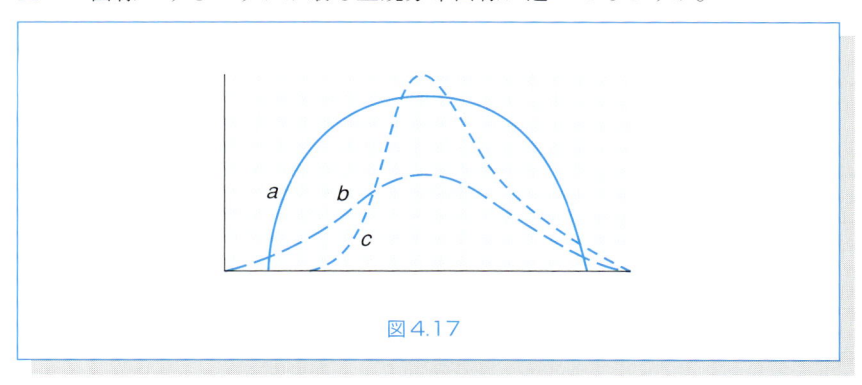

図4.17

曲線bが最も正規分布曲線に近いように思われる。それは単に中央のピークのまわりに対称的であるばかりでなく（cは対称ではない），変量の各値に対応する面積の割合もだいたい適当であるようにみえる（aはそうではない）。

ただし正規曲線というのは，それが正常な曲線であるということではない。

4 章　分 布 の 形 状　73

　正規という言葉は，それにてらして現実の世界に見られる分布を比較することのできるある基準，という意味で使われている。それは，極限にまで理想化されたものである。そして，現実の分布の多くが（たとえば，自然や人工のある物の大きさや重さなどが），この理想化された曲線に非常に近いこともまた事実である。すなわち，それらは平均のまわりに対称で，釣鐘の形をしていると考えてもさしつかえないことが多い。

　けれども，正規曲線は数学的に抽象化されたものである点は，覚えておく必要がある。それは，恐ろしくややこしい形をした方程式によって定義されたものである。同時に，それは無限に大きな母集団を想定している。日常生活において得られる程度の標本数では，決して完全な曲線が得られることはない。

　もっとも，かなり小さな標本であっても，かなり釣鐘の形に近い分布が得られることもある。前の50人の学生の脈搏数の点図では，それほどはっきりと釣鐘の形はみられなかった（100人の標本ともなれば，たしかに徐々に明らかになってきているが）。ただし，たとえ50人であっても，中央にピークがあり，観測値が両側にいくほどだんだんと少なくなっている（凹凸はあるが）ことは読み取れると思う（図4.18）。

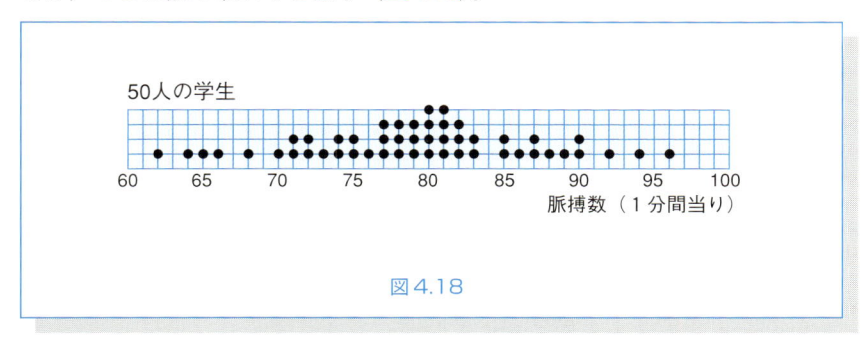

図4.18

　しかし，ここで"グループ分けされた"分布に基づき曲線を描いたとすれば，どうなるであろうか。59ページの脈搏数のヒストグラムにもどって見てみよう。各ブロックの上端の中央を結び輪郭を描いてもらいたい。この曲線は"正規"曲線のように見えるであろうか。

*　　　*　　　*

おわかりのようにグループ分けされたデータに基づく曲線（図4.19）はやや凹凸しており，歪んでもいる。しかし，全体的に以前よりも正規曲線に近い。

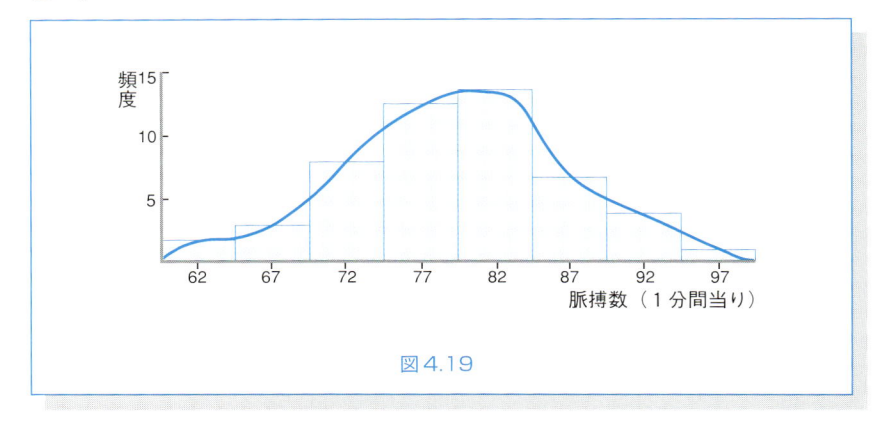

図4.19

それゆえ，現実の本当に小さな標本であっても，その分布はあたかも"正規分布になろうとしている"かのように見られる。このことから，こういった標本は，その分布が実際に正規曲線によって記述されうるような大きな母集団から取られたものではないかと予想される。

そうだとすれば，その標本を解釈する際には，正規分布のもつ強力な特性を利用することができる。正規曲線はその平均と標準偏差の大きさだけで，その特性が表される。そして正規分布の形を見れば「その変量の任意の二つの値の間にある母集団の割合をいい当てることができる」。そのためには，平均と標準偏差の値を知りさえすればよい。その後分布の任意の値が，平均から"標準偏差の何倍"離れているかだけを考えればよい。すなわち，標準偏差を測定の単位として用いるわけである。

たとえば，学生の脈搏数に関する標本を取ったところ，その平均は80/分，標準偏差は6/分であったとしよう。その場合，脈搏数が毎分86である学生は，平均の上1標準偏差の学生ということになる（標準偏差を測定の単位として使う場合には，SD（Standard Deviation）と略記する）。同様に脈搏数

が毎分74の学生は平均の下1SDであるということができる。また，脈搏数89/分とすれば，平均の上$1\frac{1}{2}$SDということになり，以下同様に考えればよい。

それでは，平均=80，SD=6を用いて

（ⅰ）　98/分，（ⅱ）　77/分，（ⅲ）　68/分

と記録された学生の脈搏数は，どのように述べればよいだろうか。つまり，それぞれはSDを単位として平均の上下どれだけにあるだろうか。

*　　　　　*　　　　　*

平均が80/分で，標準偏差（SD）が6/分であるので，98は平均の上3SD（すなわち，3×6），77は平均の下$\frac{1}{2}$SD（すなわち，$\frac{3}{6}$），そして68は平均の下2SD（すなわち，2×6）となる。

ヒストグラムあるいは分布曲線の基軸だけを書いてみれば，これまで述べた値の位置を図4.20のように表すことができる。

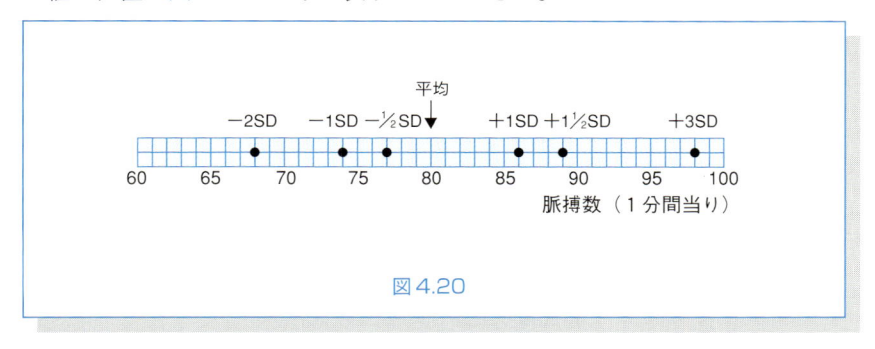

図4.20

このようにすれば，分布の"任意の値"が平均の上下何SDというふうに表現しなおすことができる。もちろん，これは分布が正規分布でなくとも可能なことである。しかし，正規分布であれば（あるいは近似的にそうであれば），正規曲線に関する知識を利用して，任意の二つの値の間にどれだけの観測値が落ちるかを推定することができる。この釣鐘状の分布においては標準偏差により区切った場合，各部分には全観測値の何パーセントが含まれるかが知られている。すでに見たように，平均の両側には観測値の半分ずつがある。以下で見るように，平均の両側1標準偏差内には観測値のおよそ$\frac{2}{3}$

がある。それぞれ平均の上下に$\frac{1}{3}$ずつである。

正規曲線のもとでの割合

図4.21の正規分布の曲線を見てもらいたい。それはピークから離れるにつれ、両側へとだんだんと下がってゆく。最初、その傾斜は凸で（外側にふくれている）だんだん速く落ちてゆく。しかし、ある点で——それは"変曲点"（反対側に曲がるという意味）と呼ばれているが——それは凹となり（内側にふくれている）、傾斜はだんだんと平らになり始める。平均とその両側にある変曲点の間の距離は、ちょうど標準偏差に等しい。正規分布においては、すべての観測値の約$\frac{2}{3}$（68％）がこの平均の両側1標準偏差の間にある。この範囲のことを平均±1 SD, あるいはM±1 SDと呼ぶ。

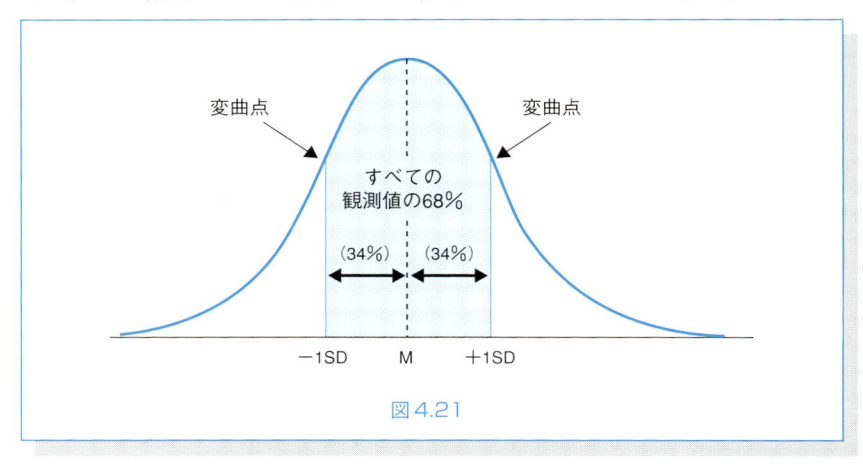

図4.21

それでは正規分布において、平均の上1 SDを超える観測値は約何パーセントあるだろうか。

*　　　*　　　*

M±1 SD（平均の下1 SDから上1 SDまでの範囲）には、観測値の約68％が含まれることがわかっている。それゆえ、100−68＝32％がこの範囲の外側にあることになる。分布は対称だから、32％の半分（すなわち、

16％）が－1 SDよりさらに下にあり，残りの16％が＋1 SDよりさらに上にあると考えられる（図4.22）。

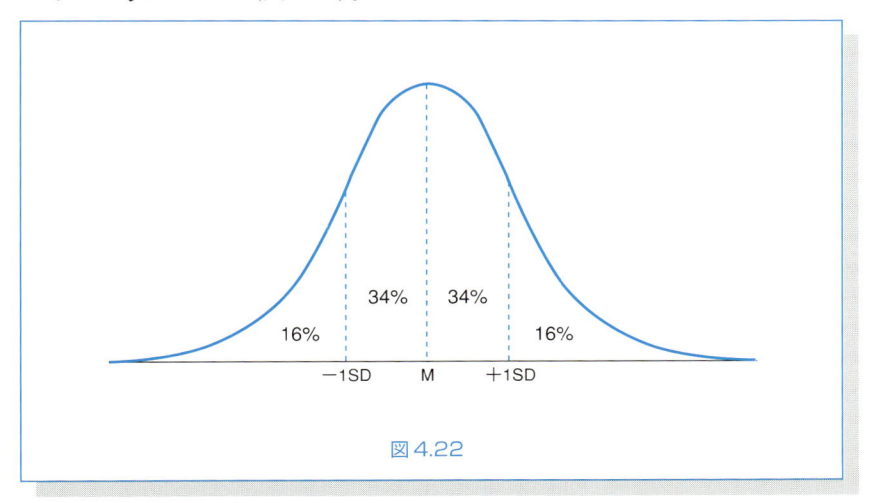

図4.22

さて，こういった関係をどのように利用するのか，一例をあげてみよう。警察のレーダーによって，ある地点を通過した1,000台の車のスピードをモニターしたところ，そのスピードの分布は，ほぼ正規分布であったとしよう。また，平均スピードは1時間当たり45キロメートルで，標準偏差は5キロメートルであったとしよう（図4.23）。

さて，その地点における制限速度が40キロ/時であったとすれば，ほぼ何台の車が法律違反を犯したと思われるだろうか。

＊　　　　＊　　　　＊

制限スピード40キロ/時は，平均スピード45キロ/時の下1標準偏差（5キロ/時）に相当する。それゆえ，平均スピードより速く走っている50％の車に，平均－1 SDとの間の34％を加えた車すべてが法律違反となる。50％＋34％＝84％で，1,000の84％は840台である。

（もしその1,000台の車が，調査点を通過している車すべてからのランダム標本であるならば，スピードの母集団について同様な推測を行うことが許される。しかし，これに関しては次章でくわしく述べることにする）。

図 4.23

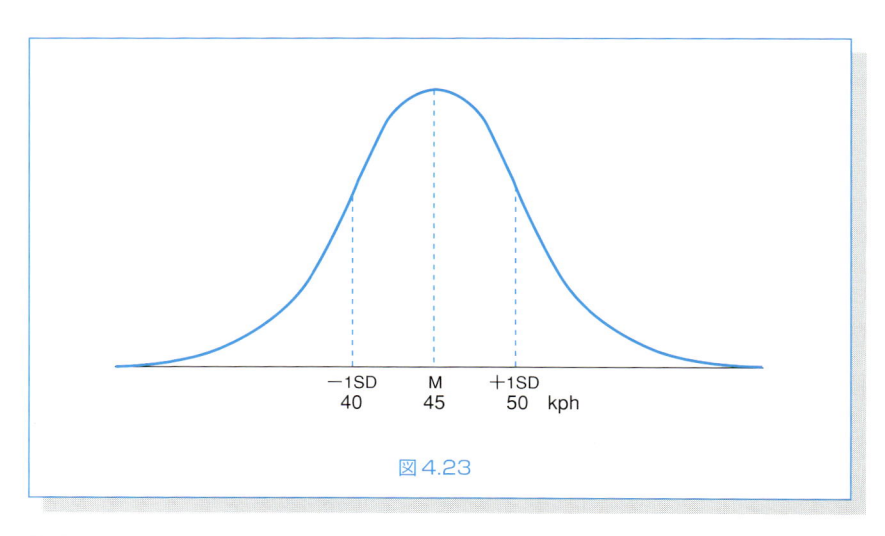

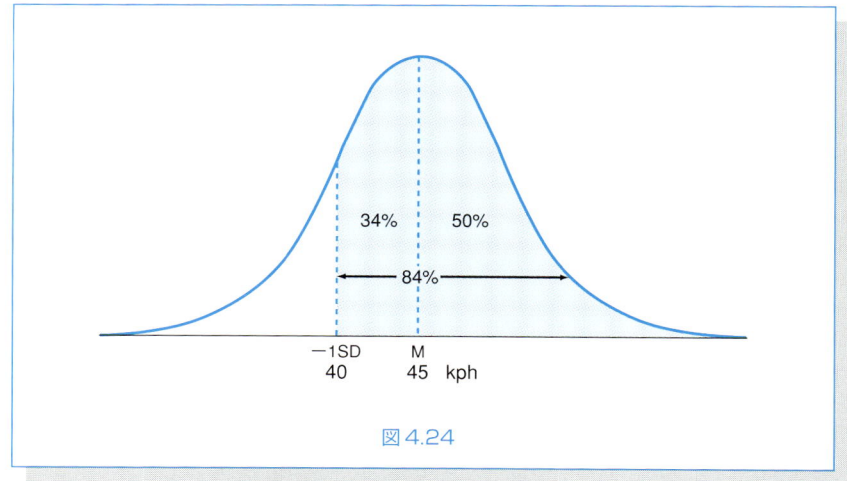

図 4.24

　平均の両側 1 標準偏差の範囲内には，観測値の約 $\frac{2}{3}$ が含まれることがわかった。その範囲を両側にもうあと 1 標準偏差分だけ拡張すると，どうなるだろうか。このとき，平均の両側 2 標準偏差（正確には 1.96）の範囲内には，観測値の 95％ が含まれることが知られている（図 4.25）。

　"水色の部分は，その曲線の下の部分の面積の 95％ を表している。左端の

図4.25

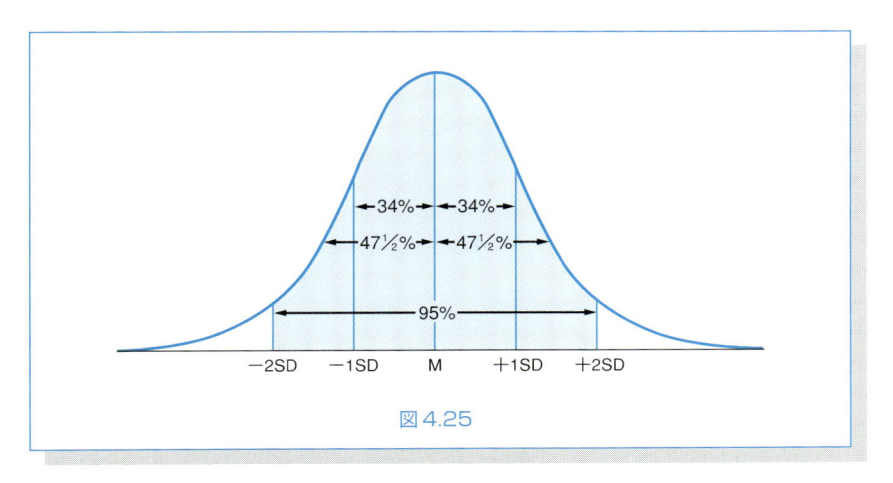

境界は，−2SDのところで，また右は+2SDのところで区切られている"。
さて，上の図4.25を見ながら以下の問に答えてみてもらいたい。
(ⅰ) 平均の下2SDから下1SDの間に観測値の約何パーセントがあるだろうか。
(ⅱ) 平均から標準偏差の2倍以上離れているのは，観測値の何パーセントであろうか。
(ⅲ) 図に−3SDと+3SDを記入せよ。このとき，観測値の約何パーセントが，平均から考えて標準偏差の3倍以内の範囲にあるといえるか。

*　　　　　*　　　　　*

(ⅰ) 観測値の約$13\frac{1}{2}$%が平均の下，2標準偏差から1標準偏差の間にある。すなわち，$47\frac{1}{2} - 34 = 13\frac{1}{2}$%と計算される。
(ⅱ) 平均から考えて標準偏差の2倍以上離れている観測値はわずか5%にすぎない（それぞれ平均の上，下に$2\frac{1}{2}$%ずつ）。
(ⅲ) 観測値の実用上100%が（正確には，99.7%が），平均から考えて標準偏差の3倍以内の範囲にある（平均±3SDを超える観測値は1%以下である。それゆえ，正規分布において標準偏差はレンジ全体の約$\frac{1}{6}$ということになる）。

正規分布に対しては，その任意に与えられた値によって観測値の何パーセ

ントが切り取られるかを示した数表がある。そこでは，69/分という脈搏数や51キロ/時といった値を，平均の上下何SDであるかに翻訳しさえすればよい。そうすれば（たとえ－1.85SDとか＋2.33SDとかいったややこしい数であったとしても），それらの値の両側に観測値（たとえば，学生や車）の何パーセントが現れると予想されるかを表から読み取ることができる。

　読者の中には，こういった私の言葉をそのまま受け入れる人もいると思う。誰かが必要な数字を集めるために骨を折ってくれたのであれば，そのような表があるという，私の言葉をそのまま受け入れ，より重要な話題へと議論が進むのを待っているのであろう。しかしながら，その反対に，私が何かごまかしを行っているのではないかという疑いを持つ人もいると思う。彼らにしてみれば，自らこの神秘的な表を少なくとも一目見るまでは満足できないのであろう。

　そのような読者は，たいていの統計の教科書の後には何らかの形で数表がついているので，それを参照してもらいたい（それらの表を用いれば，基軸上の任意の二点の間に，分布曲線の下にある全面積のうちどれだけの割合が入っているかを調べることができる）。あるいは，以下の小さい活字で書かれている中にも，こういった数表の抜粋を載せておいたので，参照されたい。

　しかしながら，正規曲線のもとでの割合に関して，私の選んだいくつかの代表的数値を信用してもらえるならば，先に進んでもらいたい。この本における当面の目的としては，次の図4.26の図中に示したおおよその値だけで十分である。

正規曲線のもとでの割合について：数表からの抜粋

　82ページの表4.2の数値は正規曲線のもとでの割合を示した表から抜き出したものである。それらの数値は次のような質問に答えるためのものである。「平均とその両側の任意の点の距離を標準偏差の単位で測ったとして，その間にどれだけの面積があるだろうか。」

　表4.2によって，たとえば，1.25SD，あるいは1.50SDと平均との間にある割合を知ることができる。しかし，完全な表によればこれ以上にくわしく1.26SD，あるいは1.265SDといったような値と平均との間にある割合をも知ることができる。けれども，ここでは，

図4.26

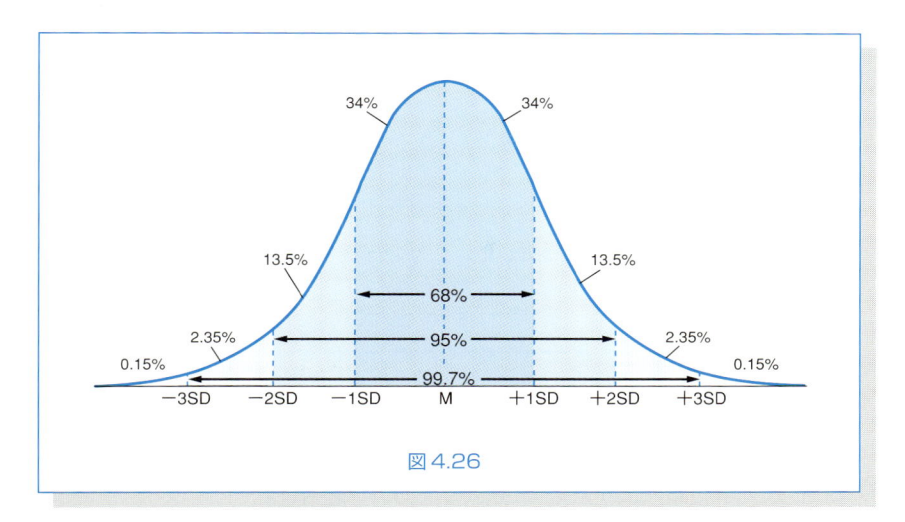

正規分布についての一般的なパターンを示すに必要な数値のみ選び出した。

わかりやすい例をあげてみよう。平均から0 SD離れたところ（すなわち，平均それ自体）では，全面積の0.5000（つまり50％）がそれを超える。

また，平均と（±）1.00SDの間には全面積の0.3413（すなわち34.13％）があることがわかる。これはA欄を見ればよい。さらに，B欄からは0.1587（すなわち15.87％）が1.00SDを超えることがわかる。

ここでは「1.96SDと2.00SD」と「2.50SDと2.58SD」といった数字を共にかっこでくくっておいた。その理由は，この本では，それぞれ2 SDと$2\frac{1}{2}$SDを全面積の95％と99％を切り取るSDの簡単な近似値として使っているからである（正確には，それらの割合は1.96SDと2.58SDに対応する）。

平均の両側に対称にわたる領域の全体に対する割合を知りたいならば，それに見あった適当な数字を2倍しなければならない。たとえば2×0.3413＝0.6826が平均の両側1 SDの範囲にある。そして，また2×0.1587＝0.3174がこの範囲の外側に存在することになる。

詳しい数表によれば，この反対の手続きをも行うことができる。たとえば，何らかの理由で，平均からどれだけ離れれば全面積の49.7％を含むことができるかを知りたいとしよう。その場合，数表全体を見わたし（下線を引いた数字からわかるように），2.75SDという値を読み取ればよいわけである。もちろん，完全な表であれば任意の割合，たとえば20％，25％，75％と何であれ，こういった手続きを行うことができる。

表4.2

あるいは

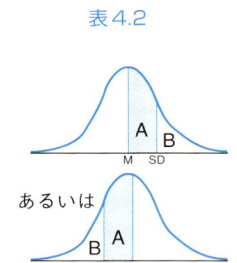

SD	[A] 平均とSD との間の面積	[B] SDを超える面積
0.00	0.0000	0.5000
0.25	0.0987	0.4013
0.50	0.1915	0.3085
0.75	0.2734	0.2266
1.00	0.3413	0.1587
1.25	0.3944	0.1056
1.50	0.4332	0.0668
1.75	0.4599	0.0401
1.96	0.4750	0.0250
2.00	0.4772	0.0228
2.25	0.4878	0.0122
2.50	0.4938	0.0062
2.58	0.4951	0.0049
2.75	0.4970	0.0030
3.00	0.4987	0.0013
3.25	0.4994	0.0006
3.50	0.4998	0.0002
4.00	0.49997	0.00003

前にも述べたように，正規曲線は背が高くほっそりとしていることもあれば，低く広がっていることもある。しかし，面積の割合はいつも一定である。

さて，脈搏数の分布のように，それほど正規分布に近いとは思われないような分布に対して，正規分布の"理想的"な割合がどの程度あてはまるかを調べてみるのもおもしろい。思い出してもらいたいが，脈搏数の分布の平均は79.1/分で，標準偏差は7.6/分であった。それゆえ，

$$
\begin{aligned}
M-3\,SD &= 79.1 - (3 \times 7.6) &&= 56.3/分 \\
M-2\,SD &= 79.1 - (2 \times 7.6) &&= 63.9/分 \\
M-1\,SD &= 79.1 - 7.6 &&= 71.5/分 \\
M &= 79.1/分 \\
M+1\,SD &= 79.1 + 7.6 &&= 86.7/分 \\
M+2\,SD &= 79.1 + (2 \times 7.6) &&= 94.3/分 \\
M+3\,SD &= 79.1 + (3 \times 7.6) &&= 101.9/分
\end{aligned}
$$

もちろん，これらの七つの数値はいずれもが実際の観測値ではない。がしかし，それらを記録値の分布の中に記入し，それによって観測値がどのような割合に分けられるかを見てみよう。

表4.3

56.3	62	**63.9**	64	65	66	68	70	71	71	**71.5**	72
72	73	74	74	75	75	76	77	77	77	78	78
78	79	79	79	**79.1**	80	80	80	80	81	81	81
81	82	82	82	83	83	85	85	86	**86.7**	87	87
88	89	90	90	92	94	**94.3**	96	**101.9**			

全部で観測値は50個（100個の半分）ある。それゆえ，各SD点の間に何パーセントの観測値があるかを計算することはたやすい。数を数え，その値を2倍すればパーセンテージとなる。たとえば，$-1\,SD$ (71.5) と $-2\,SD$ (63.9) との間には，7個の観測値があるので14％となる。それを図4.19の分布曲線の上に記入してみた結果が，次の図4.27である。

図4.27

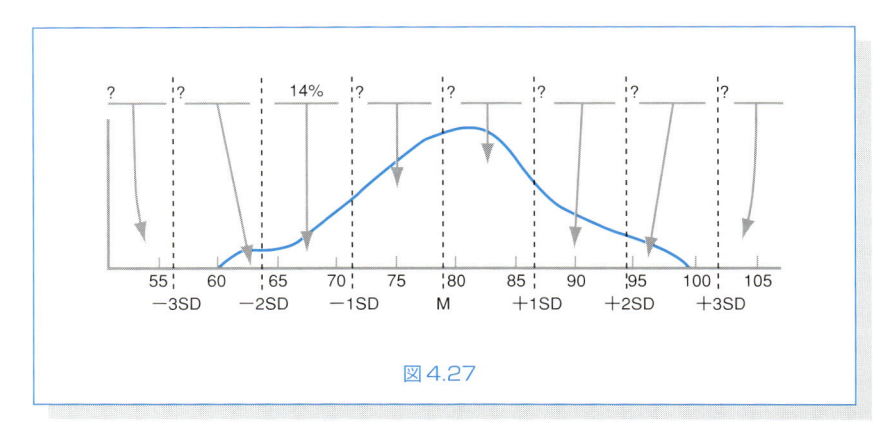

さて，図4.27の中の残る七つの領域には，それぞれ観測値の何パーセントが含まれているかを記入してもらいたい．

* * *

読者が図に記入したパーセンテージは（−3 SDの左側から＋3 SDの右側へむかって），表4.4のようになっているはずである．

表4.4

実際には：	0%	2%	14%	34%	32%	16%	2%	0
推定値：	0.15%	2.35%	13.5%	34%	34%	13.5%	2.35%	0.15%

これらの割合は，正規曲線による値と非常に近いように思われる．

値 の 比 較

釣鐘状の分布の平均と標準偏差を知っていれば，その面積の割合についても多くのことを知りうることを学んだ．このことから，相異なる分布からの複数個の観測値を比較することが可能となる．たとえば，ビルは経済学の試験において90点を取り，リンダは法律の試験で80点を取ったことがわかっ

たとしよう．また各科目において，受験者の分布はよくあるように，近似的に"正規分布"に従っているものとしよう．さて，この二人の学生のうちどちらがよりよい点数を取ったといえるであろうか．

ビルの方がリンダより点数が高かったわけであるから，それはビルだと早合点してしまう人が多い．しかし，ビルの取った90点は経済学の最低点であり，リンダの取った80点は法律の最高点であるということも考えられる．それゆえ，次にこれらの二人の点数が他の学生たちの点数とどのような関係にあるかを調べる必要がある．さて，経済学の平均点は60点で，法律の平均点は65点であった．それゆえ，二人の点数はともに平均以上であり，ビルは30点，リンダは15点上ということになる．それではこのとき，ビルの方がよりよい点を取ったといえるであろうか．そうとはかぎらない．他の学生のうち，何人がビルやリンダと同程度平均を超えたかを知る必要がある．

たとえば，経済学において標準偏差は15点で，法律においてそれは5点であったとしよう．読者は，この情報（と正規曲線の割合についての知識）を用いて，以下のような質問に答えることができるだろうか．「経済学の学生のうち，どれくらいの割合がビルの取った点数90点を超える点数を取ったであろうか．そして，法律の学生のうち，どれだけの割合がリンダの点数80点を超えていたであろうか（記憶をあらたにするために82ページの表4.2を見てもらいたい）．この結果からして，どちらの学生が仲間の受験者と比較した場合，よりよい点を取ったことになるであろうか（図を描いてみるとわかりやすいかもしれない）．

＊　　　　＊　　　　＊

経済学においては，平均が60点で，標準偏差は15点であった．それゆえ，ビルの取った点数90点は，平均の上標準偏差の2倍のところにある（つまり60点より 2×15 点大きい）．ということは，ビルの点数を超えるものは，彼の仲間の受験者のうちの2.5％にすぎない．法律の場合，平均は65点で，標準偏差は5点であった．それゆえ，リンダの点数80点は平均の上標準偏差の3倍のところにある（65点より 3×5 点上）．つまり，リンダの点数を超えるものは，彼女の仲間の受験者のわずか0.15％にすぎない．それゆえ，

図4.28

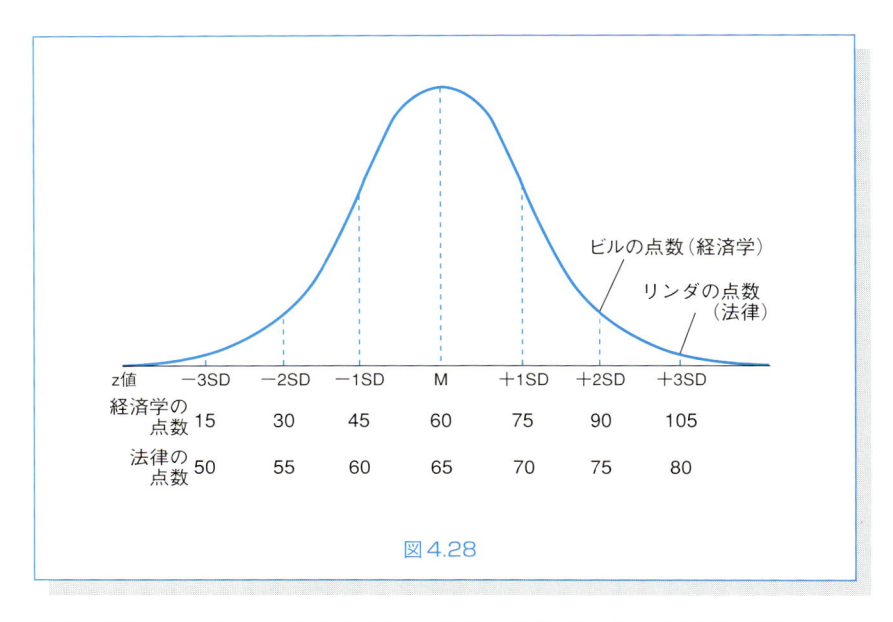

z値	−3SD	−2SD	−1SD	M	+1SD	+2SD	+3SD
経済学の点数	15	30	45	60	75	90	105
法律の点数	50	55	60	65	70	75	80

(グラフ中注記: ビルの点数(経済学)、リンダの点数(法律))

以下の図4.28からもわかるように,仲間の受験者と比べた場合,明らかにリンダの方がよりよい点を取ったことになる。図4.28の分布の基軸には,標準偏差を単位として測った値と——これは z 値と呼ばれることが多い——経済学,法律の分布の点数が目盛られている。さらに,双方の分布からの観測値を z 値に変換してみた*。すなわち,それらの分布の点数を平均の上下何倍のSDのところにあるかで表現しなおした。このようにすれば,経済学の30点が法律の55点と同等であることが一目でわかる。それらは共に平均の下標準偏差の2倍のところにある。

それでは経済学の60点と法律の60点とでは,どちらがよい点数であるか再び考えてもらいたい。

* * *

---

* 分布の任意の値から,その平均を引き,その差を標準偏差で割ることにより,z 値が得られる。たとえば平均が50で,標準偏差が10とすれば,もとの点数60点は z 値が,$(60-50)/10 = 10/10 = 1$ となる。すなわち,z 値は平均の上1SD = 1となる。

経済学における60点は平均点である。しかるに法律における60点は，平均の下標準偏差の1倍の点数である。それゆえ，経済学の60点の方がよりよい点数ということになる。

おわかりのように，分布の値をz値へと変換することによって，二つの異なる分布を比較することができる。さらに，二つの異質な変量を比較することも可能である。たとえば，ある学生の血圧が脈搏数と同程度に高いかどうかを問うこともできる。これは厳密にいえば，標準偏差で測ったとして，「彼の血圧が平均血圧のどれだけ上にあるか」と，「彼の脈搏数が平均脈搏数のどれだけ上にあるか」とを比較することである。

要するに，釣鐘状の分布の平均と標準偏差を知っていれば，非常に多くのことを行いうることになる。たとえば，その変量のさまざまな値の上下，あるいは間に全観測値のどれだけの割合が含まれるかを推定することができる。さらに，それらをz値へと変換しておけば，二つの異なる分布からの値を（あるいは二つの異質の変量ですら）比較することも可能となる。さらに，分布が釣鐘状であろうとなかろうと，より大きな母集団についての予測を行うための標本として，その分布を利用することができる。このとき，どの程度確かなことがいえるかを5章において議論する。

練習問題　4.

1. 右の表は，ある機械の部品の寿命を測定した結果である。
   (ⅰ) この表に基づきヒストグラムを描け。
   (ⅱ) 最頻カテゴリーの寿命はいくらであろうか。
   (ⅲ) 平均を求めよ。
   (ⅳ) メディアンを求めよ（ヒント：メディアンをヒストグラムから計算するのはむずかしい。中央値と考えられる寿命がいくらであるか推測することが必要である）。
   (ⅴ) この分布は正負どちらに歪んでいるだろうか。
   (ⅵ) このヒストグラムの中心としては，何が適当であろうか。

寿命（年）	部品の数
0〜1	6
1〜2	10
2〜3	7
3〜4	4
4〜5	2
5〜6	1

2. 知能指数（IQ）は，平均100，標準偏差20である。このとき以下のIQの値は，標準偏差（SD）を単位とした場合，平均の上下どれだけにあるだろうか。
（ⅰ）110　　（ⅱ）95　　（ⅲ）140

3. 近くの公園の池にはたくさんのカメがいる。約1万匹はいるであろう。そのうち100匹をランダムにつかまえ，体長を測ったところ，その分布はほぼ正規分布に従い，平均25cm，標準偏差5cmであった。このとき82ページの表4.2を参考にし，以下の問に答えよ。
（イ）体長が30cmをこすものは，全体で約何匹いると考えられるであろうか。
（ロ）体長が15cm以下のものは，全体で約何匹いると考えられるであろうか。
（ハ）体長が12.5cmから32.5cmまでのものは，約何匹いるであろうか。
（ニ）大きい方から1,000匹目（10％）のものの体長は，おおよそどれくらいであろうか。
（ホ）小さい方から数えて，15匹目（0.15％）のものの体長は，おおよそどれくらいであろうか。

4. ある小学校で生徒の体力測定を行い，50m走のタイムを測った。男子平均は9秒8，女子平均は11秒2であった。またそれぞれの標準偏差は0秒8と1秒2であった。右表の生徒たちのスピードを，男女の性別を考慮に入れた上で順序付けしてもらいたい。

生徒	性	タイム
A	男	10秒6
B	女	12秒0
C	男	9秒2
D	女	10秒0
E	男	10秒8

5章　標本から母集団へ

　4章では，標本の平均と標準偏差とを知れば，標本分布の形状についてのイメージがかなりの程度つかめることがわかった。たとえば，「ある値からある値までの間に何個の観測値が得られるか」とか，「いくつの観測値が，これこれの値を超えるか」等に関しては，推測するための情報は十分である。誰かが調査した報告書を読んだところ，そこにはその二つの鍵となる尺度（平均と標準偏差）以外，生の数値について何ら記述されていないこともあろう。そのような場合には，4章で学んだことは特に有用である。

　しかしながら，通常われわれにとって興味深いのは，標本分布の形状それ自体ではない。少なくとも，そのためだけに標本が集められたわけではない。むしろ，どの程度までその標本を"一般化"できるかという点に興味がある。すなわち，標本の中に見られるものが，より大きな母集団についても同様にあてはまるのか，ということである。50人の学生たちを検査したところ，その平均脈搏が79.1/分であったとしよう。このとき，その大学のすべての学生を検査したとしても，その平均は同じ値をとるであろうか。結論から言えば，もちろんその答はノーである。しかし，その標本がランダムであったとすれば，その二つの平均は似た値をとると思われる（同時に分散も似ているであろう）。そこで次に考えなければならないことは，それらがどの程度似ているかである。

推定値と推測

　標本を記述するために用いる数値は，対応する母集団の数値の**推定値**と考えることができる。統計理論においては，**標本**と**母集団**は根本的に異なる。そこで，標本の数値（平均，モード，メディアン，レインジ，標準偏差，内側四分位レインジ等）を**統計量**（Statistics）と特に呼ぶことにしよう。これに対して，**母集団の真の平均やモード**など（もちろん，その値を正確に知ることはできないが）は，**パラメータ**（Parameter）と呼ばれる。

　さらに式の中では，各統計量はローマ字で表され（たとえば，標本平均＝$\bar{x}$），これに対し，パラメータはギリシャ文字で表される（たとえば，**母集団平均**＝μ：ミュー）のが普通である。この本では式は用いないので，ギリシャ文字は知らなくともよい。必要に応じて，**標本平均**（Sample mean）は，単に「S平均」，**母集団平均**（Population mean）は「P平均」と表すことにする（標本も統計量も，その英訳はSで始まり，母集団もパラメータも共に，その英訳はPで始まると憶えておけばよい）。

　それゆえ，**統計量はパラメータを推定するために用いられる**ということができる。つまり，**S平均を知る**ことによって，P平均を推定することができるわけである。同様にSレインジは，Pレインジを推定するために用いられ，S標準偏差は，P標準偏差についての情報をもたらすといえる。このような手続きを，"**統計的推測**"という。それでは，その統計的推測をどのように行えばよいかを見てみよう。

　そもそも人間とは本来，単に推測を行うだけならば多くの情報を必要としないものである。たとえば，この本から頭を上げたとき，小人もしくは，妖精と思われるものが，読者を見つめていたとしよう。彼（彼女かもしれないし，それといった方がよいのかもしれない）は，何とも奇妙な服を着ており，背丈はだいたい10cmであったとしよう。

　これは，読者が見た最初の小人で（あるいは，それらしきもので），ほかに見たことも聞いたこともないとしよう。読者がそっとあたりを見回したと

ころ，ほかに小人が潜んでいる様子はない。それゆえ，読者は1個の標本をもったことになる。このような状況で読者がなしうることは限られている。

それでもあえて，その1個の標本がとられた小人の母集団の平均身長を推測するとすれば，どのように考えるのが最も妥当であろうか。さらに，読者の推定値により確信が持てるようにするには，いったいどのような情報が必要であろうか。

*　　　　*　　　　*

P平均についての最も適切な推定値は，10cmである。しかしながら，読者はたった1個の見本を見たにすぎないのであるから，小人の身長がどのようなばらつきをしているかについては，まったく想像ができない。読者の部屋を訪れたのが，小人の中でも特に小さなものだったのか，それとも大きな小人であったのかということは，皆目見当がつかない。

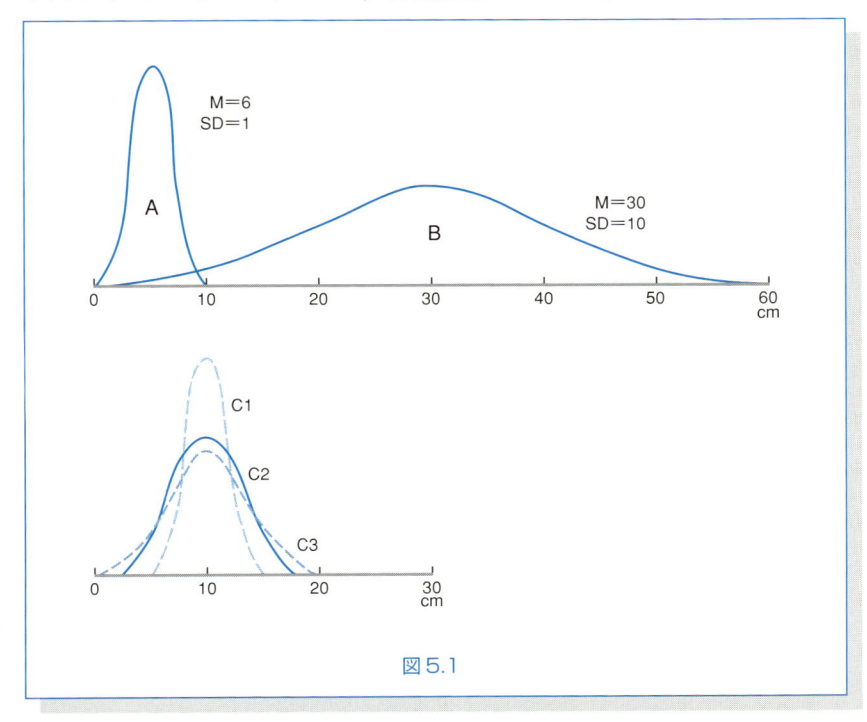

図5.1

しかしそうであったにしても，小人の背の高さは人間と同様正規曲線に従って分布していると想定することは妥当であろう．その結果，母集団の分布曲線としてのもっともらしさに優劣をつけることができる．たとえば，図5.1に描かれた曲線のうち，いずれが母集団としての可能性が最も大きく，いずれがその反対に最も小さいであろうか．また，その理由も述べよ．

＊　　　　＊　　　　＊

曲線AとBは，どう考えても小人の母集団を表していると思われない．曲線Aによれば，あなたを見つめていた小人が，平均より3 SD以上も上にいるということを意味している．覚えていると思うが，それはその小人が背の高い方から0.15％の中に入っているということを意味している．同様に考えれば，曲線Bによれば，彼が平均より2 SD以上も下にいることになり，彼は背の小さい方から$2\frac{1}{2}$％以内に入っていることになる．それゆえ，Aと比べれば，Bの方が少しばかり母集団としての可能性が大きいが，それでもC1，C2，C3のいずれと比べても，とてもありそうもないことである．C1，C2，C3に関して言えば，それらのいずれの平均も10cmである．しかし，その小人の背丈の変動については何ら情報がないわけだから，C1は小さなばらつきを表し，C3は大きなばらつきを表し，C2はその間にあるということしかいえない．

図5.2に示されるように，これらのC曲線のうち，いずれもが（たとえばC2を考えることにする）いくらか左右にずれたにしても，依然母集団としての可能性はかなり大きいように思われる．しかし，それがさらに動けば，10cmという値は中心からどんどん離れてゆき，それまでに見た1個の見本から判断する限り，だんだんありえないこととなってゆく．

しかし，突然その小人に4人の友だちが現れたとしよう．彼らの身長を測ってみると，9.2cm，9.6cm，10.3cm，10.5cmであった．こうなれば，計5個の標本に基づき，母集団の平均を9.9cmと新たに推定し直すことができる．さらにまた，その標本中の"ばらつき"に基づき，母集団の変動，あるいはばらつきを推定することもできる．実際には，標本の標準偏差は約0.5cmにすぎないので，母集団の小人のうち$8\frac{1}{2}$cmよりも小さいものや，$11\frac{1}{2}$cm

図5.2

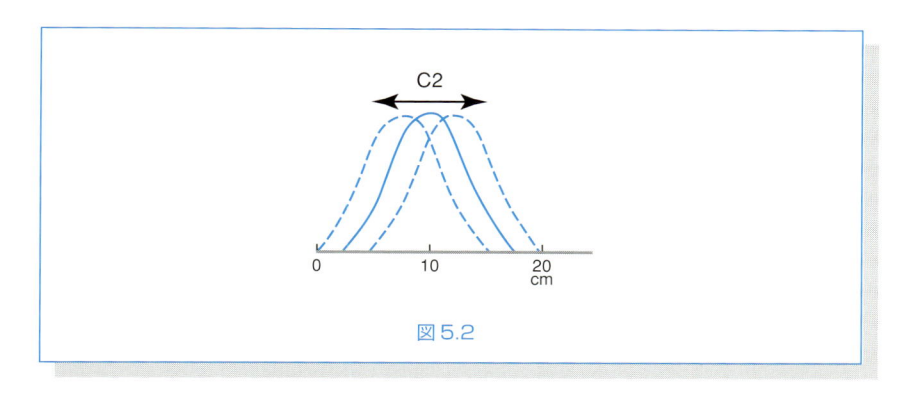

よりも大きいものはほとんどいないと考えられる（これらは平均から±3 SDの値である）。このように考えてくると，母集団曲線の形や位置に関しては，C1がほかのものよりも幾分よい推定であるように思われる。

　こういった小人の身長についての推測のポイントは何か。それは，ほとんど情報のない白紙の状況においても推測を行うことは可能だということである。しかし，情報がより多くなるにつれ，当初の推測を変えていかなければならない。情報がほとんどない場合には，さまざまの推測が可能である（もちろん，それらのうちいくつかはまったくありそうにもないことであるが）。情報が増えるにつれて，可能な推測の範囲はどんどんかぎられたものとなってゆく。すなわち，標本として観測された事実にあてはまるものは，だんだん少なくなってゆく。

　しかし，いかに情報を得ようとも，決して母集団に関する正確な知識を持つにはいたりえない。それは，母集団全体を測定しないかぎり，ありえない。もちろん，その場合には推測を行っていることにはならない。最大限なしうることは，たとえば真のＰ平均，Ｐ標準偏差等が，これこれの確率で，これこれの範囲に入っていると主張することである。推測には誤差はつきものであり，統計手法において用いられるいかなる式や計算からも，この誤差をなくすことは決してできない。その誤差を明示することが，統計のなしうるすべてである。

サンプリング（標本抽出）のロジック

　式や計算によって，読者を悩ませたくはないが，それらの背後にあるロジックを理解することは大切である。大学生の脈搏数の例に再びもどって考えてみよう。たとえば，母集団全体の平均脈搏数を推定したいとしよう。10人の学生のランダム標本をとったところ，そのS平均は，ほぼ78.6/分であることがわかった。

　さて，各10人の学生からなるランダム標本を，さらに4組とることになっているとしよう。読者はそれらの標本のいずれもが，その平均脈搏数は78.6/分であると思うだろうか。

＊　　　　＊　　　　＊

　読者が，どの標本の平均も等しいと期待しているとすれば，失望することはまずまちがいない。あらたにとった10人からなる4組の標本に関していえば，四つの"異なる"S平均を得るにちがいない。たとえば，41ページの表3.2の各行を，それぞれ10人からなるランダム標本とみなせば，以下のようなS平均を得ることになる。78.6，79.6，78.0，79.9，79.4。

　このことからも明らかなように，ばらつき，あるいは変動は，単に標本の中の観測値だけがもつ特性では決してない。標本の平均もまた変動する。それゆえ，"S平均もまた統計量"ということになる。この標本ごとの変動は，**サンプリング変動**として知られている。

　さて，5組の標本をまとめて一つにすれば，50人の学生からなる標本全体の平均として，79.1/分という数字が得られる（これは，また5個の平均の平均にもなっている）。しかし，別の50人の学生からなるランダム標本をとってみれば，その平均は79.4/分とか79.8/分といった具合にまた異なった値をとることであろう。しかし大きな標本をとるほど（たとえば，一度に100人の学生の標本をとる），それらの平均は変動しなくなる。ただし，サンプリング変動によるばらつきがまったくなくなることは決してない。とすれば，どのようにしたらよいのであろうか。

標本平均の分布

 以下のように考える。同一の母集団から，一定の大きさのランダム標本を何組もとるとしよう。これらの何組もの標本の一つ一つが，"それ自体"の標本平均をもっている。そこで，それらの標本平均の全体を見る。それらの大きさは，最小のものから最大のものまで，どのようにばらついているであろうか。また，それらの大きさに応じてグループ分けすれば，各グループに幾組の標本が見られるであろうか。つまり，別の言葉で言えば，標本平均自体の"頻度分布"を考えていると思えばよい（ここの議論は特にややこしいが，おわかりであろうか。標本平均の大きさをここでは変量として扱っているわけである）。かくして，S平均の分布を得ることになる。

 このS平均の分布には，再び平均がある。つまりS平均の平均である。十分多くの組数の標本をとったとすれば，それらのS平均の分布曲線は，母集団平均を中心とし，その回りにばらつくであろう。すなわち，S平均の平均はP平均に等しくなる。

 さて，読者はS平均の分布曲線はどのような形をしていると想像するだろうか。

＊　　　　＊　　　　＊

 おそらく読者が想像したように，S平均の分布はおおよそ正規分布のようになると思われる。これはなぜであろうか。母集団においては，一般にその平均からはなれるほど，そのような値が得られる可能性は小さくなる。つまり母集団からのサンプリングにおいては，P平均に近い大きさの観測値の方が，P平均と大きく異なる観測値よりも得やすいことになる。それゆえ，標本に関していえば，P平均に近いような観測値が多い標本の方が，P平均から離れている観測値ばかりからなるような標本よりも，その数ははるかに多い。このように考えれば，S平均が母集団平均に近いような標本の方が，S平均が母集団平均より大きく離れているような標本よりも，はるかに出やすいことがわかる（ここでの議論に関しては，練習問題5の2を参考にしても

らいたい）。

結局，S平均の分布を描けば，次の図5.3に見るように，P平均を中心に分布し，S平均の値が中心から離れて大きくなったり，小さくなったりするほどその頻度は小さくなる。

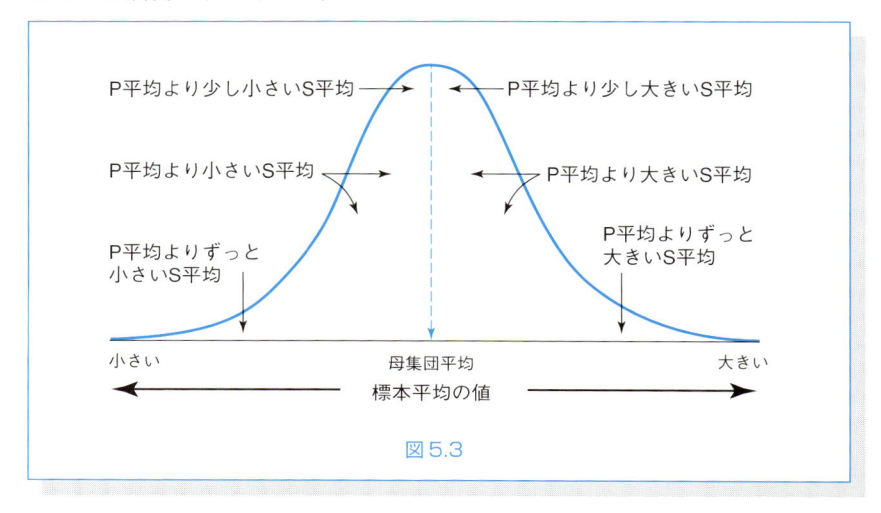

P平均より少し小さいS平均 ← → P平均より少し大きいS平均
P平均より小さいS平均 → ← P平均より大きいS平均
P平均よりずっと小さいS平均 → ← P平均よりずっと大きいS平均
小さい　母集団平均　大きい
標本平均の値

図5.3

おそらく正規分布のもつ最もエレガントかつ重要な性質は，母集団が（そして，それゆえ標本もが）正規分布に従って"いようがいまいが"，標本から計算された平均は，近似的に正規分布に従うということである。このことを定理として数学的に厳密に述べたものは中心極限定理として知られている（練習問題5の2参照）。それゆえ標本平均を考えるならば，正規分布に関する性質が利用できることになる。標本数が大きいほど（そして，その母集団の分布が釣鐘の形に近いほど）それらのS平均の分布は，正規分布に近いものとなる。

再度確認しておきたいが，71ページで述べたように，標本数を増やしたにしてもそのグラフが正規分布曲線に近づくわけではなかった。S平均のグラフはそうではない。たとえ母集団のグラフが交通事故件数の場合のように正規分布からはほど遠くても，S平均の仮想的なグラフは正規分布と考えられるのである。標本数を増やすにつれ，S平均はますます極端な値をとらな

くなり，その分真ん中の値が出やすくなるからである．その結果Ｓ平均の分布は丸みを帯びたグラフになる．

しかしながら，母集団平均を推定するための標本平均の分布は現実の世界においては決して見られない．覚えていると思うが，たった一組の標本に基づいてＰ平均の推定を行わなければならないのが通常である．もちろん，この一個の標本平均をＰ平均の推定値として使うとすれば，たしかにある程度の誤差は避けられないと思う．しかし，このとき，(a) 大きな誤差と，(b) 小さな誤差ではどちらがより起こりやすいであろうか（前頁の図5.3を調べてもらいたい）．

＊　　　　＊　　　　＊

どちらかといえば，小さな誤差が起こりやすい．一個の標本のＳ平均からＰ平均を推定する場合，誤りの大きさが大きくなるほど（すなわち，Ｓ平均とＰ平均とのちがいが大きくなるほど），その可能性は小さくなる．上述の図5.3からもわかるように，Ｓ平均とＰ平均とのちがいが大きくなればなるほど，分布の中心から裾の方へと離れてゆく．いいかえれば，母集団の平均よりずっと小さな，あるいはずっと大きな平均を持つ標本は徐々に少なくなってゆく．

それでは，次に標本平均の大きさのばらつき具合を見てみよう．Ｓ平均の分布には，それ自体の平均（Ｐ平均に等しい）があったように，それ自体の標準偏差も存在する．

それでは，この標本平均の標準偏差は母集団の標準偏差と比べた場合，どのように異なるのであろうか．標本平均の標準偏差の方がより大きいであろうか，より小さいであろうか．あるいは，ほぼ同じ大きさであろうか（分布曲線を実際に描いてみればわかりやすいかもしれない）．

＊　　　　＊　　　　＊

標本平均の分布の標準偏差は，おそらく母集団の標準偏差より小さいであろう．つまり，標本平均は，母集団における元の値ほど，互いに異ならないということである．それゆえ，一般的にいって標本平均の分布は，個々の標本よりばらつきが小さいと思われる．

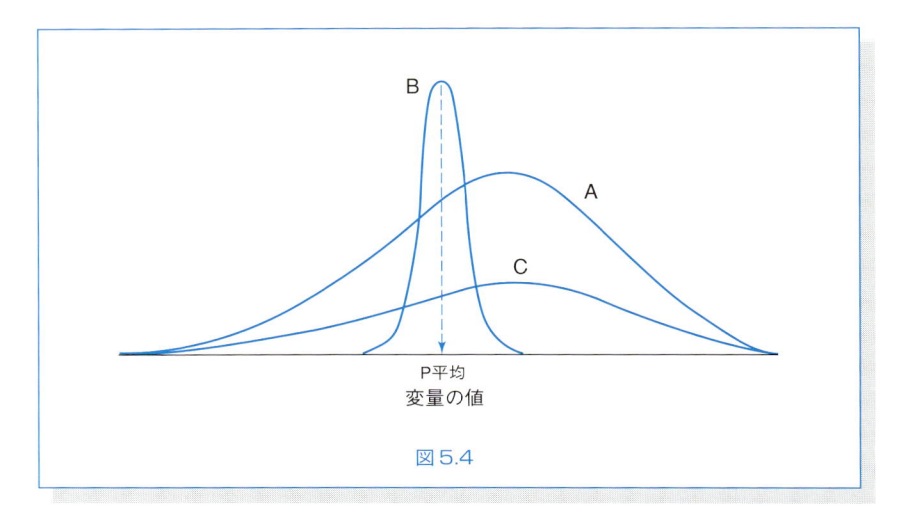

図5.4 の説明図（P平均、変量の値、曲線A・B・C）

こういった関係は，図5.4のように表すことができる。三つの曲線は，それぞれ，(1) 母集団の分布，(2) 一組だけの標本（かなり大きなもの）の分布，(3) 幾組もの標本から計算された平均の分布，を表している。

それでは，どの曲線がどれに対応しているのであろうか。

    ＊   ＊   ＊

母集団分布はAである。一組の標本の分布はCに対応し，そこでは母集団分布と同様なレインジをもっている。そして，標本平均の分布はBで，母集団と同じ平均を持ち，しかるに母集団よりもばらつきがかなり小さい。（読者には，Aのように左に歪んだ分布の平均はモードの左にくることを思い出してもらいたい。）

それゆえ，標本をたった一組だけとったにしても，つまり標本平均がたった一個あるだけにしても，それがあたかも仮想的な標本平均の分布に属しているかのように考えることができる。そして，ある程度数多くの個体から計算された標本平均であれば，その分布は正規分布となるであろう。このように，標本から得られた統計量（たとえば，平均や標準偏差）の分布を考えるとき，これを統計量の標本分布と呼ぶ。

これまで見たように，統計量の標本分布は，それ自体の平均と標準偏差を

図5.5

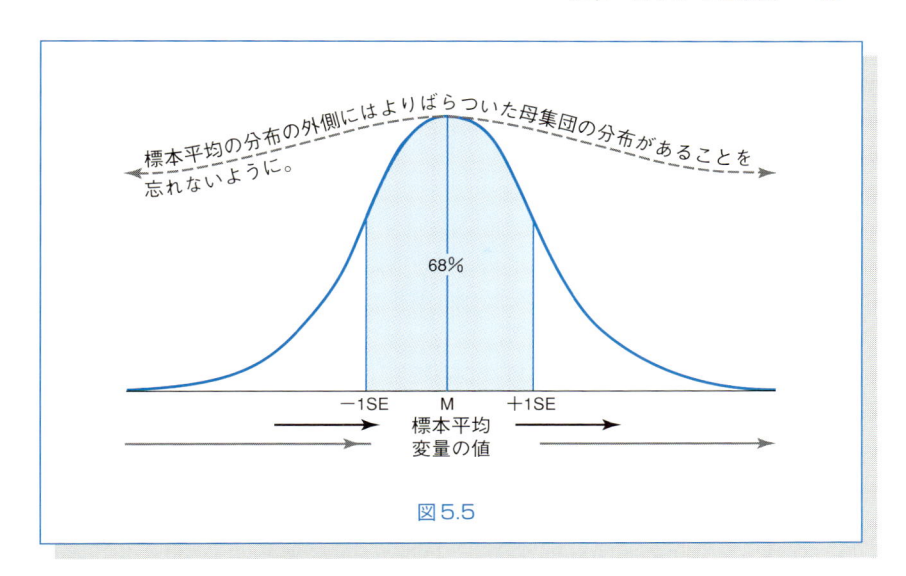

標本平均の分布の外側にはよりばらついた母集団の分布があることを忘れないように。

68%

−1SE　M　+1SE
標本平均
変量の値

持っている。S平均の標本分布の場合，その平均は母集団の平均と等しいが，標準偏差は母集団の標準偏差より小さくなる。

標本分布（たとえば，標本平均）の標準偏差は，**標準誤差**（Standard Error, SE）と呼ばれる（このように呼ぶのは，それを標本や母集団の標準偏差と混同しないためである）。標準誤差を考えることによって，標本平均が母集団平均と比べて非常に大きくなったり，また小さくなったりする可能性を計算することができる。

たとえば標本平均は正規分布に従うので，"標本平均" のおおよそ68％が，平均の両側に標本平均の標準偏差分（一倍の標準誤差）をとった値の間にあるといったことがわかる。

さて，平均脈搏数の標本分布の平均が78/分で，その標準誤差は1.4/分であるとわかったとしよう。このとき，79.4/分より大きい平均をもつ標本は，約何％あると考えられるであろうか。

＊　　　　＊　　　　＊

79.4/分よりも平均が大きい標本は，約16％である。なぜならば79.4は平均（78）より標準誤差（S平均のSD）分だけ大きい。標本のうち，その平

図5.6　仮想上の標本平均の分布

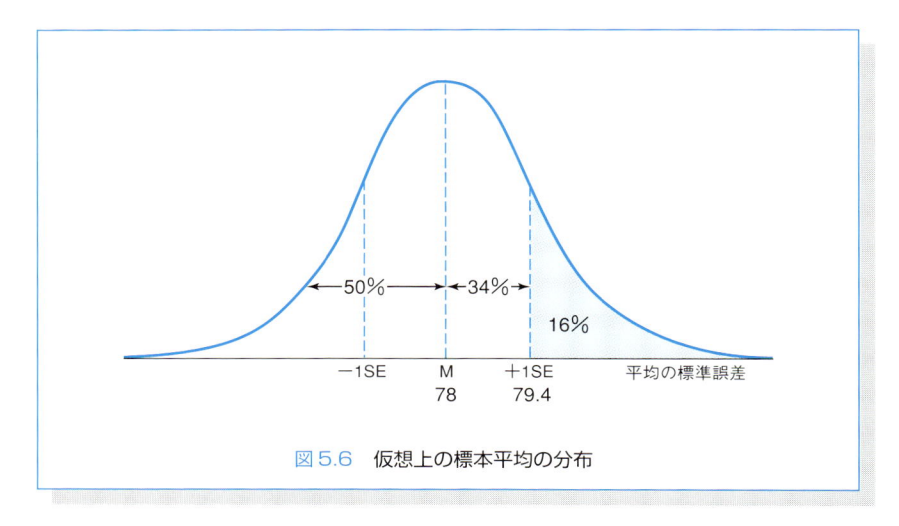

均が78よりも小さなものは50％ある。また34％が78と79.4の間の平均を持つ。それゆえ，79.4を超すような平均を持つ標本は，残りの100 −（50 + 34）％ ＝ 16％ということになる。確認のために，図5.6の曲線の水色の領域を見てもらいたい。

　ここで読者は次のように考えるかもしれない。この例ではうまくいったが，どのようにして標本平均の標本分布の平均と標準偏差を知ることができるのだろうか。その標本分布は，ばく大な組数の標本のそれぞれにおいて計算される標本平均によって構成される。通常，われわれの手もとにあるのは，たった一組の標本にすぎない。その一組の標本の中の観測値の平均や標準偏差を知ることはできる。しかし，たった一個の標本平均から標本平均全体について何か言わなければならないとすれば，考えられうるすべての標本平均の標準誤差をどのようにして決定すればよいのだろうか。

　実際，標本平均の標準誤差は，三つの要因に依存していることが示される。(1)　その母集団の標準偏差，(2)　その標本の大きさ，(3)　母集団のうちどれだけの割合がその標本に含まれているか，の三つである。

　これらについて，一つ一つ見ていくことにしよう。(1)　標本平均の標準誤差は，その母集団の標準偏差が小さいときと大きいときとでは，どちらが大

きくなるであろうか。

＊　　　＊　　　＊

(1) 母集団がより変動的であればそこから採られた標本は様々な値をとることになり，その結果標本の平均もまた変動的であろう。それゆえ母集団SDが大きくなると，標本平均の標準誤差も大きくなるであろう。しかしながら母集団SDの値はわからない。そこで標本内の標準偏差すなわち標本SDで母集団SDを推定する。このとき，標本が30個以上の観測値を含んでいるならば実用上問題はない。しかしそれ以下の場合，標本SDは母集団SDを過小評価する傾向にある。そこで標本分散を推定する際，各観測値の平均からの偏差の2乗の和を標本数で割る代わりに（標本数−1）で割ることにより少し大きめに評価する。

さて，第二の要素を考えてみよう。SEの大きさ（標本平均の変動性）は，当該標本の大きさとどのような関係があるのであろうか。(2) 平均の標準誤差は，標本が大きい場合と小さい場合とでは，どちらが大きくなるであろうか。

＊　　　＊　　　＊

(2) 標本平均の値は，標本数が大きくなるほど，一般的にいってP平均に

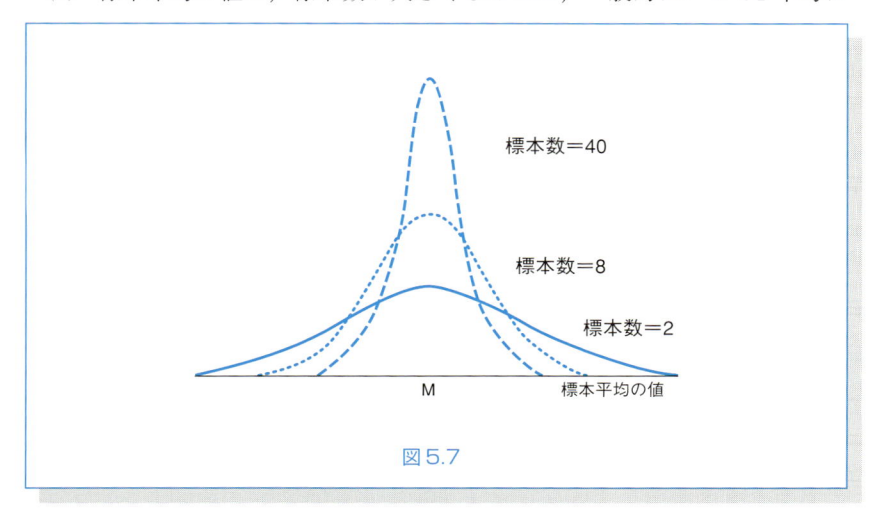

図5.7

近づくと思われる．ここで一般的というのは，このような標本を何組もとった場合，個々の標本平均については何ともいえないが，平均的にみればP平均に近いということである．それゆえその標準誤差は，だんだん小さくなるであろう．図5.7は，大標本の場合には，小標本の場合と比べ標本平均のサンプリング分布のばらつき具合がより小さくなる様子を示している．

ここでもう一度注意しておきたいことは，こういったサンプリング分布は，仮に適当な大きさの標本をばく大な組数（実際には無限組）とったとしたときの仮想上のものであるという点である．

さて次に，SEの大きさに影響をもつ第三の要素を考えてみよう．(3) 標準誤差の大きさは，その標本に含まれる個体の"母集団に対する割合"が増せば，どのような影響を受けるであろうか．

＊　　　　＊　　　　＊

(3) その標本によりおおわれる個体の母集団全体に対する割合が大きくなるほど，平均の変動性（SE）は小さくなる．しかし，その影響は驚くほど小さい．もちろん，標準誤差の大きさにまったく影響がないわけではないが，それはごくわずかである．むしろ結果の精度を左右するのは，標本の大きさ自体，すなわち利用可能な情報の純粋な"量"である（それは情報のパーセンテージではない）．サンプリングの割合（母集団のうち，おおわれる割合）が10％を超えるならば，精度もいくらかは増加する．しかし，それほど大きくはない．いずれにせよ，この点についてはそれほど気を配る必要はない．実生活において，標本が10％を超えることはほとんどないからである．特に，母集団が無限である場合（ハツカネズミ全体といったように），あるいは，標本をとることが非常に高くつく場合（電球の"破壊度"の検査のように）には言うまでもない．

それゆえ，実用上は平均の標準誤差は標本の大きさとその標準偏差に依存しているということができる．標準誤差は，標本SDよりも小さくなるであろう．どれだけ小さくなるかは，標本の大きさに依存している．標本数が大きくなるほど，標準誤差が標準偏差に比べて小さくなる．

平均の標準誤差は，実際には標本SDをその標本の中の観測値の数の"平

方根"で割ることにより計算される。たとえば，100人の試験の成績に関する標本の場合，標準偏差が15点とすれば，標本平均の標準誤差は，次のようにして得られる。

$$\frac{15}{\sqrt{100}} = \frac{15}{10} = 1.5 点 = SE$$

標準誤差の大きさを半分にするには，このことから標本数を4倍（つまり100から400）にする必要があることがわかる。

$$\frac{15}{\sqrt{400}} = \frac{15}{20} = 0.75 点 = SE$$

標準誤差が小さければ，それだけ標本平均が母集団平均に近いことを確信しうる。しかし，標本の大きさをかなり大きくしたにしても，その精度は相対的にみれば少し改善されるにすぎない。

母集団の大きさが，標本の精度（標準誤差）に対してほとんど影響をもたないということは，常識に反するようではあるが事実である。標本が適当な情報を含むに足るだけ大きいものであれば，それが母集団と比較して，いかに小さいかなどは気にする必要がない。ただし，その標本が十分大きいか否かをいかにして判断するかは，この章の終わりに考えることにする。

母集団平均の推定

結局平均の標準誤差は，標本数と標本の標準偏差*により決定される。そこで，次のように言うことができる。P平均 $\pm 1 \frac{標本SD}{\sqrt{標本数}}$ の範囲，すなわちP平均 ± 1 SEの範囲には，すべての標本平均のうち約68%が含まれる。しかし，このことがどのように利用可能なのであろうか。われわれの手もとには，たった一個の標本平均があるにすぎない。それを用いて，母集団平均の大きさをどのように推測すればよいのであろうか。

---

* 厳密に言えば，SEは標本ではなく，むしろ母集団の標準偏差によって決定される。標本SDは母集団SDの代わりに用いられる。標本数が30以上もあれば，母集団SDの推定値として標本SDを使っても問題はない。

図5.8

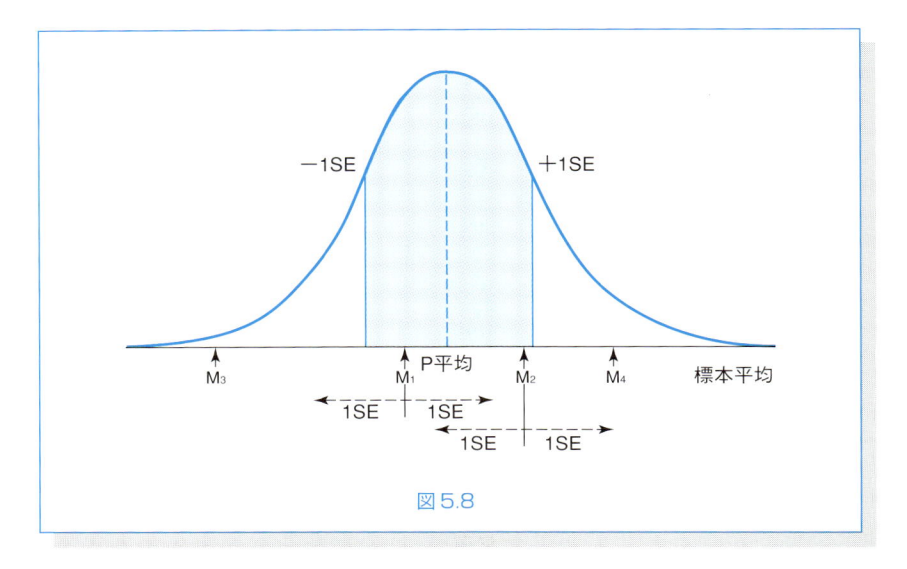

それは次のように行えばよい。標本平均の分布を表す図5.8を見てもらいたい。P平均の両側に1SEの距離が示されている（すべての標本平均の68％がこの範囲内に入っている）。

P平均±1SEの範囲内にある任意のS平均を考える（そのうち二つの代表を選び，M_1，M_2とする）。このようなS平均に対してはすべて，S平均±1SEの範囲を考えると，その中には母集団平均が含まれることがわかる。すなわち，母集団平均は，このような標本平均の両側に1SEずつ測った範囲内に含まれることになる（M_1，M_2からその両側に1SEずつ等しく線を引いた。どちらの場合でも，これらの線が分布のちょうど中心点，すなわちP平均を通過していることが読みとれる）。

それでは，M_3やM_4のような標本平均についてはどうであろうか。S平均±1SEの範囲を考えれば，これらの場合でも，母集団平均を含むであろうか（これを調べるには，M_3，M_4からその両側に1SEの長さの線を引いてみればよい）。

    ＊   ＊   ＊

図5.8からわかるように，M_3とM_4は母集団平均から1SE"以上離れた"

所にある。それゆえ，このような標本平均からその両側に 1 SE の範囲を考えたとしても，それは P 平均を"含まない"。

S 平均が P 平均から 1 SE 以上離れていないかぎり，S 平均 ± 1 SE の範囲に P 平均が含まれる。さて，すべての標本平均のうち約 68％が（上述の M_1, M_2 を含め）P 平均から 1 SE 以内にあることがわかっている。それゆえ，任意にとられた標本の平均に対して，標本平均 ± 1 SE の範囲内に母集団平均が含まれる確率は 68％ある。もちろん，その反対の確率は 32％である。

ここで，前述の学生の試験の点数に関する 100 人からなるランダム標本を考えてみよう。平均点は 50 点で，標準偏差は 15 点である。それゆえ，平均の標準誤差は，$\frac{15}{\sqrt{100}} = \frac{15}{10} = 1.5$ 点となる。その試験を受けた"すべての"学生の平均点数を推定するに，これがどのように役立つであろうか。P 平均が S 平均の 1 SE の範囲に入っている確率は 68％である。そこで，学生の母集団全体の平均が S 平均 ± 1 SE ＝ 50 ± 1.5 点の間，すなわち，48.5 点から 51.5 点の間にあるということが，68％信頼できるといえる。この範囲（あるいは区間）は，68％**信頼区間**と呼ばれる。

それでは，やや狭いこの範囲の外側に真の平均がある確率はどれだけであろうか。

＊　　　＊　　　＊

母集団の真の平均が，その範囲の外側にある確率は 32％である。48.5 点から 51.5 点は 68％信頼区間である。つまり全標本平均中 32％は，その中に入らないだろうということも，同様に確かである。

結局この場合，この標本平均を用いて，母集団平均を 50 ± 1.5 点と推測することができる。ただし，この命題が正しい確率は 68％にすぎない。もし，こういった推定が正しいことにさらに確信を持ちたいとすれば，信頼区間の幅を"広げる"必要がある。たとえば，母集団平均は 50 ± 3 点の間にあるといえば，前に比べはるかに大きな確信を持ちうる。つまり，推定に対する確信度を増すために，範囲（信頼区間）を標本平均の両側に 2 SE まで広げたわけである。

では，実用上 100％の確信（少なくとも 99.7％）が要求されるならば，標

本平均±何倍のSEの間に母集団平均があるといえばよいであろうか（ヒントとしては，82ページの表4.2に戻って調べてもらいたい）。

＊　　　＊　　　＊

S平均±3SEの範囲をとれば，実用上はすべての標本平均（実際は99.7％）を含んでいる。これは99.7％信頼区間である。それゆえ，100人の学生の点数の標本平均が50点で標準誤差（SDではないことに注意）が1.5点であるとすれば，真の母集団平均が$50 ± 3(1.5) = 50 ± 4.5 = 45.5$点から54.5点までの間にあることが，99.7％確信できることになる。

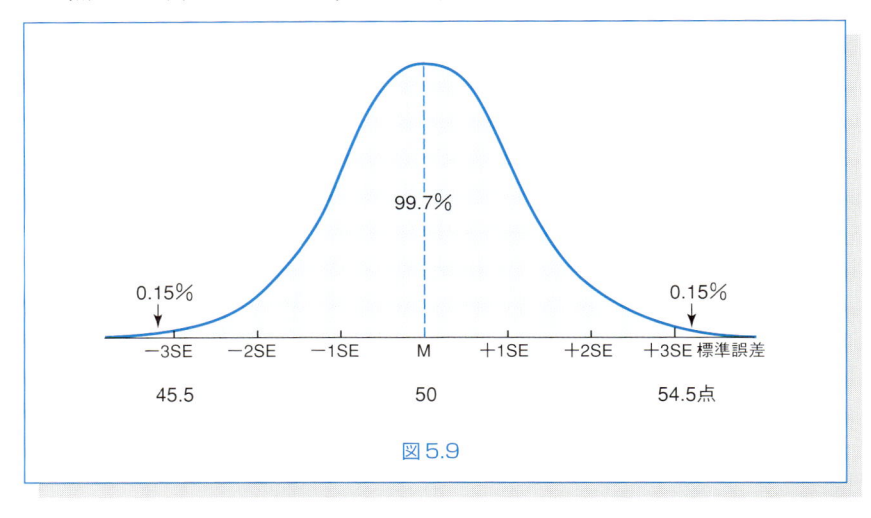

図5.9

しかし，それでもなお50点という点数は，その範囲の外側にある0.3％の標本平均のうちの一つであったかもしれない。そのような確率は小さいかもしれないが，かつてアリストテレスが言ったごとく「起こりそうもないことですら，実際はしばしば起こる」わけである。この場合，1,000組の標本をとるたびに3回は起こることになる（これをセンミツともいう）。

したがって，高い確信度で幅広い推定を行うか，さもなくば低い確信度でより厳密な推定を行うかのいずれかである。実際には，95％と99％の信頼区間の二つが最もよく用いられる。

図5.10から判断し，（i）95％信頼区間は，S平均±何倍のSEで与えら

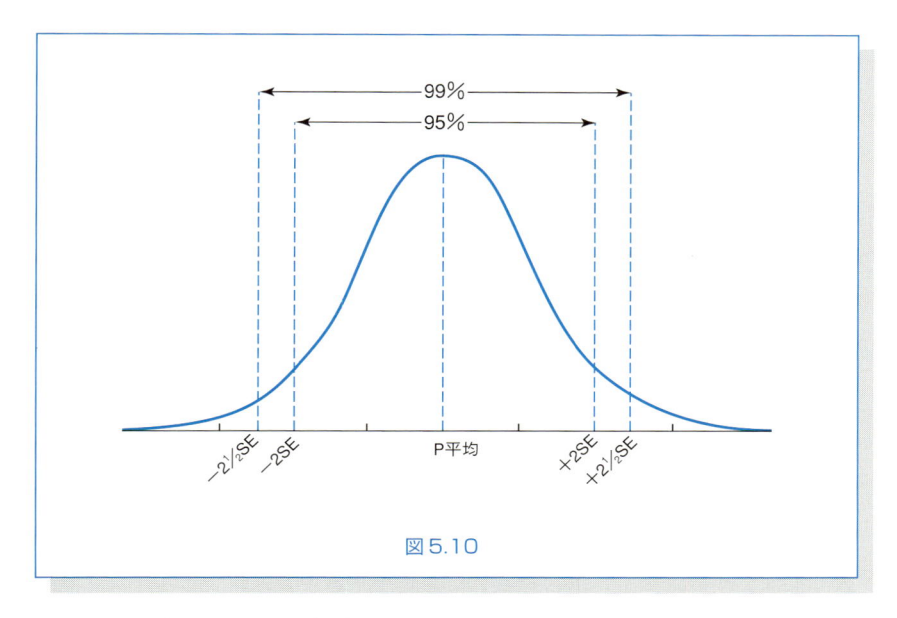

図5.10

れるであろうか。また，(ii) 99％信頼区間は，S平均±何倍のSEで与えられるであろうか。

＊　　　＊　　　＊

(i) 95％信頼区間は，S平均±2SEである。また，(ii) 99％信頼区間は，S平均±$2\frac{1}{2}$SEである（より正確には，それぞれ1.96SEと2.58SEと言うべきであるが，この本の目的からしてこのように四捨五入した数字で十分と思う）。

それでは，ここで50人の脈搏数についての標本に戻り，信頼区間を構成してみよう。そこでは，平均は79.1/分，標準偏差は7.6/分であった。それでは，母集団（約1,000人の生徒）の真の平均はいくらであろうか。まず，このような標本平均の標準誤差を計算してみると

$$\text{SE} = \frac{7.6}{\sqrt{50}} = \frac{7.6}{7.07} = 1.1/分$$

となる。したがって，真の平均が

$$S \text{平均} \pm 2\,SE$$
$$= 79.1 \pm 2\,(1.1)$$
$$= 79.1 \pm 2.2$$
$$= 76.9/\text{分から}81.3/\text{分}$$

の間にあることは95％確かである。いいかえれば，母集団の真の平均が76.9/分より小さかったり，81.3/分より大きかったりすることは，20回のうちたった1回（5％）しかない。

95％の確かさでは不十分と思われ，その範囲内に母集団平均が含まれることにより大きな信頼度を要求するならば，99％信頼区間を使えばよい。すなわち，区間は

$$79.1 \pm 2\frac{1}{2}(1.1)$$
$$= 76.35/\text{分から}81.85\text{分}$$

と計算される。この場合，真の平均がこの範囲外に存在することは，100回のうちたった1回しかない。しかし，同時にこのような標本を100回とれば，そのうちの1回は，実はこの範囲の外側にある母集団平均に対して，誤った推測を行っている点に注意しなければならない。

その他のパラメータの推定

このほかの母集団パラメータについても，これまでとほぼ同様にして標本統計量より推定することができる。特に興味深いものは，母集団における比率である。これは，当面興味のある特性が"質的"変量の場合で，ある卒業生が就職できるか否かといったようなことを考える。

たとえば，昨年大学を卒業した学生のうち，未だに職を得ていないものの比率はどれだけかを知りたいとしよう。母集団全体における比率は，標本に見られる比率の値から推定すればよい。しかし，同時に誤差の範囲の可能性をも示したい。

再びその基礎となる考え方を述べると以下のようになる。幾組もの標本をとれば，失業者の割合もそれぞれ異なるであろう。たとえば，ある標本では

0.19，別の標本では0.23，さらにまたあるものでは0.21といった具合になっている。しかし，このような標本は，近似的に正規分布に従い，母集団の真の比率（昨年度の卒業生は0.22という比率で失業しているとしよう）を中心とし，そのまわりに分布しているであろう。それゆえ，標本の比率の標準誤差を計算することができる。しかしながら，たった1組の標本では変動性がなく，またそれを用いて，標本全体の変動を推定しなければならないわけであるから，ここでは標準誤差を求めるには別の方法によらなければならない。すなわち，まず当該事象の起こっている比率に，その事象の起こっていない比率をかける。次にその値を標本の中の観測値の数で割り，さらにその平方根をとる。標準誤差は，このような手順により標本から計算される。

100人の卒業生のランダム標本を調べたところ，彼らのうち20人が失業している（そして80人が就職している）ことがわかったとすれば，

$$SE比率 = \sqrt{\frac{0.2 \times 0.8}{100}} = \sqrt{\frac{0.16}{100}} = \sqrt{0.0016} = 0.04$$

となる。つまり，昨年大学を卒業した全学生の失業率を99％の信頼度で知りたいとすれば，$0.2 \pm 2\frac{1}{2}(0.04) = 0.10 \sim 0.30$ の間にあるといえばよいことになる。

おわかりのように，比率の99％信頼区間はたいへん広いものとなる（読者の中で算術の好きな人は，この場合標本の中の失業率が50％に近いと，さらに広いものとなることを確かめてもらいたい）。たとえば5,000人の卒業生の母集団を考えれば，99％の確信を持って，現在失業している者は500人から1,500人の間であるといえる。これは，非常に大きな誤差の範囲で，おそらく広すぎるため実用上の価値は疑わしい。

残念ながら，この信頼区間の幅を狭くするには，方法は一つしかない（ただし，信頼度は99％のままとする）。読者はどのようにすればよいか想像がつくであろうか（ヒントとしては101ページを見よ）。

＊　　　　＊　　　　＊

その範囲を狭めることのできる唯一の方法は，より大きな標本をとることである。しかし，実用上の効果をもたらすためには，かなり多くの標本をと

る必要がある。標準誤差は，標本の大きさの平方根分だけしか影響を受けないので，標本の大きさを 4 倍にしたとしても，信頼区間は半分になるにすぎない。すなわち，標本の大きさを400とすれば（そのうちの20％が失業しているとする），5,000 人の母集団のうち，失業している卒業生は，750 人から1,250 人の間であろうと考えることになる。

　調査を行う前に（質的変量であろうと，量的変量であろうと），その標準誤差の推定値がどれくらいになるか，あらかじめ"見当をつけておく"ことが大切である。質的変量において比率が50％に近い場合，あるいは量的変量において，標準偏差が大きいと予想される場合には，大きな標本が必要となる。

　かくして，冶金学者は新しい合金の破壊点を一塊の実例に基づいて，推測しうることになる。なぜならば，それらはほとんど変動性がないからである。しかしながら，心理学者の場合，人間の破壊点（たとえば，ストレスに対する人間の反応等をいう）について一般化したいと考えれば，数百個の観測値がないかぎり，うまくいかないであろう。なぜならば，人間は一塊りの合金に比べ，その行動がはるかに多種多様だからである。

　一般的に言って，母集団内の平均や比率を推定するに，ある精度（たとえば± 5 とか，± 5 ％），あるいは信頼度（たとえば99％）を得たいとすれば，標準誤差を必要な水準にまで減少させる必要がある。そのためにどれだけの標本が必要とされるかは，計算により求めることができる。もちろんそれだけの大きさの標本を集めることができるか否かは別問題である。あやまった推測を行った場合のコスト，あるいは危険度が高いとすれば（たとえば潜在的に有害である薬の検査をする場合のように），それに見あった大きさの標本を集めなければならない。

　この章で述べた要点をまとめれば，以下のようになる。標本やそれから導かれたどのような統計量を用いようとも，母集団の平均や比率を（あるいはその他のいかなるパラメータも）正確にこれこれの値であると言い当てることは決してできない。しかし，標本が大きくなるほど，そしてその標本の中の観測値の変動が小さいほど（質的データの場合には，一つのカテゴリーに

観測値が偏ってふり分けられているほど），より推測に確信が持てる。しかし，決して一つの数値を100％の確信を持って示すことはできない。たとえ平均（あるいは比率）の最もよい推定値であったにしても，そのまわりに不確実性の範囲を伴うことになる。そして，確率を用いて次のように述べられることになる。「真の平均（あるいは比率等）がこれこれの範囲に存在することがＸ％ありそうである。」必ずしも非常に満足のゆくものとはいえないではあろうが，これが現実の世界でなしうる最上のことなのである。

練習問題 5.

1. 読者の前に現れた小人は当初二人いたとしよう。一人の背丈は10cmであるが，もう一人は9.0cmであったとする。このとき，この二人の身長から判断し，小人の母集団として最も可能性の大きいものは，以下のA，B，C，Dのうちいずれであろうか。

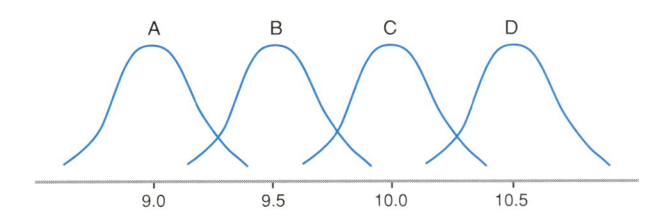

2. 確率に関して，少々頭の体操を行ってみよう。
a. 2枚の硬貨を投げるとき，1枚が表，1枚が裏である確率はいくらであろうか。
b. サイコロを2個投げる。このとき，出た目の和が7となる確率はいくらであろうか。また，2となる確率はいくらであろうか。
c. bの問題で，1回の試行において出るサイコロの目の母集団を考えれば，それは1から6の各値に等しい高さをもつヒストグラム（それぞれ$1/6$の確率）で表現され，その分布曲線の概形は長方形である。一つのサイコロの目は，そこからとられたランダム標本とみなされる。この母集団から2個の標本をとり，その標本平均を求める。すなわちサイコロを2個投げ，出た目の平均を求めるわけである。この標本平均の分布を図示せよ。次にこの操作をもう一度くり返し，いま得られた分布から再び2個の標本を取り，その平均を求める（このことは4個のサイコロを投げ，

その出た目の平均を求めることと同等である)．さて，その分布はどのようになるであろうか．

3．ランダムに選ばれた100人の小人に対して，彼らの身長を測定したところ，平均は10.2cm，標準偏差は4.0cmであった．
 (ⅰ) 標本平均の標準誤差を求めよ．
 (ⅱ) 小人の母集団の平均の95％と99％信頼区間を求めよ．

4．ランダムに選ばれた100人の小人たちの目の色を調べたところ，ブルーの瞳をもつものは60人，グリーンの瞳をもつものは10人，残り30人は黒色であった．このとき，
 (ⅰ) 小人の母集団においてブルーの瞳をもつものの比率およびグリーンの瞳をもつものの比率の標準誤差を求めよ．
 (ⅱ) それぞれの比率を95％の信頼度で推定せよ．
 (ⅲ) 10,000人の小人について調査した標本において，それぞれの色の瞳をもつものの割合が上と同様であったとすれば（すなわち，それぞれ6,000人，1,000人，3,000人），(ⅰ)，(ⅱ)の結果はどのように変化するであろうか．

6章　標本間の比較

5章において，一塊の標本に関する知識に基づき，母集団に対していかに推測を行えばよいかを考察した．本章では，統計的推測におけるもう一つの非常に重要な問題について考察を加えることにしたい．すなわち，複数組の異なる標本を見て，それらの母集団もが実際に異なっているかどうかを問うことである．これは次のような質問を想定している．「少女は少年より知的だろうか」，「新薬によれば，これまでの治療法よりも患者を救うことができるといえるだろうか」，「フランス語を教えるには，四つの方法のうち，いずれが最も効果的な方法であろうか」，「モデルXの車の燃費は，モデルYよりも経済的であろうか」等である．

同一の母集団からか，あるいは異なる母集団からか

一例として，50人の男子学生と50人の女子学生からなる二組のランダム標本に対し，その血圧を測ったとしよう．これらの二つのランダム標本から，男子学生と女子学生一般の血圧差について何がわかるであろうか．それぞれの標本は互いにきわめて似ており，それゆえ，それらを一つにまとめ，同一の母集団から取られたものであるといってもよいであろうか．あるいは互いに異なっており，二つの異なる母集団から取られたものであることを示唆しているであろうか（とすれば学生の血圧を推定するには，その性別を知ることが意味あることとなる）．

さて，たまたま二つの標本の分布曲線が図6.1のようであったとしよう．

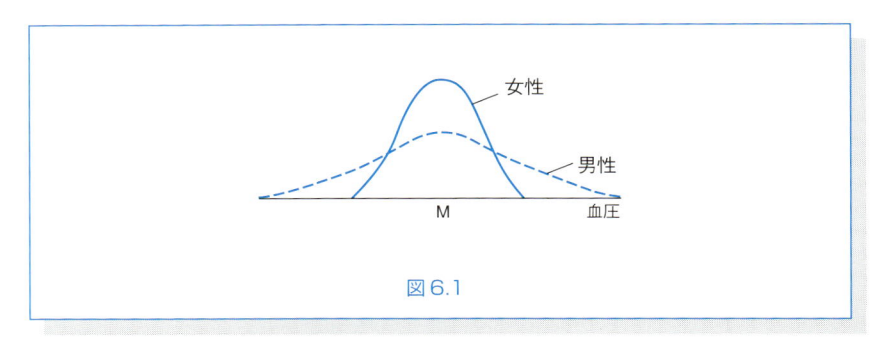

[図: 女性と男性の血圧分布曲線。平均Mは共通で、女性の分布は狭く高く、男性の分布は広く低い。]

図6.1

その場合，それらの標本は，共に同一の母集団から取られたものとみなしてもよいであろうか。いいかえれば，女性と男性の血圧の母集団は同一の平均と標準偏差をもつと思われるであろうか。また，その判断の理由も述べよ。

＊　　　＊　　　＊

上述の二組の標本においてその平均はほぼ等しいが，標準偏差は大きく異なっている。ある標本における標準偏差は（もしそれが30個以上の観測値を含むとすれば），その標本の母集団の標準偏差のよい推定値であるということをすでに知っている。したがって上で図示されるように，二つの標本の標準偏差が大きく異なっているとすれば，それらは異なる母集団から取られたものと思われる。この場合男性の血圧の母集団は，女性のものより変動的であると思われる。

しかしながら，これよりさらに比較がむずかしいのは，各標本において標準偏差はほぼ等しいにもかかわらず，平均が異なるという場合である。図6.2を見てもらいたい。図は異なる標本分布の組合せを三ケース示している。それぞれの標本のばらつき具合（すなわち標準偏差）は等しい。しかし，各組合せにおける二つの標本の平均は異なる。では，これら（A,B,C）のいずれの場合に，その一対の標本が異なる母集団から取られたものであるということに，

（ⅰ）最も確信がもてるだろうか。

また，その反対に

（ⅱ）最も確信がもてないであろうか。

図6.2

* * *

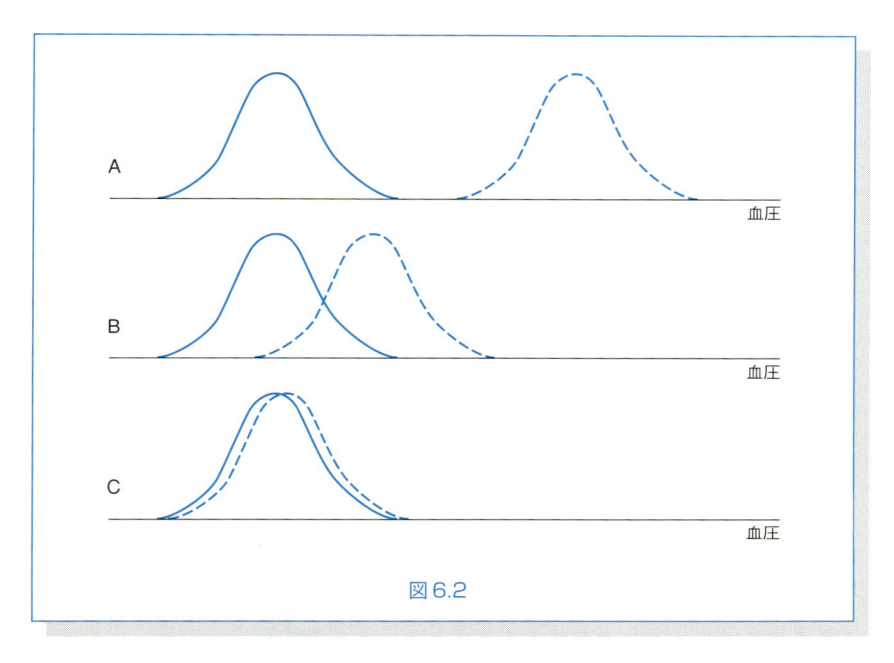

　三種類の標本の組合せは，いずれも平均が異なっている。Aでは大きく異なり，BではAに比べればかなり近く，そしてCではほとんど異ならない。さて，サンプリング変動という不確実要素のあることを知っているわけだから，たとえ同一の母集団から取られた二つのランダム標本であったにしても，ちょうど等しい平均をもつということは考えられない。しかし同時に，その場合には平均の値は大きく異なることはなく，むしろかなり近い値の平均をもつ標本の組合せが選ばれるということも知っている（96ページにおける標本平均の仮想上の分布を覚えているだろうか）。それゆえ，図6.2でいえば，一つの母集団からAの組合せが選び出される可能性は，Bの場合に比べ，小さいことになる。そしてCの組合せが選び出される可能性と比べれば，それは極端に小さいことになる。このことを逆から見れば，Aはまずまちがいなく異なる母集団からとられたものといえる。また，Cは平均が異なる母集団から取られたものとは，最も考えにくい。

それでは，ばらつき具合が似ており，平均の異なる二組の標本が与えられた場合，それらが同一の母集団から取られたものであるか否かを決定するには，どのようにすればよいのであろうか．ここでは，前述の血圧の例，すなわち50人の男子学生と50人の女子学生の二組のランダム標本を用いてそれを示そう．男性の血圧の平均は120mmHg（以下Hgを省略する），その平均の標準誤差（50人の血圧の標準偏差から計算されたもの）が1.6mmであったとしよう．これらの値がわかったとすれば，その母集団の平均（そしてその母集団から取られた任意の50人の標本平均）が，その中に入ることに99％確信をもてるような範囲を明確に定義することができる．すなわち50人の標本をとったとして，この範囲の外に平均が落ちるような可能性は，100回の試行においてたった1回しかないようなものである．ここで，5章で論じたことを思い出してもらいたい．このような範囲は，S平均±何倍のSEとすればよいだろうか．

＊　　　　＊　　　　＊

その範囲をS平均$\pm 2\frac{1}{2}$SE（より正確には2.58SE）とすれば，母集団平均がその中に入ることに99％確信がもてる．それゆえ，母集団平均は$120 \pm 2\frac{1}{2}(1.6)$ mmの範囲内にあるといえる（このように分数と小数を混合して使ったとしても，私が読者として想定している数学を専門としない人たちは文句を言わないと思う）．したがって，男性の血圧に関していえば，P平均は116と124mmの間にある．

同様に考えれば，女性の血圧の標本において，その平均が110mmで，たまたま男性と標準偏差が等しく，それゆえ平均の標準誤差も等しいとすれば，このような標本の平均がS平均$\pm 2\frac{1}{2}(1.6)$の範囲，すなわち106から114mmの外に落ちることはやはり100回のうち1回の可能性しかない．

これらの数字をすべて表6.1にまとめ，これまでのところをもう一度確認したい．

さて，このことから次のいずれが結論づけられるだろうか．

(a) 女性はみな男性よりも血圧が低い．
(b) 女性のうちで，男性より血圧が高いものはほとんどいない．

表6.1

標本	S平均	P平均の推定値（99％水準）
男性	120mm	116mmから124mm
女性	110mm	106mmから114mm

(c) 女性のランダム標本はどのようなものであれ，男性の同様な標本よりも平均血圧が低い。
(d) 女性のランダム標本のうち，男性の同様な標本より高い平均血圧をもつものはほとんどない。

　　　　　＊　　　　　＊　　　　　＊

男性より血圧の高い女性はかなりいるが，50人の女性の標本を取れば，その平均血圧は50人の男性のそれよりも低い。つまり，正解は(d)である。

これを図6.3で見てみよう（厳密にいえば，標本平均の分布曲線は，標本の分布曲線と同じ図に描こうとすれば，無限に背の高いものとなるはずである。つまり，それぞれの標本分布曲線の下にある部分の面積は，50人の観測値を表すものであり，しかるに標本平均の分布は，無限大の母集団を表す

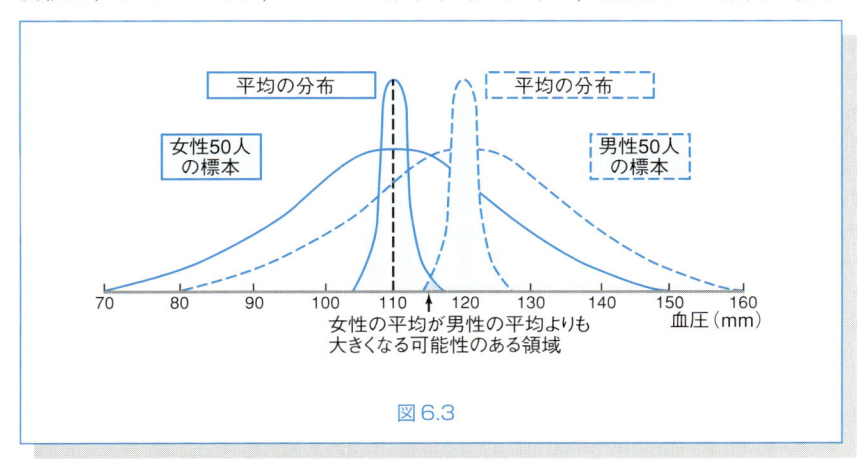

図6.3

ものである。この図における尺度では十分高いとはいえないが、二つの標本平均の分布曲線の下の部分は正確に表されている。ここで主として興味があるのは、裾の重なりの部分である)。二つの標本分布には、かなりの重なりがあるが、"仮想的な標本平均の分布"を考えた場合には、ほとんど重なりがなくなる。

　二組の標本(一組は女性、一組は男性)をとった場合、100回中1回、男性の平均が116から124の範囲の外側にあると考えられる。同様に100回中1回、女性の平均は106から114の範囲の外側にあると考えられる。このうちのいずれかが起こらない限り、女性の平均が男性の平均より大きくなることはない。ただしその確率を厳密に計算することは難しい。

　結局、標本統計量(平均や標準偏差や標準誤差)によれば、それぞれの標本がとられた母集団はちがうものであることが示された。したがって、統計的にいえば、男女の血圧はそれぞれ異なる母集団からとられたものであることに確信がもてる。この年齢の男性と女性の血圧の間には"系統だった"差があることはまちがいない。

有 意 性 検 定

　このようにして標本を比較することは、**有意性検定**を適用することと同等である。標本間に見られる差異が、母集団間の本当の差異を表すに足るほど十分に大きいか否かを問題にしているわけである(しかし差があったにしても、何らかの意味で重要か否かは別問題で、それは後に考えることにする)。

　それでは、厳密に有意性検定を行うには、どのようにすればよいのであろうか。すでに標本平均の分布間の重なりに注目する一つの方法を示した。しかしながら、普通行われる方法は**平均の差の分布**を考えるものである。最初のうちは、これは標本平均よりもさらになじみにくい概念かもしれない。しかし、すぐにこのように考えることが意味あることだとわかるであろう。

　ここで、ある母集団を考え(たとえば男子学生の血圧)、そこからたとえば100組の標本を取ったとしよう。ただし、ランダム標本を一度に二組ずつ

取ることにし，それらをAとBとしよう。当然のことながら，標本Aの平均が標本Bの平均と等しいという保障はない。多くの場合，おそらくそれらはほぼ等しい値をとるではあろうが，Aの平均がBの平均よりも少し大きいことや，あるいはその反対のこともある。さらに，ときには一方の平均が他方よりもかなり大きいこともある。そこで，この母集団から二組のかなり大きな標本を取り，無限回比較したとすれば，標本平均の差の頻度分布を描くことができる。いいかえれば，問題は，「Aの平均がBの平均よりかなり大きい場合は，どのくらいの頻度で起きるのであろうか。また，少しだけ大きい場合はどのくらいであろうか。二つの平均がほぼ等しいことは，どれくらいの頻度で起こるのであろうか。そして，その反対にBの平均がAの平均より少し大きい場合はどうであろうか。また，かなり大きい場合はどのくらいであろうか」である。

いうなれば，標本平均の"差"も一つの統計量である。ただし，この場合一つではなく"二つの"標本を記述するものである。かくして，その他の統計量と同様，その"標本分布"を考えることができる。このように等しい大きさの標本のペアを無限回とった場合，この統計量の分布はどのようになるであろうか。読者は，この分布がどのような形をしているか想像できるだろうか。また，その平均はいくらであろうか。

＊　　　＊　　　＊

同一の母集団からとられた一対の標本平均の"差"は，近似的に正規分布に従う（これはたとえ母集団自体の分布が正規分布でなくともそうなる）。分布の平均はゼロである。すなわち，全般的にみれば，Aの平均がBの平均を超えることは，その逆にBの平均がAの平均を超えることと同頻度，同程度に起こりやすい。さらに，その差が小さい場合の方が大きい場合よりも頻度が高い。その分布曲線は図6.4のようになる。

この分布曲線に慣れるには，それほど時間がかからないと思う。これまでの正規曲線と同様に見えるが，それらとは異なる独自の性質をもっている。まず，平均間の差は左端で大きな値をとる（Aの平均が大きい）。そして右方向に進むにつれて，徐々に減少しゼロへと近づく（中央の点でゼロをとる）。

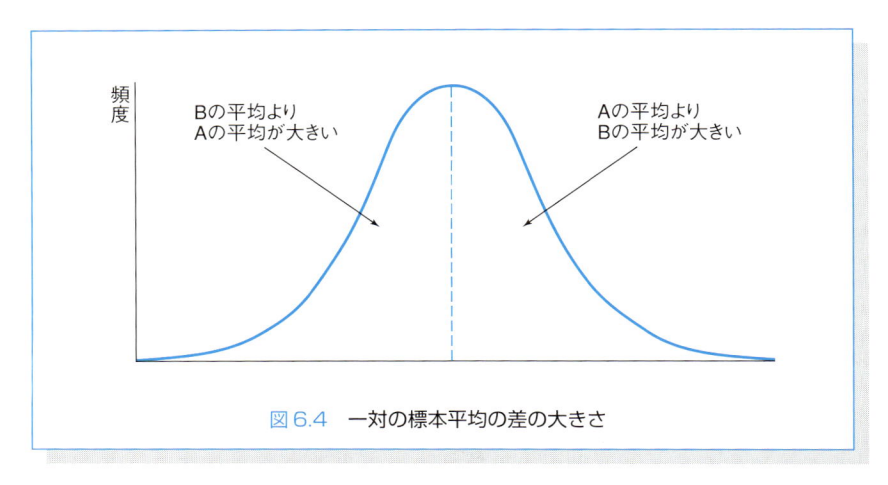

図6.4 一対の標本平均の差の大きさ

そしてふたたび大きくなり始め，最も右端において左端と同じ最大値をとる（Bの平均が大きい）。すなわち，単に大きさのみならず，差の方向——どちらの平均がより大きいかをも示している。分布の中央の点（平均）は，二つの平均差がないような標本のペアが選ばれる頻度を表している（さまざまのペアのうち50％はAの平均がBの平均を上回り，残りの50％はBの平均がAの平均を上回っているはずである）。

それでは，この母集団から三対の標本を取ったとしよう。その平均は（mmで測った場合），次のようであったとしよう。

（ⅰ）Aの標本平均＝118，Bの標本平均＝120
（ⅱ）Aの標本平均＝121，Bの標本平均＝120
（ⅲ）Aの標本平均＝121，Bの標本平均＝122

さて，各々の場合において，二つの標本平均の差はいくらであろうか。また，それらは，上述の分布の左側にあるだろうか，右側にあるだろうか。さらに三つの組合せのうち，いずれが分布の中央（平均）から最も離れているであろうか。

*　　　*　　　*

（ⅰ）の場合，Bの標本平均はAの標本平均より2 mm大きい。よって，それは分布の右側にある。（ⅱ）の場合，Aの標本平均がBの標本平均より

も1 mm大きく，よってこの差は左側にある．(iii)の場合，Bの標本平均がAの標本平均より1 mm大きく，よってこの差は右側にあることになる．標本平均間の三つの差のうち，最も大きいものは（i）の組合せで，それゆえ，その分布の平均から最も遠くに離れている．

これは，"同一の"母集団から何対もの標本の組合せを膨大な数取った場合の二つの平均の差の理論上の分布である．それは平均の差の"標本分布"である．その平均はゼロで，ばらつきは母集団のばらつき具合に依存している．母集団のばらつき具合が大きければ，それだけ標本も変動しやすく，一対の平均の差が大きく異なる可能性も大きい．

標本平均の差の分布においても，そのばらつきを標準偏差の単位で測ることが可能である．標本平均の分布と同様，この標準偏差は標準誤差と呼ばれ，この場合平均の差の標準誤差ということになる（以下SE差と略記する）．そこで，正規曲線のもとでの割合を適用することができる．すなわち，標本平均間のすべての差のうち，約68％が0±1 SE差の区間内にあり，約95％が0±2 SE差の区間内にあることなどがわかる．

それではSE差の何倍までの区間を考えれば，その中に標本平均間の差が実用上すべて（99.7％）存在すると考えられるであろうか．

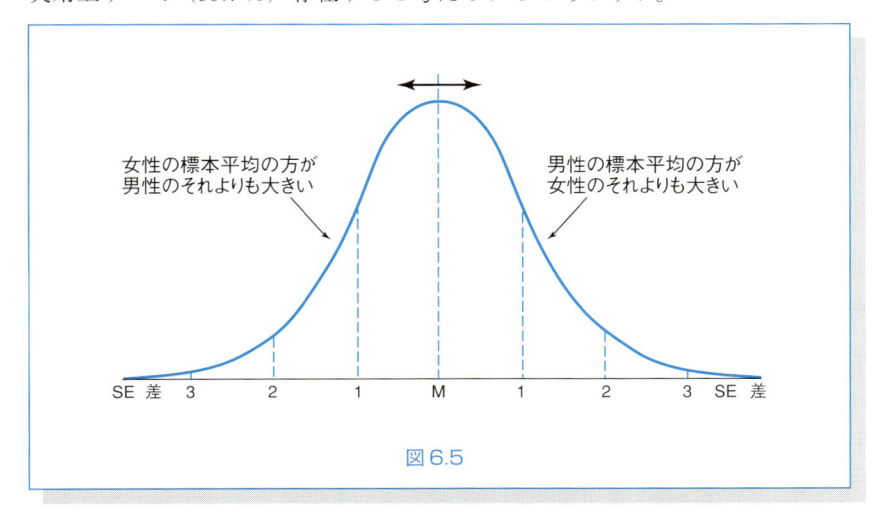

図6.5

＊　　　　　＊　　　　　＊

　標本平均間の差が 3 × SE 差よりも大きくなることは，実際にはまず考えられない（0.3 %）。

　さて，それではこういったことが，どのように役立つかを見てみよう。前述の二つの血圧の標本を比較するのにこのことを適用すれば，どのようになるであろうか。まず第一に，覚えていると思うが，50 人の男子学生の平均血圧は，50 人の女子学生のものよりも 10mm 高かったことに注意したい。われわれの知りたいことは，この差が有意か否かである。すなわち，それはこのような男子学生と女子学生一般についての血圧の差を意味するほど，十分大きいものであろうか。あるいは，この標本平均間に見られる差は単に偶然であって，しばしば起こりうるようなものにすぎないのであろうか。これを決めるために有意性検定が用いられる。

　科学者は注意深くあるべきである。特に彼らの理論を支持するように見える証拠に対しては，十分検討しなければならない（かつてチャールス・ダーウィンは，次のように述べた。「私は自説に反する証拠については，特にそれを書き留めることにしている。私の考えを支持するような証拠は，そうしなくとも覚えることができるから。」）。統計家は特に注意深く慣例に従ってきた。その慣例とは，"その差は有意でないのでは？" と問いつつ，有意性を検定することである。

　それゆえ，まず男性と女性の血圧には，実際には差がないと仮定することから議論を始める。つまり，それらが同一の母集団から取られていると仮定する。そうすれば二つの標本平均間の差は，前述の理論分布から取られた一つの結果にすぎない。この仮定，もしくは仮説は帰無仮説と呼ばれる（これは，まず二つの標本平均間の差が統計的に有意でないとして，その仮説を無に帰そうと試みるところからくる）。

　これ以降は，帰無仮説は "攻撃" を受けることになる。もし二つの標本平均間の差が，ランダム標本の間に偶然的に起こりうるような変動として片づけてしまうには，あまりにも大きいとすれば，その仮説を棄却しなければならない。その仮説はわれわれが見ている事実を説明しえないことになる。と

すれば，その仮説を"**対立仮説**"に置き換えなければならないであろう。この場合最もよく用いられる対立仮説は，単に二つの母集団の平均が等しくないとするものである。

もちろん，対立仮説として考えられるものはこれだけではない。読者はこれ以外に（より厳密な），対立仮説を考えることができるであろうか。

＊　　　＊　　　＊

このほかに対立仮説として，男性の平均血圧が女性の平均血圧より高いとか，あるいはその反対のことが考えられる（読者の中には，一方が他方よりもたとえば少なくとも5mm高いといったふうに，ある特定の値だけ高いと仮説を立てた人もいるかもしれない）。

「S平均の差が非常に大きく，それゆえ二つの標本が同一の母集団から共にとられたということは信じがたい」ということになるまではとりあえず帰無仮説（P平均には差が実在しないということ）は"真"であると仮定される。それまでは，血圧についての10mmという二つの標本平均の差は，このような標本平均の差の正規分布からとられた一つの値にすぎないと仮定するわけである。

その分布の平均はゼロである。それでは，その分布の標準偏差，すなわち平均の差の標準誤差はいくらであろうか。もちろん標本の組合せを無限大に取らないかぎり，たしかなことは知りえない。したがって，標本平均の差の標準誤差を"推定"しなければならない（ちょうど平均の標準誤差を推定したように）。実際には，平均の差の標準誤差は二つの平均の標準誤差を"結合する"ことによって計算される。

われわれの二つの血圧の標本の場合には，それぞれの標本における50個の値の標準偏差は偶然等しかった（11.3mm）。だから，それぞれの標本平均の標準誤差もまた等しく，ともに

$$\frac{11.3}{\sqrt{50}} = 1.6\text{mm}$$

となる。SE差を得るには，二つの標準誤差を二乗し，それらの値を加え，そしてその平方根を取る（したがって，SE差はどちらのSE平均よりも常に

大きい)。

$$\text{SE差} = \sqrt{1.6^2 + 1.6^2} = \sqrt{2.56 + 2.56} = \sqrt{5.12} = 2.26\text{mm}$$

そこで，帰無仮説（すなわち，これらの二つの標本は同一の母集団から取られている）に従えば，こういった一対の標本平均の差の分布は，平均がゼロで標準偏差（SE差）は約 $2\frac{1}{4}$ mm ということになる（図6.6）。

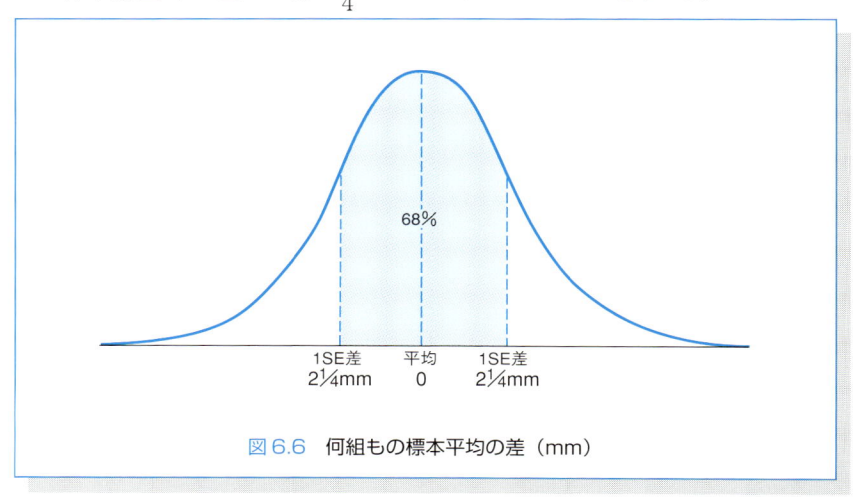

図6.6 何組もの標本平均の差（mm）

したがって，男性と女性の血圧間に差が実在しなかった場合には，100組のペアをとれば，そのうち68組の平均の差が $2\frac{1}{4}$ mm 以下となることが予想される。その $2\frac{1}{4}$ mm 以下の差の中には，男性の平均が女性のそれより大きいものもあれば，またその反対のものもある。しかし，こういった差が見られるのは，どちらにしても $\frac{68}{100}$（すなわち68％）の確率である。われわれの血圧に関する二つの標本においても，平均の差がこのような範囲内にあったならば，それは単に偶然に生じたランダムなサンプリング変動にすぎない，と考えればよい。いわば，母集団平均の本当の差を意味するには，その差は偶然としてあまりに起こりやすいということである。

それでは，二つのランダム標本の平均が $2\frac{1}{4}$ mm 以上異なっている確率は，どれだけであろうか（図6.6を見てもらいたい）。

* * *

差が $2\frac{1}{4}$ mm 以上となる場合は，図6.7の分布の斜線部にあたる．真中の部分（0±1 SE差）は，標本平均間のすべての差の68％を占めるわけだから，残りの32％が二つの裾の部分に等しくあることになる．左側にある16％の標本の組合せでは，女性の平均が男性の平均より $2\frac{1}{4}$ mm 以上大きくなっている．また，右側の裾の16％は，男性の平均が女性の平均よりやはり $2\frac{1}{4}$ mm 以上大きいことを示している．いずれにせよ，一般に差が $2\frac{1}{4}$ mm 以上になる確率は $\frac{32}{100}=32\%$ である．

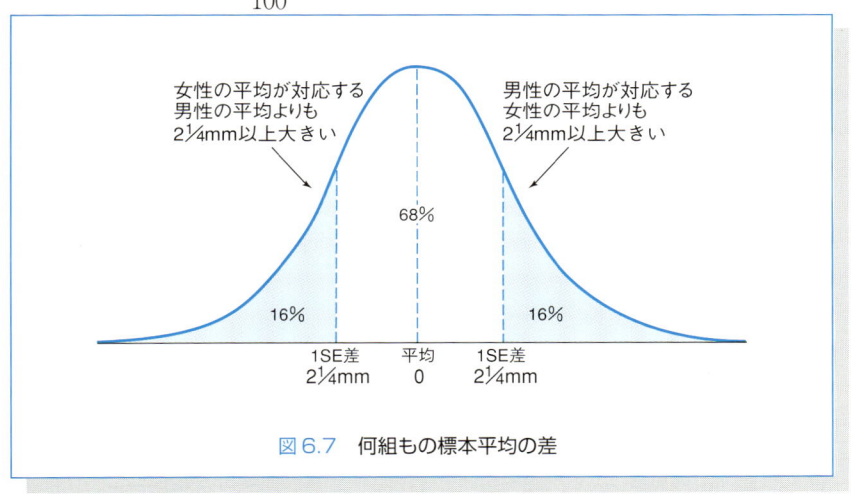

図6.7 何組もの標本平均の差

正規分布ということから考えれば，曲線は端にゆくにつれ基軸に急激に近づくので，差が大きくなるにつれてその確率も急激に小さくなる．正規分布のもとでの割合から考えて，差が $2\times\text{SE}$ 差以上大きくなるのは，すべての標本の組合せのうち5％にすぎないといえる（なぜならば，正規分布では約95％が平均±2SDの範囲内にあるから）．それゆえ，一対の標本において，平均の差が $2\times\text{SE}$ 差（すなわち，$2\times 2.26\text{mm}=4.52\text{mm}$）以上となるのは約 $\frac{5}{100}$，すなわち20に一つである（もちろん，それは女性が男性より大きな平均をもつこともあれば，その反対のこともあるということに注意しなければならない）．

同様に，正規曲線においては，平均± $2\frac{1}{2}$ SDの範囲に99％が含まれるこ

ともわかっている．それゆえ，もし男性と女性の血圧一般に実際には差がなかったとすれば，平均間の差が $2\frac{1}{2} \times 2.26\,\text{mm} = 5.65\,\text{mm}$ 以上になるものは，100個の標本の組合せのうち，ほんの1個（確率1％）にすぎないと思われる（この場合にも，女性が男性より大きな平均をもつこともあれば，その反対のこともある）．

それでは，一対の標本において，男性の平均が女性の平均より 5.65 mm 以上大きくなる確率は，いったいどれだけであろうか．

＊　　　　＊　　　　＊

男性の平均が女性の平均より 5.65 mm 以上大きくなること，および女性の平均が男性の平均よりこの値以上大きくなることのいずれかが起こる確率は $\frac{1}{100}$（あるいは1％，あるいは0.01）である．したがって，そのうちの一方が起こる確率はその半分で，$\frac{1}{200}$ あるいは $\frac{1}{2}$％，あるいは 0.005 となる．

図 6.8 の分布曲線の裾の部分に，これらの確率が表されている．

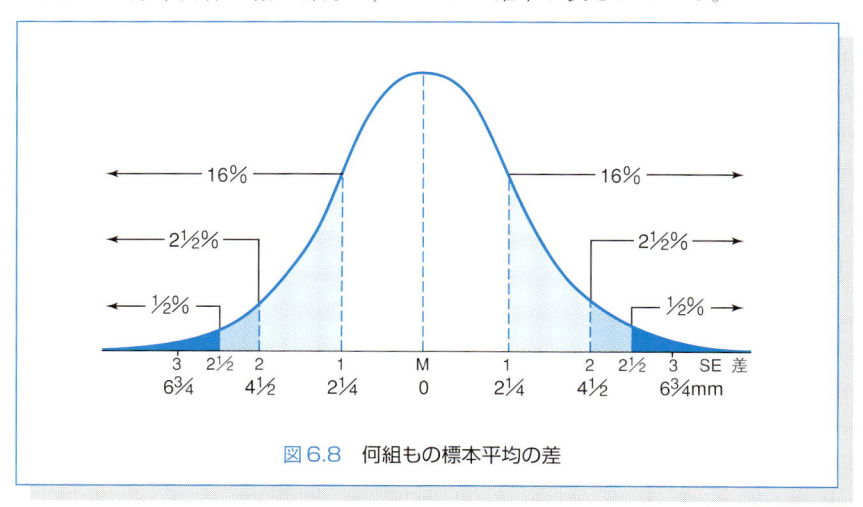

図 6.8　何組もの標本平均の差

ここで，再び血圧の二つの標本とその帰無仮説について考えることにしよう．それらの平均の差が，一つの母集団からとられた標本間の偶然な変動とはみなすことができないぐらい大きいことが判明しないかぎりは，一つの母集団からとられたものとしておくと述べた．

さて、図6.8の分布は、一対の標本平均の差がさまざまな値に対して、どれだけの頻度で現れると考えられるかを示している（それらが同一の母集団からとられたとして）。

われわれの二つの標本平均の差は10mmであった。これは、どの程度起こりやすいことなのであろうか。この数値からすれば、「実際には差がない」という帰無仮説を受容することになるだろうか、あるいは棄却することになるだろうか。

＊　　　　＊　　　　＊

10mmという差は、決して起こりやすくはない。3×SE差（6.78mm）ですら、このようなすべての差の99.7％よりも大きいことがわかっている。にもかかわらず、これは4×SE差（9.04mm）にも相当する。これほど大きな差が生ずる確率は、計算してみると（表4.2のような正規分布表を用いる）、100,000回に6回よりもさらに小さいことがわかる。この値は、あまりに小さく、その可能性は無視してもかまわない。このことは、当然帰無仮説を棄却できるということを物語っている。すなわち、これらの標本間の差は、母集団（若い男性と若い女性の血圧）に本当の差があることを意味している。つまり、その差は"有意"である。人によっては"極度に有意"ともいう。

有意性の意味

ここで注意してもらいたいのは、統計的に有意ということは、必ずしも"興味深い"とか"重要である"とかいうことを意味するものではないということである。たとえば、地理学を教えるためのある新しい方法を従来の方法と比較したい。新しい方法により教えられた学生の試験の平均点は66点で、しかるに従来の方法で教えられた同様な標本では、その平均点は60点であったとしよう。標本数が十分大きいならば、この差を有意とすることができる。しかしそこで言っていることは、その差が真の差を反映するものと信じうるということにすぎない。すなわち、新しい方法により学生たちは、古い方法が適用された母集団とは異なる母集団、すなわち少しばかり試験の

平均点が高いような母集団に移されたということである。ここに見られる差は，将来再びこれらの二つの母集団標本を取り，その組合せを比較した場合にも見られると予想される（"有意"という言葉を使うよりは，"信頼できる"という方がより適切かもしれない。しかし今となっては，統計家たちの用いている言葉を変えるには遅すぎる）。

　ここでは，何ら価値判断を行っては"いない"ということに注意してほしい。つまり，平均点の差は新しい方法を採用するに値するとはいっていない（あるいはその差自体価値があるとすらいっていない）。すなわち，地理の先生は 6 点という差に対して「だからどうなんだ」と言われるかもしれないが，そう言われればそれまでである。新しい方法を従来のものに変えて採用すべきだとはいっていない。医学における新薬による治療や企業における新しい生産工程のようなケースも同様である。これは統計学以外の根拠に基づき決定されるべきものである。たとえば，このような差を生ずるには（たとえば時間や資源の意味で），どれだけコストがかかるのであろうか。あるいは，他により小さなコストで大きな差を達成できる方法はないのか等を考慮すべきである。

　それでは，統計的に見て以下の二つの差のうち，いずれがより有意であると思われるか。

(a) 作家 X によって書かれた小説の文章の長さの平均は，作家 Y のものに比べて 3 words 長い。計算してみると，この差は $2\frac{1}{2} \times \mathrm{SE}$ 差であることがわかった。

(b) ある手術を施された患者の生存率は，こういった手術が必要とされながらも，何らかの理由でそれを受けることができなかった患者の生存率よりも 20％高い。計算してみると，この差は $2 \times \mathrm{SE}$ 差に等しい。

＊　　　　＊　　　　＊

統計的にいえば，(a)の方がより有意な差がある。すなわち，比較されている標本から判断するかぎり，一文あたり 3 words の差があることの方が，生存率における 20％の差よりも偶然には起こりにくい。そして注意しなければならないことは，われわれが考えているのは，その差のもつ社会的価値

ではなく（その絶対的な大きさでもなく），このような差が（標本における変動として示されたとして）標準誤差を用いて測れば，どの程度大きいかということだけである。

　（注記：母集団の値が変動的であるほど，標本に見られる観測値も変動しやすいであろう。そしてその結果，その平均も変動しやすいであろう。このときこのような標本の組合せから得られた平均間の差も，当然変動しやすい。このように変動が連鎖的になるので，二つの標本が同一の母集団から取られたものではない，と確信するに必要な標本平均間の差も大きいものとなる。）

　したがって，"有意な"差とは，母集団における真の差を反映するものである。しかし，ある差が有意であると見なされるには，どの程度大きくなければならないのであろうか。これは「ある人が背が高いと見なされるには，どの程度大きくなければならないのであろうか」と尋ねるようなものである。ある値で線を引き，一方の側の値は有意で他の側は有意でないというためには，何らかの恣意性はつきものである。しかし，こういった"区切り"として統計家たちの間では，通常二つの値が使われている。それらは5％水準と1％水準で，0.05水準とか，0.01水準とか書かれていることも多い。

　すぐにはわかりにくいのだが，差は0.01水準での方が，0.05水準でよりもより強く有意である。同一の母集団からとられたものとしたとき，100組中たった5組の標本の組合せにおいてしか起こらないほど大きな差であるならば，それを有意と受け取ることにしよう。とすれば100組中たった1組しか起こらないとすれば，その差は非常に大きいといえよう（これは前章で述べた信頼水準とも関連がある。前者においては，その差が実在するということに95％確信がもて，後者の場合には99％確信がもてる）。

　そこで，もし帰無仮説を棄却するつもりであれば，標本平均の差が

(a)　1％水準で有意

(b)　5％水準で有意

のどちらの場合に，より確信をもって棄却できるであろうか。

＊　　　　＊　　　　＊

　その差が大きければ大きいほど，より確信をもって帰無仮説を棄却するこ

とができる（ただし，帰無仮説は，その標本がとられた母集団の平均には本当は差がないということである）。１％水準で有意（100組中１組しか起こらないほど差が大きい）であるためには，５％水準で有意（100組中５組の可能性）であるよりも，その差は大きくなければならない。それゆえ，差が１％水準で有意である方が，より確信をもって帰無仮説を棄却することができる。

５％水準で有意である場合には，その差は単に「有意」と呼ばれるのが普通である。これに対して，１％水準で有意な場合には，その差は「強く有意」と呼ばれることもある（さらに0.1％水準の場合には，「非常に強く有意である」と呼ばれる）。しかしながら，こういった呼び名のちがいは，数字で表されるもの以上に何ら加うるところはない。たとえば二つの実験を行ったところ，単にサンプル変動のせいとすれば，そのような結果が起こる確率は一つは4.9％であり，もう一つは5.1％であったとしよう。非常に近いこれらの二つの実験結果は，差があるか否かに関しては，一方は"有意"とされ，他方は"有意でない"（あるいはせいぜい"ほぼ有意"とでも述べるしかない）とされてしまう。それゆえ，おそらくこういったデータを評価するには，その数字を付記しておく方がよいと思われる。

それでは血圧の例にもどってみよう。５％水準で有意となるためには，平均の差はどの程度大きくなければならないであろうか。また，１％水準で有意であるためにはどうであろうか。

＊　　　＊　　　＊

５％水準では，差が $2 \times \mathrm{SE}$ 差以上あれば有意である（この場合 $2 \times \mathrm{SE}$ 差 $= 4\frac{1}{2}$ mm）。また，１％水準で有意であるためには，それは少なくとも $2\frac{1}{2} \times \mathrm{SE}$ 差（すなわち $5\frac{5}{8}$ mm）なければならない。

もし差が $4\frac{1}{2}$ mm よりも小さいならば，帰無仮説は棄却されなかったであろう。その場合，その差は一つの母集団の中からの，サンプリング変動によって生じたものであるという可能性が大きい。そこで帰無仮説を受容し，真の差は証明されなかったとする。つまり，その差は有意ではなかったことになる。

結局，有意性検定においては，二つの相反するリスクが存在する。まず，差が実在しないにもかかわらず，それを有意としてしまうリスクである。これは**第一種の過誤**と呼ばれる。これに対しては，より強い有意水準（たとえば5％よりは1％）をあてるほど回避することができる。しかし，有意水準が強くなるにつれ（標本平均間により大きな差を要求することになる），もう一種の過誤を犯すリスクがふえる。

　さて，このもう一種の過誤とは何であろうか。

＊　　　＊　　　＊

　母集団の間に差が実在するということを受容する際，標本平均間により大きな差を要求するとすれば，実在する差を見落しがちになる。これが，**第二種の過誤**と呼ばれるものである。

　要するに，第一種の過誤とは，帰無仮説が"真"であるにもかかわらず，それを"棄却"することである。また，第二種の過誤とは，帰無仮説が"偽"にもかかわらず，それを"受容"することである。これを表にすれば表6.2のようになる。

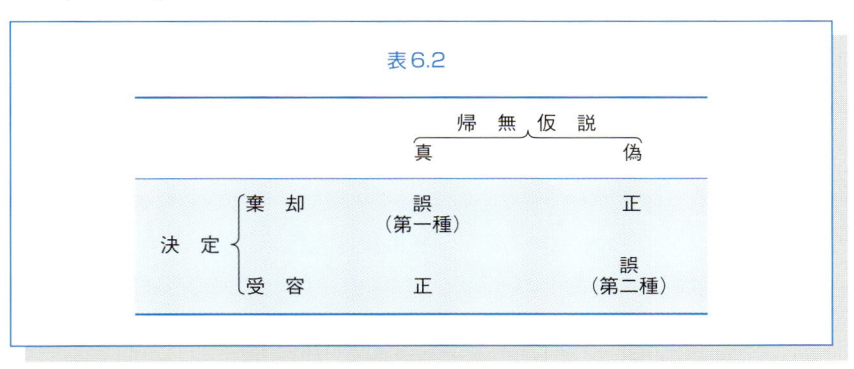

表6.2

		帰無仮説	
		真	偽
決定	棄却	誤（第一種）	正
	受容	正	誤（第二種）

　しかしながら，帰無仮説が"実際には"真であるのか，偽であるかを知ることはできないわけであるから，われわれの行う決定の結果が表6.2中のいずれに相当するかは決してわからない。たしかなことは，第一種の過誤を犯すリスクを減らそうとするほど（"より有意な差"を要求することにより），第二種の過誤を犯すリスクが（　）となるということである。

さて（　）の中には，次の(a), (b)のうち，どちらが入るであろうか。
(a)　同時に小さくなる。
(b)　反対に増加する。

*　　　　　*　　　　　*

　第一種の過誤を犯すリスクを減らそうとすればするほど，第二種の過誤を犯すリスクは増加する。すなわち，正解は(b)である。「実際に差がない場合に差があると判断」しないためには，標本間に大きな差を要求することになる。しかし，そのような誤ちを犯す確率を小さくしようと試みれば，大きな差に対しても母集団の真の差を表しているものとは考えなくなる。そのとき，標本間の差の中には，母集団の真の差を表すものが含まれる確率も増加する。その結果それらを見落とし，実際にはそうでないにもかかわらず，同一の母集団からとられていると判断する可能性も次第に大きくなる。

　こういったジレンマは，法廷で証拠を採用するケースと似たところがある。もし，ある人が有罪であるとするに比較的弱い証拠でもよいとするならば，多くの無実の人々を罰するというリスクを被る。反対に，もし非常に強い証拠以外すべて認めないとすれば，今度は多くの犯罪者が罰せられずにすむことになる。

　これらは現実的にはどのような意味をもつのであろうか。研究者が有意水準として非常に厳しいものを用いたとすれば，その結果認められた差は，その存在にかなり確信がもちうる。しかしその反面，彼はさらに調査をおし進め，追求していく価値のある多くの有用な可能性を見失ったかもしれない。反対に，有意性水準をあまく選んだとすれば，彼は有用な証拠の糸口はすべて把握するであろうが，同時に数多くの差に注意を払わなければならないことになる。そして，そのことは彼のみならず，彼の発見により影響を受ける仲間たちもが，多くの研究時間と資源を費し，結局はその差が単に標本変動にすぎなかったという結果にもなりかねない。このことに関しては，たとえば"がん"の研究事業を考えてみればよいと思う。これまでのところ，"がん"の治療に有効とされるものは，何ら発見されていないにもかかわらず，研究のために費されたコストはばく大な額に及ぶ。治療として役に立つどん

な小さな可能性をもすべて取りあげたいという誘惑は，最も有望な糸口のみを集中的に調査し，そのために乏しい資源を当てるという（そして医者や患者の間に誤った希望が引き起こされるのを避けようという）要求とは，常に相入れないものである．第一種の過誤（誤って帰無仮説を棄却し，真の差があるとしてしまう）のコストが非常に高いと考えられるならば，研究者は1％とか，ときには0.1％（すなわち0.001）とかいった厳しい有意水準を採用すべきであろう．それはすべて個々の状況に応じて決定されるべきである．

　こういった手続きは恣意的であり，どことなく納得がいかないように思われるかもしれない．しかし，科学において（あるいはその他の分野においても）100％確実な証拠というものはありえない．すべてが，確率と信頼水準を用いて表現されるといってもよい．科学者といわれる人々は，単にそのことに関して他の人よりも正直なだけのことである．少なくとも彼らが科学的に行動している場合には，リスクが数量化され付記される．実験や調査をさらに行うことによって，その不確実性を減らすことはできるとはいえ，決して第一種の過誤を犯しているか，第二種の過誤を犯しているかを正確に知ることはできない．従来，科学におけるしきたりは保守的であった．そこで，有意水準は疑わしい結果を受け入れるよりは，貴重な事実の発見（われわれには未知であるが）を見落とす方が，はるかに起こりやすくなるように設定される．

　さて，ということは第一種と第二種のどちらの過誤を避けることに重点が置かれているだろうか．

＊　　　　＊　　　　＊

第一種の過誤を避けることに重点が置かれている．

ちらばりの比較

　本章の最後の節に進む前に注意したいことがある．これまで大部分は標本平均の差について論じてきた．しかし，それらの標本はばらつき（すなわち標準偏差や分散）も同時に異なるということも考えられる．以下の図6.9は，

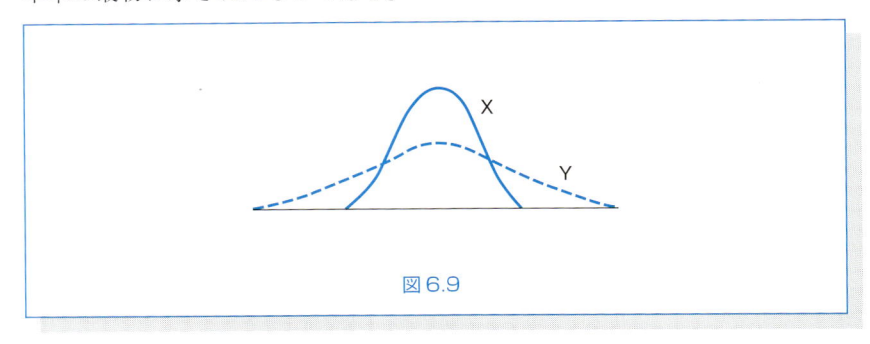

本章の最初に示されたものである。

図6.9

　この図において，二つの標本平均はさほど異ならない。しかし，それらのばらつきはかなり異なっている。標本Yは標本Xに比べ，はるかにその値が変動的でありばらついている。それゆえ，これらの標本の標準偏差には，大きな差があると思われる。

　今の場合，二つの標本の間のばらつきの差は，それらが異なる母集団からとられたと考えられるほど大きいのであろうか。おそらく答はイエスである。ばらつきの差に対しても，有意性検定を行うことができるといっても不思議ではないであろう。しかし，ここでそれらを議論することは割愛したい。その方が読者にとっても望ましいことだと思う。このような検定を行えば，上で図示されたばらつきの相違は，たしかに有意であることがわかる。すなわち，それらの標本は分散の異なる（平均はさほど異ならないが）二つの母集団からとられたと考えられる。

　平均よりは，むしろばらつき具合（たとえば標準偏差）を，あるいは平均と同時にばらつきをも比較したいということも多い。たとえば心配ごとがあったり，ある種の薬物（たとえばアルコール）を飲んだりすれば，人によっては仕事をよりうまく遂行できたり，反対に悪くなったりするということは十分考えられる。その場合，薬を飲む前後では，その標本の中の人々の平均能率は，これまでとさほど変わらず，能率の変動性，あるいはばらつき具合が有意に増加してしまうということになる。

　実際のところ，本章においてこれまで議論してきた有意性検定（平均の差

に対する）は，標本のばらつきについてある種の仮定を設け，そのもとで検定が行われた。すなわち，標本のペアはその標準偏差が十分似ており"等しい"ばらつきをもった母集団からとられたものとした。二つの標本間の"標準偏差"（あるいは分散）の差が大きくなれば，それだけそれらの平均間の差の有意性を正確には特定化できなくなってしまう。

たとえば，図6.10 に示された三組の標本のうち，平均間の差についての有意性検定を適用できるのは，いったいどれであろうか。また，適用できないのはどの場合であろうか。その理由はなぜであろうか。

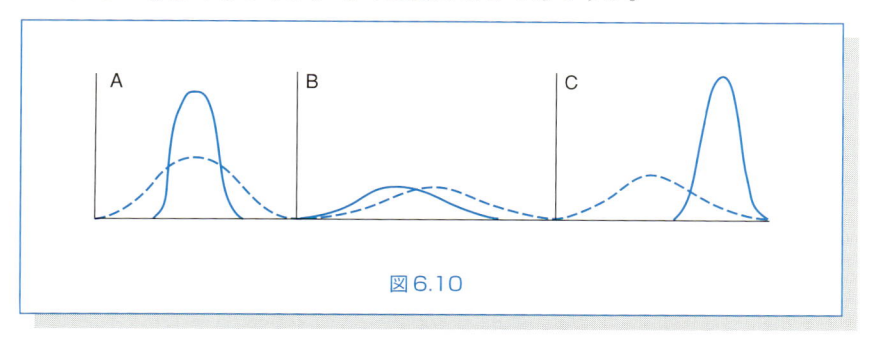

図6.10

＊　　　　＊　　　　＊

検定は二つの標本において，ばらつき具合がほぼ等しいという仮定のもとでのみ有効である。図6.10でいえば，Bのペアの場合のみである。したがって，平均間の差の有意性検定を行いうるのは，Bだけとなる。Cの場合にも，二つの標本の平均は，明らかに異なる。しかしながら，そこでは分散もまた大きく異なるために，従来の検定によってこの差の有意性を正確に論ずることはできない。Aにおいても，同様な理由から検定は適用されえない。

二つの標本において，平均も標準偏差も異なる場合には，まずばらつき具合を比較してみるのがよいであろう。ばらつき具合が有意に異なることがわかれば，その場合標本は異なる母集団からとられたものであるとするのが安全である。それ以上先に進むことはない。いいかえれば，平均の差を分散の差から別に取り出すことが困難なため，これ以上有意性検定を行うことは意味のないことだともいってもよい。しかしながら，ここから先は統計学の専

門家ですら，何を行えばよいかに関して意見が別れてしまうような理論の泥沼に足を踏み入れることになる．それゆえ，別の話題へと話を進めることにしよう．

ノンパラメトリックな方法

　さて読者には，これまで述べてきた統計的手法は，分布が正規分布であることに大きく依存しているように思われるのではないだろうか．この本のページをざっとめくれば，釣鐘の形をした曲線が背の高いものや平べったいもの，細いものや太いものとさまざまな形態の正規分布が幾度も幾度も現れている．"古典的"な統計的手法の大部分が，正規分布に従う母集団から標本が取られているということを前提としており，それによってはじめて母集団のパラメータが推定可能となるということは歴然とした事実である．このような手法はパラメトリックな手法と呼ばれる．

　しかし，母集団の分布が正規分布であるとすることが，まったくの誤りである場合も多い．さらには，そのような仮定が正しいものか否かに確信がもてないこともある．たとえば，質的データに対して正規分布を考えることは，適当ではない．ある大学の優等卒業生と普通の卒業生の雇用機会に興味を持ったとしよう．卒業後1年の段階で各々100人について調査したところ，優等卒業生はそのうち90人が職についており，普通の卒業生はそのうち80人が職についていることがわかったとしよう．次章で述べる方法によれば，もし優等卒業生と通常の卒業生が"等しく雇用機会を得る"とすれば，このような数値が得られることは100回中5回以下であることが示される．すなわち，5％のレベルでその帰無仮説を棄却することができる．その結果，卒業生の二つのカテゴリーの雇用機会には全体的に見て偶然とは言えない差があると結論づけられる．

　さて，この例において雇用が正規分布をするか否かについて何らかの仮定を設けたであろうか．

＊　　　　＊　　　　＊

雇用の分布については何ら仮定を設けなかった。もちろん，卒業生個人個人に与えられた雇用機会を測定したわけでもない。

それにもかかわらず，何ら仮定を置くことなしに，そして平均や標準偏差を計算することなしに，このような質的データに関する差の有意性検定を行うことができる。その場合，用いられる検定はノンパラメトリック検定となる。つまり分布の正規性の仮定を設けずに，検定を行うことができるということである。

質的データに対して，ノンパラメトリックな手法しか適用することができない場合がもう一つある。それはデータが順位によって表現される場合である。これは標本のメンバーに（たとえば，美しさ，知性，魅力といったものに関して）1番，2番，3番，……と順位付けがなされている場合である。そこでは，その標本の各メンバーは，当面の特性をどれだけ保有していると思われるかに応じて順に並べられている。そして，これらのカテゴリーの順序付けは，何ら定量的な測定を行うことなしになされたものとしよう。

たとえば，ある大学の学部生が，その大学の5人の年輩の教官と4人の若い教官に対して，彼らが教育能力をどれだけもっているかを評価し，順に並べたとしよう。定量的な測定は行われていないので，各グループの教える能力の平均をとることはできず，年輩と若い教官の教育能力の平均の間に有意な差があるか否かを問うことはできない。わかっていることは，その順番が"良い方から悪い方へ"と，表6.3のようであったということだけである（ここで，S (Senior) は年輩の教官を表し，J (Junior) は若い教官を表す）。

表6.3

良								悪
1番	2番	3番	4番	5番	6番	7番	8番	9番
S	S	S	J	J	S	S	J	J

このような場合，ノンパラメトリックな手法を用いて，この順番を年輩と

若い教官の能力が同程度であった場合に予想される順番（たとえばＳＪＳＪＳＪＳＪＳ）と比較することができる（マン・ホィットニィのＵ検定）。それを適用すれば，この順番からは能力が有意に異ならないという結論が得られる。

こういったノンパラメトリック検定は，普通比較的計算が簡単である。そのため，研究者の中には，たとえ完全な測定値の集合がある場合にでも，そしてさらに正規曲線が仮定されうる場合でさえも，それらを簡便法として用いるものも多い。たとえば，個人の試験の点数を単に合格，不合格へと簡略化してしまうこともある。あるいは，実際の点数について忘れることにし，点数の順位だけを考えることもある。

その結果，当然のこととして，標本の中の個体間の実際の差についての情報は失われる。たとえば，二人の男子学生の試験の点数がそれぞれ100点と10点であり，二人の女子学生の点数がそれぞれ90点と80点だったとしよう。その場合，男子学生の順位は１番と４番で，女子学生の順位は２番と３番である。どちらも，平均順位は$2\frac{1}{2}$である。したがって，順位の値だけから判断するならば，女性と男性はその試験において同程度の成績をおさめたように思われる。さて，彼らの実際の点数にもどって考えた場合には，この差がないという結論ははたして妥当であろうか。

＊　　　　＊　　　　＊

二人の女子学生は合計90＋80＝170点取った。そして男子学生の合計点は，100＋10＝110点であった。それゆえ実際の点数を知れば，女性の方が優れていたことがわかる。しかし，この事実は順位に関する情報だけを用いると隠れてしまう。

つまり，測定値を数個のカテゴリー（たとえば合否）へと簡略化することにより，あるいは順位の値のみを用いることにより，くわしい情報が失われてしまい，その結果グループ間の差が隠れてしまう。このことは，有意な差を検出することがよりむずかしくなるということを意味する。このことを反対に見れば，ノンパラメトリック検定により有意な差が認められるためには，かなり大きな差が必要とされることがわかる。結局，ノンパラメトリック検

定は，多くの統計調査に比較的簡単に適用しうるが（そしてときには，パラメトリックな手法を用いることが適当とはいえず，それを使わざるをえないが），帰無仮説が誤っているときにそれを受容してしまうというリスク（第二種の過誤）が大きくなる。

ノンパラメトリックな方法については，おそらくこれで十分であろう。しかし，それらは統計の実務家にとっては非常に重要なので，以下の二つの章においても，その応用に関してふれるつもりである。ただし，パラメトリックな伝統に基づくほうが統計学をわかりやすく説明しうると私は信じている。それゆえ，以下の章においても正規分布を中心に議論をすすめてゆきたい。

さて，この本のこれまでの章のうち，おそらく本章がもっとも難解に感じられたのではないだろうか。観測された事実を超えて仮想的な分布を考えた。そして帰無仮説の二重否定のようなロジックを使った。すなわち，予想していない結果を仮定し，それが起こりそうもないことを示し，それによって予想していながらも直接それを証明することができない反対の結果を間接的に導いた。結果の有意性については，それが正しい確率ではなく誤っている確率を用いて表現した。こういったことすべてから，有意性検定は奇妙な一種の知的遊技のように思われるかもしれない。しかしながら，それは統計的手法の核心なのである。

次章において，有意性検定を適用した実例をいくつか紹介するが，それによって有意性に対するこういった悪い"印象"を払拭してもらいたい。ただし読者が，次章に進む前にもう一度この章を読みなおす必要があると感じたとしても不思議ではない。むしろ，それはすべての読者に試みてもらいたいことである。

練習問題　6.

1. A, B二つの工場から製造された水銀電池の寿命を調べるため，多数の標本を抜き出し，調査を行ったところ，下表のような結果が得られた。次の（ⅰ）から（ⅳ）までについて答えよ。

	標本平均	標準誤差
A工場	6,000時間	360時間
B工場	8,000時間	400時間

（ⅰ）A工場の全製品の平均寿命の99％水準信頼区間を構成せよ。
（ⅱ）同様にB工場の全製品についても平均寿命の信頼区間を構成せよ。
（ⅲ）（ⅰ），（ⅱ）で構成した信頼区間は重なっているであろうか。
（ⅳ）（ⅲ）の結果から二つの工場からの水銀電池の平均寿命に関して，どのようなことがいえるであろうか。

2. 5章において読者の前に出現した小人には，二つの種族があることが判明した。カリカリ族とコリコリ族である。いま，この二つの種族の背丈にはちがいがあるかどうかを調べたい。そこで100人ずつのランダム標本をとり測定したところ，カリカリ族，コリコリ族の平均身長はそれぞれ10.6cm，9.8cmで，標準偏差はともに2.0cmであった。このとき，以下の問に答えよ。

（ⅰ）それぞれの種族の標本平均の標準誤差を求めよ。
（ⅱ）標本平均の差の標準誤差を求めよ。
（ⅲ）有意性検定を行いたいが，帰無仮説は何であろうか。
（ⅳ）有意水準5％および1％で検定を行うとすれば，その結果は有意といえるであろうか。また，そのことは二つの種族の背丈についていったい何を意味するのであろうか。

7章　有意性検定の応用

　この章では，順次有意性検定を新しい問題へと適用してゆきたいと思う。その過程で，これまでふれなかった論争点をも紹介したい。さらに，三つ以上の標本を一度に取り扱う問題についても議論する。そして，最後に量的変量のみならず，質的変量における差の有意性検定についても考察を加える。

　さて，学生たちが試験においてよりよい点数を取れるようにと，記憶薬が開発されたとしよう。もちろん，試験においては記憶力以外の能力も必要とされるが，それでも記憶力が強く要請されることはまちがいない。ここでわれわれが知りたいことは，その記憶薬に効果があるか否かである。

　そこで，ある試験の受験生たちから，それぞれ100人からなる二つのランダム標本を抽出する。そのうちの一グループの学生に対しては，彼らが試験室に入る直前にその記憶薬を与える。もう一方の100人の標本は，対照群として使われる。彼らには本物そっくりではあるが，検査したい薬物を実際には含まない偽物を与える。そして200人すべての学生に記憶薬を与えたと告げる（これは学生たちが，その薬のせいではなく，単に特別な薬を飲んだということだけのために，平常と異なる反応を示すのを防ぐためである）。

　さて，その薬は二つの標本の試験の点数にどのようなちがいをもたらすであろうか（もちろん，彼らの答案はどの学生が記憶薬を飲んだかを知らない教官によって採点されるようにしなければならない。学生たちの答案に対する評価が，こういった知識によって影響を受けることを避けたいからである。実験計画の分野では，このような方法は二重盲検と呼ばれる。すなわち，観察者も被験者も，誰が誰であるかを知らないところからくる）。究極的には，

これらの標本の中に含まれる特定の学生たちに現れた効果を，将来におけるこのほかの大学生たちにもたらす効果へと，一般化したいわけである。しかし，まずこの二つの標本の試験の平均点に目をむけてみよう。

これらの平均点に関して，帰無仮説はどのようにたてられるべきであろうか。

*　　　　*　　　　*

帰無仮説は（それが成り立たないことを見出したいのであるが），その薬を飲んだ学生とそうでない学生の平均点には，有意な差がないということである（これはいかに差があるように見えようとも，それは偶然の結果であり，その薬の効果によるものではないということである）。

それでは，いったいどれだけの大きさの差を求めているのであろうか。現在こういった薬の効果に関しては，友人たちの間でもいたって懐疑的である。それゆえ，その差が5％水準で有意であったにしても，帰無仮説を棄却することができそうには思われない。帰無仮説の誤っている可能性が，20に一つでは，さほど説得力がないように思われるからである。

したがって，その記憶薬についてさらに研究を押し進めるべきということになるには，差が1％水準でも有意でなければならない。つまり，より大きな差を求めることにより，差が実在しないにもかかわらず有意としてしまう可能性は100に一つまで下がる。1％水準ではじめて対立仮説をとる方が合理的であり，さらに調べてみる価値があるということになる。

片側検定　対　両側検定

しかし，対立仮説とは何であろうか。ここにわれわれは，統計学の背後において，四半世紀以上もの間，物議をかもし続けてきた論争点にふれることになる。ここでの対立仮説は，単に有意な差があるということであろうかあるいはより限定的に，ある特別な方向に有意な差があるとすべきなのであろうか。率直にいえば，その薬を飲んだ学生たちが，偽物を飲んだ学生たちより有意に高い点数を取ることができると仮説を立てるべきであろう。われ

われはこのことを期待し，研究し続けてきたのである（また偽物を飲んだ学生たちの方が，よりよい点を取るという根拠は何もない）．

対立仮説が単に有意な差を表すものか，あるいはある特定の方向に有意な差をもつものかということは，はたして重要なちがいであろうか．それをギャンブルの用語を用いて考えてみよう．以下のように二とおりの予想(a)，(b)を立てたとすれば，そのうち，どちらの予想がよりあたると考えられるか．

(a) 「薬を飲んだ学生の方が偽物を飲んだ学生よりも有意によい点を取る」か，あるいは反対に「偽物を飲んだ学生の方が，その薬を飲んだ学生よりも有意によい点を取る」のどちらかが起こるであろう．

(b) 「薬を飲んだ学生が偽物を飲んだ学生よりも有意によい点を取る」であろう．

＊　　　　＊　　　　＊

(a)の命題の方が，予想としてはあたりやすい．なぜならば，それは結果に関して二つの可能性を述べており，しかるに(b)は，それらのうちの一つだけを述べているからである（たとえば，競馬の予想屋を考えた場合，XとYという馬のどちらかが1着になるという方が，Xが1着になるとだけいうよりも，賭けに勝つ可能性は高い）．

それゆえ，単に真の差があるか否かを求めているのではなく，薬を飲んだ学生たちの方が有意に点が高いということを求めている，と前もっていえば成功の可能性は少なくなるように思われる．そこで，これを以下のようにして償うことにする．

対立仮説が，単に「1％水準で有意な差がある」であったとしよう．その場合には，学生たちがその薬を飲むか偽物を飲むかによって影響を受けないという帰無仮説の下で，偶然に生ずる差の理論上の分布を考え，その両方の裾のどちらかに落ちる大きな差を求めることになる．

すなわち，血圧の平均の差のところで行ったように，有意性の両側検定を行うことになる．

帰無仮説(有意な差はない)を棄却するためには，非常に大きな差が必要と

されたであろう。二つの母集団が，実際には同一であったとして，「薬を飲んだ人の平均が偽物を飲んだ人の平均よりも観測されたほど大きくなることは，100回中0.5回以下である」といえるか，あるいはその反対に「偽物を飲んだ人の平均が薬を飲んだ人の平均よりも観測されたほど大きくなることは，やはり100回のうち0.5回以下である」といえなければならない。よって"**棄却値**"は少なくとも SE 差の $2\frac{1}{2}$ 倍以上となるような値であった（なぜならば，差の約99％が $2\frac{1}{2}$ SE 差より小さな範囲に含まれるから）。

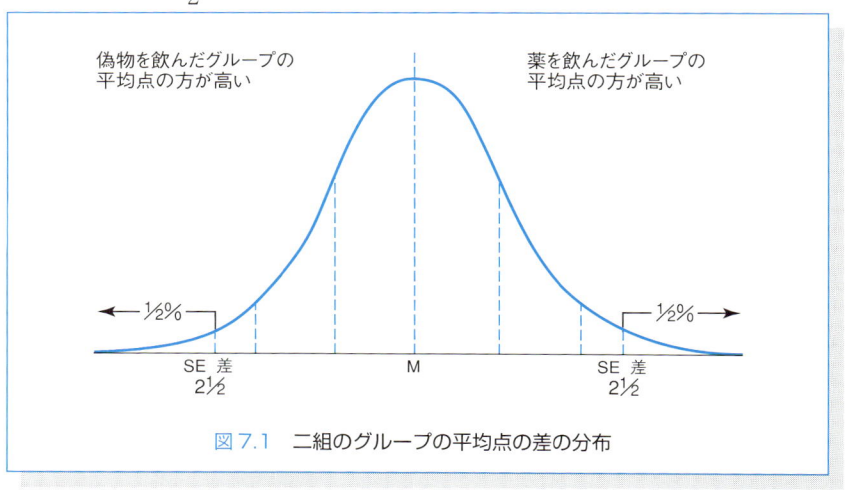

図7.1 二組のグループの平均点の差の分布

これが両側検定であり，差の方向について何ら予想できないときに適当な検定である。しかしながら今の場合，対立仮説をさらに特定化することが可能である。薬を飲んだ学生の点数が高い場合のみを考え，サンプリング変動によれば，1％の可能性しかないほど大きな差が得られた場合に，その帰無仮説を棄却する（すなわち対立仮説を受容する）ことにする。つまり，**片側検定**を行おうというわけである。この場合，薬を飲んだ学生の平均が，偽物を飲んだ学生の平均を上回る場合にのみ興味をもっている（その反対は考えない）。

そこで，左右の裾に $\frac{1}{2}$ ％ずつの差を取るかわりに，片方の裾，すなわち薬を飲んだグループの平均点の方が高いような裾に，1％全部を取るように

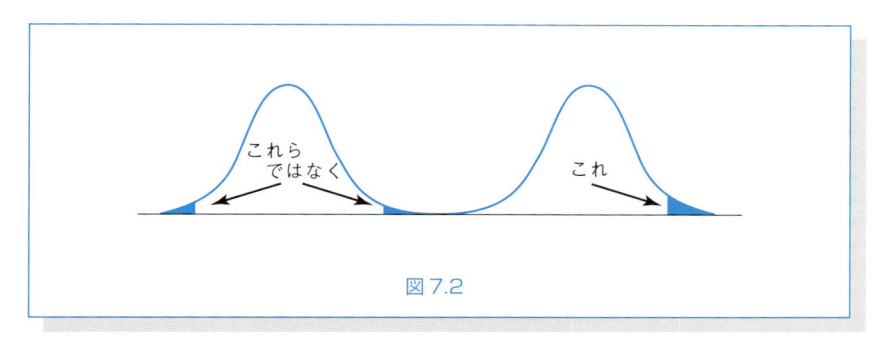

する(この場合,その裾は右側にある)。そして右側1％に差が落ちた場合に,帰無仮説を棄却する。

薬を飲んだ学生の点数が高いような裾の"大きい方から"考えて1％以内に落ちるには,その差はどの程度大きくなければならないだろうか(図7.2の曲線で調べるとよい)。

(a) $2\frac{1}{2}$ SE差でなければならない。

(b) $2\frac{1}{2}$ SE差より小さいこともありうる。

(c) $2\frac{1}{2}$ SE差より大きくなければならない。

＊　　　＊　　　＊

薬を飲んだ学生の点数が高いような差のうちで,われわれの求めているのは,(b) $2\frac{1}{2}$ SE差より小さいこともありうる。つまり,もし $2\frac{1}{2}$ SE差が右裾から $\frac{1}{2}$ ％を切り取るような値であったならば,あと $\frac{1}{2}$ ％をこれに加えることにより,その部分を大きくする。そうすれば,切取り点は基軸にそって原点方向へとおしもどされる。このことは,より小さな差も棄却域に含まれることを意味する(図7.3)。

正規分布のもとでの割合を示す表を見れば,分布の1％を片側から切り取る z 値は,約 $2\frac{1}{3}$ であることがわかる。それゆえ, $2\frac{1}{3}$ SE差を超える差が(ただし,薬を飲んだ学生の平均の方が大きいとして)右側の裾にあることがわかる。よって,この片側検定において有意水準1％で帰無仮説を棄却す

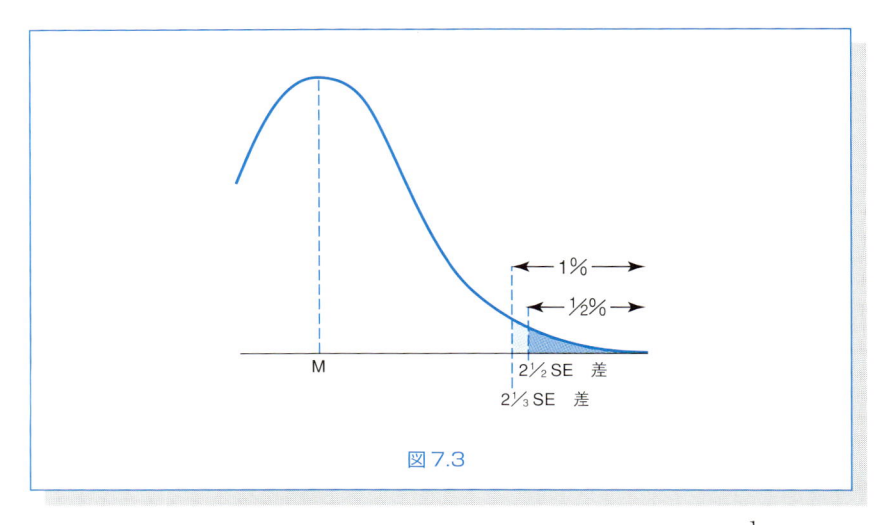

[図 7.3]

図7.3

るには，薬を飲んだ学生の方の点数が高いとして，少なくとも $2\frac{1}{3}$ SE 差が必要となる。

　結局，差の生じる方向を予想し，首を固定してその方向しか見ない。そのために，有意な差を見つける可能性が制限されてしまうように思われるが，そのかわり見つけるべき差が小さくてもよいことになる*（一方で損をした分，他方でうめあわせる）。

　このような手順は，トリックや手品のように見えないだろうか。これまで多くの人々が片側検定を用いることに異議を唱えてきた。その理由は主として，実験者は通常その差がどちらにあるかを知っており，片側検定によって有意な差を得，帰無仮説を棄却することがより容易となるからである。それゆえ，第一種の過誤，すなわち差が単なるランダム変動にもかかわらず，それを有意としてしまうリスクはより大きなものとなる。さらに，こういった実験者は，差が予想に反して別の方向にあるかもしれないということを無視しているわけだから，これまでに知られていない数多くの重要な現象が記録

　＊　ところで，もし5％水準で（1％水準の代わりに）片側の有意性検定を行うことにすれば，数表によれば，$1\frac{2}{3}$ SE 差以上の差を捜さなければならないことがわかる。やはり，これは両側検定において必要であった2SE差よりも小さくなっている。

されなくなることもありうる。次のような批判は，こういった中でも最も鋭いものであろう。「どちらの方向に差があるかに確信がもてるほど情報がありながら，どうして有意性を検定する必要があるのであろうか。それほどはっきりと予測できる差は有意に決まっている。」

両側検定により有意な差を見出しえなかった実験者が，片側検定に切りかえるという懸念もある。有意な差がないという結果も，実験によっては価値ある科学的な結果のように思われるかもしれない。たとえば，それは見込みのない調査方法をやめる役に立つかもしれない。しかし，有意な差があることがわかった場合と比べ，こういった実験の結果は報告される可能性ははるかに少なく，また報告されたとしても論文として公表されることはごくまれなようである。研究者の多くは，有意な差がなかったことが，実験に成功しなかったことを表しているかのように受けとめがちのようである。

しかしながら，いかに多くの批判があろうとも，研究者は両側検定と共に，片側検定をも使い続けることはたしかである。そこで，研究者がこういった"ごまかし"を行っていないことを信じてもらおうとすれば，片側検定を用いるか両側検定を用いるかを（そして帰無仮説を棄却するための有意水準をも）いつ述べるべきであろうか。

(a) データを収集する前
(b) データを収集した後
(c) どちらでもよい。

*　　　*　　　*

研究者は，片側検定を用いるのか両側検定を用いるのかを（そして帰無仮説を棄却しようとする有意水準をも），データを収集する前に述べるべきである（競馬の賭けの胴元は，いったんレースが開始された後に賭け金を置くなんて認めるはずがないだろう）。たとえば，両側検定を用いた研究者が，何らかの信頼できる差があることがわかった後に，より高い有意水準を報告するために，片側検定へと切りかえたりすべきではない。このような場合には"新たに"標本をもう一度抽出しなおし，そのデータに片側検定を適用すべきである。

残念ながら, 研究者の対立仮説が実験に先立ち定式化されていたのか, あるいはその結果が彼ら自身に都合のよいように変えられたのか, を言いあてることは必ずしも可能ではない。それゆえ, 他人の報告を解釈する際に, 額面通りの値で有意であると考えてもよいものかは十分注意しなければならない。まず実験の背景を考えてみるべきであろう (たとえば, ほかで行われた同様の実験結果との比較, 結果の理論的な合理性等)。そのうえで, 記録された差が, 純粋にサンプリング変動から生じたものである確率は, 将来において再び起こりうるとは考えられないくらい十分に小さいかどうかを問えばよい。
　それでは, 前述の試験の志願者に関して見てみよう。この実験では, 帰無仮説は何であったか。

＊　　　　＊　　　　＊

　覚えていると思うが, 帰無仮説は「薬を飲んだ学生たちの平均点が, 偽物を飲んだ学生たちの平均点と有意に異ならない」であった。一方, 対立仮説は (おわかりのように, これは結果を比較する前に定められた)「薬を飲んだ学生たちの平均点が高い」ということであった。
　有意性検定において, 次になすべきことは, "帰無仮説が正しい" と仮定し, 母集団から考えられる平均の差の理論上の分布を特定化することである。ここでは, その分布は正規分布になると予想される。その平均はゼロ (差がない) で, 標準偏差は標本から得られる二つの平均の標準誤差を結合することにより推定される (標本のばらつきが大きいほど, それらの標準偏差も大きくなる。それらの標準偏差が大きいほど, それらの平均の標準誤差の推定値も大きくなる。その結果, このような標本の平均の差の標準偏差, あるいは標準誤差の推定値も大きくなる)。
　さて, 次に帰無仮説を棄却すべき有意水準を決定する。思い出してもらいたいが, 有意水準として１％を取ることにした。これは, 平均の差が十分大きくなるべきことを要求しているわけで (薬を飲んだグループの平均がより大きくなると仮定して), 仮定した "差のない母集団" から, 偶然によってこういったことが起こる確率は, １％以下になることを意味している。かくして, 帰無仮説よりも対立仮説の方が受け容れやすく思われる領域, すなわ

ち棄却域を，理論上の分布において図示することができる（図7.4）。この場合，棄却域は，薬の平均が偽物の平均より $2\frac{1}{3}$ SE 差以上大きいようなその分布の裾にあたる。

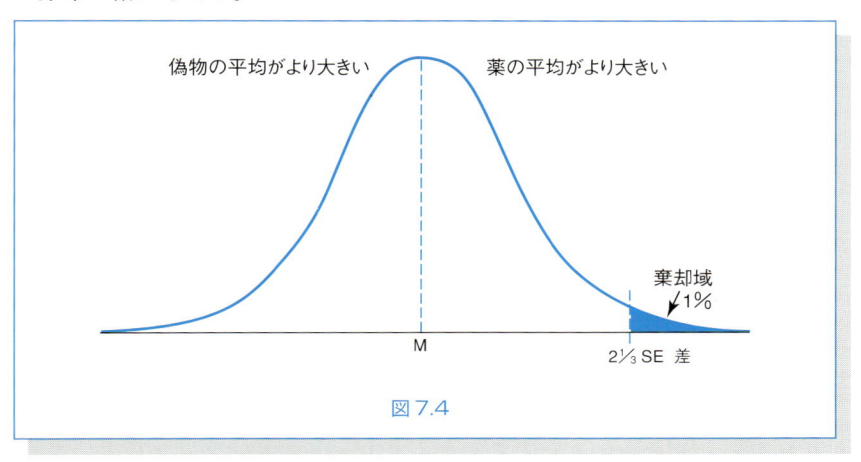

図7.4

次に実際の試験の点数を見ればよい。この二つの学生の標本について，その平均と標準偏差を計算すれば次のようになる。

表7.1

	平均点	標準偏差
薬 の 学 生	62.8	10点
偽 物 の 学 生	60.0	9点

平均点のちがいはいくらであろうか。また，二つのグループのうちどちらが高いだろうか。

＊　　　　＊　　　　＊

平均点は2.8点ちがい，薬を飲んだ学生の方が高くなっている。しかし，それは危険域として定めたところに落ちるほど，大きな差といえるであろうか。これに答えるには，平均の差の標準誤差を知る必要がある。これは，そ

れぞれの標準誤差を結合することによって得られる。

まず，二つの平均の標準誤差は，それぞれ以下のようになる（それぞれの標本に学生は100人ずついたことを思い出してもらいたい）。

$$SE\text{平均（薬）} = \frac{10}{\sqrt{100}} = \frac{10}{10} = 1 \text{点}$$

$$SE\text{平均（偽物）} = \frac{9}{\sqrt{100}} = \frac{9}{10} = 0.9 \text{点}$$

（もう一度，SE平均とはどのようなものであったかを思い出し，上の数字の意味するところを考えてもらいたい。このような学生の大きなグループを取り，彼らに薬を与えたとすれば，彼らの68％が62.8±1点の間の点数を取り，偽物を与えたとすれば，60.0±0.9点の間の値を取るであろうということである。）

平均の差の標準誤差は，それぞれの標準誤差を結合し，

$$SE\text{差} = \sqrt{1^2 + 0.9^2} = \sqrt{1 + 0.81} = \sqrt{1.81} = 1.3 \text{点}$$

と与えられる。

ここまでくれば，帰無仮説が真，つまり双方の標本が同一の母集団からとられたものであると仮定した場合の，標本平均の差の理論上の分布を示すことができる（図7.5）。

SE差=1.3点なので，2SE差=2.6点，3SE差=3.9点と計算することができる。ただし，この場合，特に興味のあるのは，棄却域を定義する値，つまり$2\frac{1}{3}$SE差である。平均の差がその領域に落ち，1％水準で有意であるためには，この値より大きくなければならない。

この値を計算してみると，$2\frac{1}{3}$SE差$= 2.3 \times 1.3 = 3$点となる。それでは，薬を飲んだ学生の平均点と偽物を飲んだ学生の平均点との差（すなわち2.8点）は，1％水準で有意であろうか。

＊　　　　＊　　　　＊

薬を飲んだ学生と偽物を飲んだ学生の平均点の差は2.8点だから，それは1％水準では"有意でない"といわざるをえない。ただし，これは"ぎりぎり"の値である（1％棄却域に入るには，少なくとも3点の差が必要とされる）。

7章 有意性検定の応用

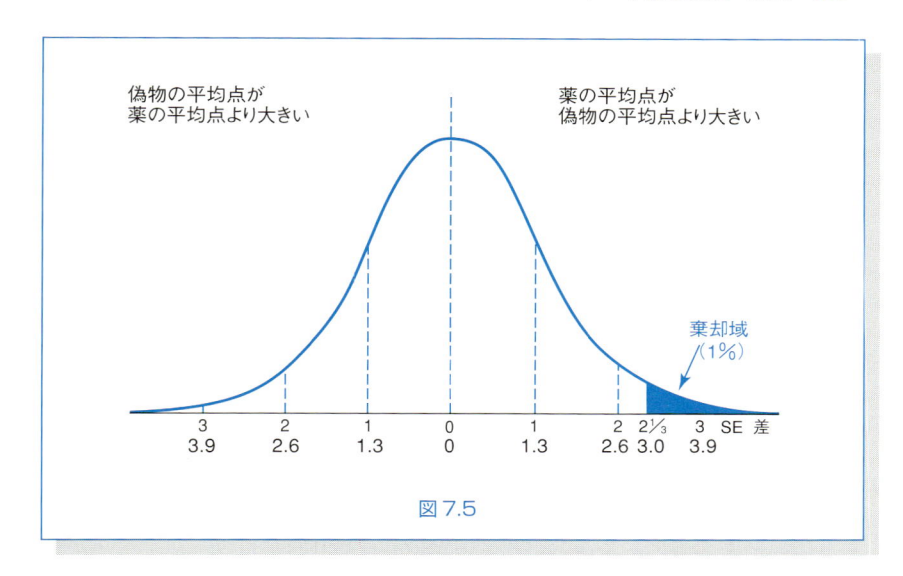

図 7.5

偽物の平均点が薬の平均点より大きい／薬の平均点が偽物の平均点より大きい

棄却域 (1%)

| 3 | 2 | 1 | 0 | 1 | 2 | 2⅓ | 3 | SE差 |
| 3.9 | 2.6 | 1.3 | 0 | 1.3 | 2.6 | 3.0 | 3.9 | |

　もちろん，この2.8点という差は5％水準であれば有意な値である。おわかりのように，片側検定では5％棄却域には$1\frac{2}{3}$ SE差以上のすべての差が含まれている。この場合，$1\frac{2}{3}$ SE差＝$1\frac{2}{3}$×1.3＝2.2点だから，2.8点という差は5％棄却域に十分入ることになる。

　こういった場合，たとえば「その差は強く有意とはいえないが，一応有意ではある」というふうにあいまいな表現をしたくなるかもしれない。しかしその必要はない。常識的に考えれば，われわれは結論をくだす前にその数字自体を見た方がよい。その差は偶然に起こる確率が1％以下といえるほど大きくはない。つまり，二つの平均が異なる母集団からきたものであるということに99％までの確信は持ちえず，かくして帰無仮説を棄却することができない。しかしながら，その差は棄却域の"ごく近く"にある。

　この差が，たとえば，それぞれ150人の学生からなるより大きな二つの標本間に見出されたものであったとしよう。その場合，その有意性については以前と同様であろうか。

＊　　　＊　　　＊

　答はノーである。もし同一の差が，より大きな標本のペアにおいて見出さ

れたものであったならば，その有意性はより大きなものとなる。たとえば，標本がそれぞれ150人の学生からなるとすれば（その結果標準誤差は約1.1点にまで減少する），その差は1％水準であっても有意となる。

　結局，薬を飲んだ学生たちが偽物を飲んだ学生たちよりもできがよかったと確信がもてるには，証拠不十分である。しかし反対に，ここに見られる証拠は，そういった可能性を示唆するものともいえる。それゆえ，その薬を用意するにコストがかからず，かつ適当な受験者を集めることもさほどむずかしくないならば，最終的には，より大きな標本でこの実験を再び試みることが考えられる。あるいは，たとえその差が実際にあったにしても，たった2点や3点の差では，さらに研究を推し進めることを正当化するには足らないという結論も考えられよう。結局（偶然に起こったと判断する確率が与えられたとして），差をどのように解釈するかは，単に5％や1％という変幻自在な値のどちら側にあるかということだけではなく，統計学以外の多くの要因による判断が必要とされる。

z 検定と t 検定

　ところで，これまで述べてきた有意性検定の多くは，z 検定と呼ばれることがある。これは，棄却域を定める点を標準偏差を単位（z 単位）として測り，そしてそれを正規曲線のもとでの割合と関係づけるからである（たとえば，両側検定に対しては2SD＝5％，あるいは$2\frac{1}{2}$SD＝1％等）。

　しかしながら，この値は大標本の場合にのみ正確である。標本に含まれる個体の数が30以下の場合には，標本標準偏差は母集団の標準偏差の推定値として，もはや信頼のおけるものとはいえない（101ページおよび103ページにおける平均の標準誤差の計算を思い出してもらいたい。検定の手続き全体が，こういった信頼に基づくものであった）。実際，ウィリアム・ゴセットはスチューデントというペンネームのもとに論文を発表し，小標本において標本SDにより母集団SDの推定を行えば，何度も推定するうち半数以上は過小評価となる点を指摘している。

結局，標本数が30以下の場合にはこの母集団SDの推定値の変動が無視できないくらい大きく，それが新たな変動として加わるため，z検定のかわりにスチューデントのt検定を用いなければならない。ただし，これに関して詳細を述べることは避けたい。しかしながら，この言葉に出会うことは多いと思われるので，その基本的な考え方は知っておいた方がよいであろう。t検定においてもやはり平均の差の標準誤差を用いる（z検定においてとまったく同様に計算すればよいが，標準誤差を単位として測った値はt値と名付けられている）。しかし，ある値の上下に適当な割合を見出すには，正規分布のかわりにt分布を調べなければならない（t分布には8章でも出会うことになる）。これらの割合は，ほとんどの初等的テキストの巻末にくわしく載っているので，読者はぜひ一度参照してもらいたい。

t分布は，正規分布と同様，平均値ゼロに関して対称で，釣鐘のような形をしている。しかし，正規分布に比べより平たく（つまり，よりばらついている）そのばらつきは，標本の大きさに応じて変化する。次の図7.6は正規分布と標本数が6と20のt分布を重ねて描いたものである。おわかりのように，標本数が大きくなればなるほど，t分布は正規分布に近づく。

下のグラフにおいて，2SE差を超える領域を見てもらいたい。三つの分布

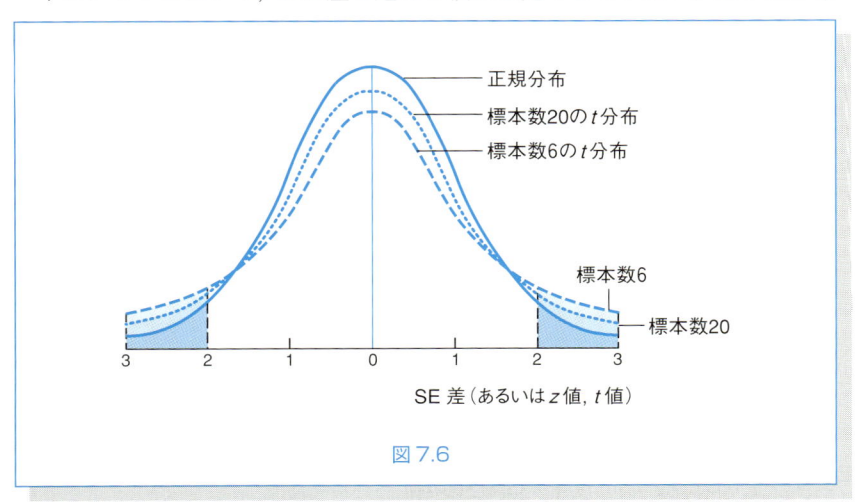

図7.6

に対して，その領域に入る"差"の割合（曲線の下の面積）を比較してほしい。二つの標本平均間に極端な差が現れる割合は，標本数が小さくなるにつれ，明らかにだんだん大きくなってゆく。すなわち，標本数が小さいときには，有意とされる結果が起こりやすい。

したがって，小標本に対するt検定において，ある水準（たとえば5％水準）で有意であるためには，大標本の場合と比べて差はどのようにあるべきだろうか。

(a) より小さくなければならない。
(b) より大きくなければならない。

   *   *   *

標本数が小さくなればなるほど，t検定により必要とされる差は大きくなる。つまり(b)である。標本が小さくなるにつれて大きな差が頻繁に起こるようになるわけだから，さもなければ有意な結果を得る確率も同時に大きくなってしまう。

つまりt検定の場合，標本数が小さいならば，有意であると主張するには大きな差が必要である。標本数が増加するにつれ，有意と判断されうる差は，徐々に小さくなる。t検定を行う際，多くのテキストの巻末に見られる数表では，（標本数－1）を自由度とよび，様々な自由度に対する値が読み取れるようになっている。たとえば，4個ずつの観測値からなる標本平均間の差は，自由度3に対応する数値を調べると，5％水準で有意であるためには，$3.2 \times SE$差を超えなければならないことがわかる。しかし，標本数が12となれば（すなわち自由度11），この水準では$2.2 \times SE$差あれば有意となる。さらに標本数が100にもなれば，必要な差は$2 \times SE$差にまで減少する。そして，このような大きな標本においては，t分布は正規分布と等しくなる。

いくつかの平均の比較

z検定（あるいはt検定）は，二つの標本が同一の母集団からとられたものであるか，あるいは異なる母集団からのものであるかを調べたいときに使

われる。しかし，三つ以上の標本間の差に興味があることも多い。たとえば，すでに薬を飲んだ学生と偽物を飲んだ学生の平均点を比較したけれども，第三のグループとして，薬も偽物も与えられなかった受験者から取られたランダム標本をも，その比較の対象に加えるべきではなかっただろうか（偽物を飲んだ学生は，薬を与えられたと考えることだけによって何も与えられない学生に比べ，よい成績をあげる可能性があるからである）。同様に4種類のネズミの学習能力とか，二次方程式についての五つの異なる教え方とか，六つの異なる発芽条件等において，有意な差があるか否かを知りたいこともある。

読者には一見何ら問題がないように思われるかもしれない。z検定，あるいはt検定により，単に標本のあらゆるペアを比較すればよいのではないだろうか。たとえば，まず薬を飲んだ標本を偽物を飲んだ標本と比較し，次に薬を飲んだ標本を何も与えられていない標本と比較し，最後に偽物を飲んだ標本を何も与えられていない標本と比較すればよいのではないだろうか。すなわち，合計三つの有意性検定を行うわけである。同様に，標本A，B，C，D間に有意な差を求めているのであればA－B，A－C，A－D，B－C，B－D，C－Dと順に比較し，合計六つのテストを行えばよい。しかし，残念ながら，比較すべき標本の組数が増加するにつれ，比較すべきペアの数は急激にふえる。たとえば標本が6個の場合には15個の検定を行う必要があり，8個の場合には28，10個の場合には45と増加する。

こういったテストをすべて行う労力を考えると，たしかにためらうであろう。各標本間のいずれかに有意な差を見つけるために，45個ものペアの比較を行うことは，考えただけでも嫌になる仕事である。こういった手順を踏まなくとも，全体的にみて差が存在するか否かをチェックするための検定があるのであれば，なおさらのことである。

しかし，いくつもの検定を行うことをやめ，検定を一つにすることには，さらに重要な理由がある。たとえば，5％水準で有意な差を捜すとすれば，最終的に100回のうち5回は，帰無仮説を誤って棄却するというリスクがあることを思い出してほしい。すなわち20回のうち1回は，標本における

"偶然性"のために5％有意水準に達することが考えられる。それでは，データに対してz検定（あるいはt検定）を数多く適用したとすれば，誤った結論を下す可能性はどうなるであろうか。

＊　　　　＊　　　　＊

行う検定の数が大きくなるほど，実際にはその差が偶然により生じたにもかかわらず，真の差であると判断する可能性も大きくなる。

それゆえ，検定を何重にも行うことはまずい。これに替わって考えられる方法としては，平均の差が最も大きい標本のペアを取り，それに有意性検定を適用することである（そして，その差が有意であることが判明したならば，次に大きな差をもつペアを取り，この手順を最後に有意でなくなるまで続ける）。しかしながら，こういった方法は有意な差を見つけることに有利に働くことになる。なぜであろうか。

＊　　　　＊　　　　＊

有意性検定は，母集団からランダムに選ばれた標本のペア間の差にのみ適用すべきものである。標本内の個体の値が大きく異なっているという理由から選ばれたペアに検定を施すとすれば，明らかにランダムに選んでいることにはならない。

つまり，いくつかの差のうちで最も大きなものが有意であるという可能性は，大きさについて何ら情報のない任意の差が有意とされる可能性よりもはるかに大きいことは明白である（オリンピックの棒高飛びの"勝者"が，世界記録を破るであろうと予測する方が，"誰が"その世界記録を破るかを予測するよりも，有利な賭けをしていることになる）。この問題は，「片側検定か，あるいは両側検定か」の選択とも似たところがある。有意であると思われるものをデータを見る前に予測できる場合にのみ，個々の差を検定することが許される。

有難いことに，複数個の標本を一度に比較しうる検定がある。それは**F検定**と呼ばれるもので，イギリスの統計家R.A.フィッシャー（Fisher）にちなんで名付けられた。彼は**分散分析**と呼ばれる手法を研究し，この検定の基礎を築いた。もちろん，分散分析は二つのグループのみを比較するためにも用

いることができる。その場合，F 検定は z 検定や t 検定と同等の結果を与える。しかし F 検定は，普通は三つ以上の標本を比較しなければならない場合に用いられる。それは次のような質問に答えるための検定である。「これらの標本間のいずれかに有意な差があるだろうか。」これに対する解答が"ノー"であれば，そのデータをそれ以上調べる必要はない。

分散分析では，非常に複雑な計算を行わなければならないこともある。それにもかかわらず，それは非常に重要な手法であるので，その基本的な考え方については，ぜひ述べておかなければならない。

その手法を用いるのは，基本的に次のような場合である。数多くの観測値があり，それらが三つ以上のグループに分けられている。これらのどのグループの観測値も，すべて同一の母集団に属しているのだろうか。あるいは，少なくとも一つのグループの観測値は異なる母集団からとられたものと考えるべきだろうか。これに答えるには，グループ内の値の変動をグループ間の値の変動と比較すればよい。

ただし，F 検定にも t 検定（あるいは z 検定）と同様の仮定が必要である。すなわち，標本はすべて同様のばらつきをもっていると仮定される。

ということは，以下の図 7.7 の二つの例では，どちらに分散分析（F 検定）を適用しうるだろうか。

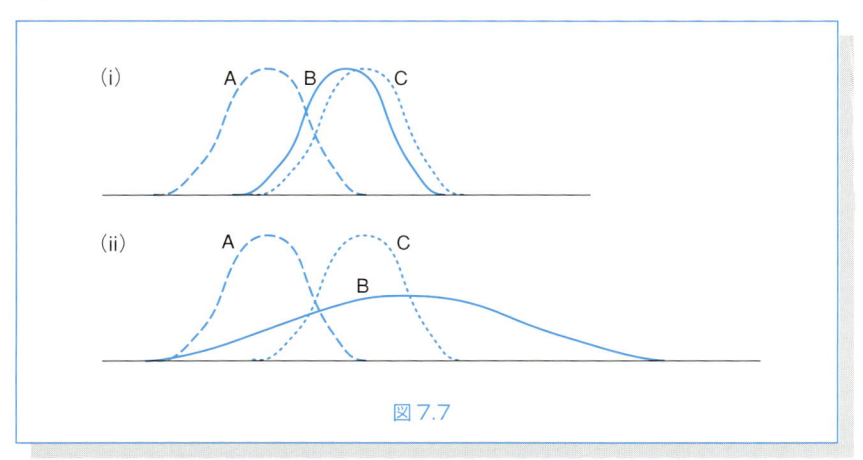

図 7.7

＊　　　＊　　　＊

　分散分析は，ばらつきがすべての標本においてほぼ等しい場合，つまり，(ⅰ)に適用されうる。(ⅱ)では，標本のうちの一つのばらつき具合が，他と大きく異なっているので適用されえない。

　それでは，分散分析を例を用いて説明してみよう。ただしこの例では，わかりやすくするために極端な数値を用いてある。三つのグループの学生たちに試験を行った。グループAの学生には記憶薬を与え，グループBの学生には偽物を与え，グループCの学生にはまったく何も与えなかった。彼らの試験の結果（30点満点）は，表7.2のとおりであった（極端な結果である）。

表7.2

学生の点数	グループA	グループB	グループC
	21	11	1
	23	13	3
	25	15	5
	27	17	7
	29	19	9

　さて，グループ内の点数の変動をグループ間の点数の変動と比較してみよう。これらのグループのいずれかは，他のものと比べて有意に異なっているであろうか，あるいはすべて同様であろうか。

＊　　　＊　　　＊

　点数のグループ内の変動は小さい。この例では，どのグループにおいても，その変動は偶然同様で，それぞれの平均，25，15，5から上下に4点以上は広がっていない（実際，各グループの標準偏差は3.16＊で，これはそれらが取られた母集団の標準偏差についてもほぼ同様であろう）。しかし，グルー

＊　標本が小さい場合には，平均からの偏差の二乗和を標本数（この場合は5）で割ると，母集団SDを過小評価することを思い出してもらいたい。ここでは，標本数から1引いた数4で割った。

プごとの点数のちがいは，明らかにグループ内におけるちがいよりもはるかに大きくなっている。グループ同士は重なっていない。グループAの点数はすべて20点台，グループBはすべて10点台，そして，グループCは一桁の値をとっている（実際，三つの標本平均（25，15，5）の標準偏差（標準誤差）は10*である）。もしこれらの平均が，すべて同一の標本平均の母集団から取られたものであったとすれば，この標準誤差から元の母集団の標準偏差は，約22でなければならないことが示される**。しかしその値は，グループ内の変動から示唆される母集団SDより，はるかに大きな値となっている。それゆえ，三つのグループすべてがお互いに有意に異なっており，異なる母集団から取られたものである，ということにかなり確信が持ちうる。そして，同様な状況においてもう一度実験を行ったとしても，グループ間にはやはり差が見られることが期待される。つまり平均的にいえば，記憶薬を与えられた学生は，偽物を与えられた学生よりもよい成績をあげると思われ，またこれら二つのグループの学生たちは，何も与えられない学生たちよりもよい成績をあげると考えられる。

　このように，分散分析は，グループ内の値の変動をグループ間の変動と比較することを，その基礎においている。そして，その標本の中に見られる個体間のランダム変動が，標本間の変動を説明するに十分であるかどうかを問う。上のような場合には答は一目瞭然だから，特に分散分析を適用する必要はない。それでは，もう一つ例を見てみよう。これもやはり単純なものではあるが，前例と比べればやや微妙な値となっている。これによって，分散分析のロジックを追ってみたい。

　試験を受けた三つのグループの学生の点数が，表7.3のようであったとしよう（表7.2の数値ほど極端ではなくなっている）。この場合には，グルー

　＊　ここでも全平均からの偏差の二乗和を1平均についての標本数3から1を引き，2で割った。

　＊＊　102ページの議論にもどって考えてもらいたい。母集団SDを標本の大きさの平方根で割ったものが標本平均の標準偏差である。いまの場合，一つの標本平均を計算するために用いられた標本数は5であるから，母集団$SD/\sqrt{5} = 10$が成り立つ。このことから，母集団SDは約22と計算される。

表7.3

	グループA	グループB	グループC
学生の点数	25	24	20
	27	24	22
	28	26	24
	30	28	24
	30	28	25

プ内とグループ間の変動を比較することはさほどたやすくはない．一目では，グループごとにどの程度のちがいがあるのかをつかむことはできない．しかしながら，その点数を注意深く調べてみれば，いずれのグループが最も大きな平均をもち，いずれのグループが最小の平均をもつかわかるはずである．どれがどうであろうか．

＊　　　　＊　　　　＊

三つの平均はA＝28，B＝26，C＝23と計算される．

これらの平均の値は，それらが同一の母集団から取られたものとは考えられないほど，互いに異なっているのだろうか（ただし，データの変動を考慮に入れたとして）．分散分析を行えば以下のようになる．

まず，「三つの標本すべてが同一の母集団から取られている」という帰無仮説を立てる．対立仮説は，「それらのすべては必ずしも同一の母集団から得られたものではない」ということである．すなわち，標本のうちの一つの母集団が，残りの二つの標本の母集団とは平均が異なるという可能性を考える．あるいは，三つの標本のすべてが，それぞれ異なる平均をもつ母集団から取られたものであってもよい．

いずれにせよデータを利用することによって，帰無仮説のもとで仮定している共通の母集団における変動の推定値を，二つ作ることができる．これらの二つの推定値がどの程度一致しているかによって，帰無仮説を受容するのか棄却するのかが決定される．読者を計算で悩ませたくはないので，便宜上

標準偏差のかわりに，その二乗を用いてこの変動を表すことにする．覚えていると思うが，これは分散（V）と呼ばれる（54ページ）．つまり，$V = SD^2$ が成り立つ．

母集団の変動の第一の推定値は，三つの標本内におけるそれぞれの変動を合計することにより得られる．計算を実行すれば，標本内の平均分散は，4.17であることがわかる．

母集団の変動の第二の推定値は，三つの標本平均から計算される．標本平均間の分散は，6.33である．それらがすべて同一の母集団からとられたものであるとした場合，その母集団分散は，これよりはるかに大きくなるはずである．実際，SE 平均（これは標本平均から直接に計算することができる）と標本 SD および標本数の間の関係から，母集団分散は31.65と推定される*．——このことはすでに102ページ，そして159ページで見た．

このようにして，帰無仮説のもとで，全標本に対して仮定した共通の母集団の分散の二つの推定値が得られる．この二つの推定値を比較し，帰無仮説を評価する．さて，帰無仮説を棄却するとすれば（ただし，対立仮説は，得られた標本は複数個の母集団からとられたものであるとする），二つの分散の推定値のうち，いずれが大きくならなければならないであろうか．

(a) グループ内の推定値
(b) グループ間の推定値

*　　　*　　　*

帰無仮説が誤っているならば（そして母集団平均間に実際に差があるならば），グループ間の分散の推定値の方が，グループ内の分散の推定値より大きくなると予想される．つまり答は(b)である．このことは，グループ内の分散として示される単なる標本変動よりグループ間の変動が大きいことを示唆している．

この場合，母集団分散のグループ間推定値（31.65）は，グループ内の推定値（4.17）よりもはるかに大きくなっている．しかしこの相違は，「ラン

---

*　母集団分散/標本数＝標本平均の分散　が成り立っている．

ダムなサンプリング変動が原因ではなく、少なくとも一つの標本が他の標本と有意に異なるためである」と確信がもてるほど大きいのであろうか(要するに、これらの標本間の差が、同様の検定を繰り返し行ったにしても再び検出されると考えられるほど、信頼のできるものであるのかが問題である)。

次に、その二つの推定値の比を計算することにより、それらを比較する。すなわち、グループ間の推定値をグループ内の推定値で割り、それが1より大きいか否かを見る。そして、この分散の比 (F比ともいう) を F分布にてらしてその有意性を調べる。F分布は、t分布と同様に、その形が標本に依存する曲線の集合である。しかしながら、F分布曲線の形は、標本の大きさに応じて変わるのみならず、幾組の標本を比較するかによっても異なる。一般に標本が小さければ小さいほど(そして比較される標本の組数が少なければ少ないほど)、有意とされるに必要な F 比は大きくなる。

もちろん、F分布の表*も存在し、さまざまな標本の大きさや標本の組数に対して、F比の棄却値を与えている。これらの表によれば、5人の学生からなる三組の標本の場合に5％水準で有意となるには、少なくとも3.89という F 比が必要であり、1％水準で有意となるには、少なくとも6.93という F 比が必要であることがわかる。

いまの場合、母集団分散の二つの推定値から F 比を計算すれば、

$$\frac{31.65}{4.17} = 7.59$$

となり、この値は明らかに6.93よりも大きい。つまりこの二つの推定値は、1％水準で有意に異なることを示している。それでは、この差をどのように解釈すればよいのであろうか。

(a) 三つの標本すべてが、同一の母集団からとられたものである。
(b) 標本は、必ずしもそのすべてが同一の母集団からとられたわけではない。
(c) 三つの標本は、すべて相異なる母集団からとられたものである。

---

* たいていの初等的テキストの巻末に掲載されているので参照のこと。

* * *

　標本平均がすべて有意に異なるとか，あるいはそれらの二つが同じであるかなどといったことはいえない。確信のもてることは，必ずしもすべてが同一の母集団からとられたものではないということである。それゆえ，答は(b)である。結局，帰無仮説は棄却される。

　このように，分散分析とは標本の集合における全体的な分散を分析するための手法である。その分散は二つの要素に分けられる。すなわち，標本内分散と標本間分散である。もし，分散の標本間推定値が標本内推定値よりもはるかに大きいならば，平均の差を通常のサンプリング変動としては説明できないことになる。そこで，その標本のうち少なくとも一組は，異なる平均をもつ母集団からとられたものであると判断する。

　分散分析は，上で与えられた例よりもはるかにより複雑な比較を行う場合にも適用されうる。上の例は一元の分散分析である。しかし，二元，三元，四元等の分散分析を行うことも考えられる。二元の分散分析の例をあげてみよう。もう一度試験を行い（ただし，より大きな標本で），今度は学生が薬を与えられたか偽物を与えられたか，あるいは何も与えられなかったかによってだけではなく，男女の性別にも注意することにする。

　そうすれば，六つの学生のグループができる。その各グループの試験の平均点が，表7.4のようであったとしよう。グループ間の点数の変動と共に，グループ内の変動を見つめ，三つの条件に対して平均が有意に異なっているか否かを比較したのと同様に，男女間でも有意に異なっているか否かを考えることができる。さらには，この試験を受けている学生たちを，たとえば，

表7.4

	薬	偽物	何も与えられていない
男性	25	26	22
女性	28	22	25

内向的か，外向的かによっても分類することができる。そうすれば，三元の分散分析を行うことになる（その場合，$3 \times 2 \times 2 = 12$ のグループがあることになるが，それぞれに対して十分大きな標本が必要とされる。特定の目的があって分散分析を行う際には，いかに実験を計画するかについては，十分注意深くあたらねばならない）。

最後に，二元，三元などの分散分析を理解したならば，条件間の**交互作用**を捜すこともできる。たとえば，上の表7.4において，学生たちが試験によい点数を取るか否かは，単に彼らが事前にどのような薬を与えられたかのみならず，彼らの性別にもまた依存することがわかる。個性を表す次元をも考慮に入れれば，「内向的な男性は記憶薬に対して外向的な女性と似た反応を示す」といったようなことがわかるかもしれない。学生の点数全体の分散を，その個別の要素に分解することによって，こういった調査をすすめるに値する仮説をも検定することができる。

比率の比較

この章を終わるにあたって，量的変量に代わり質的変量に関する重要な有意性検定についてふれておかねばならない（標本の各個体に関する量の測定ではなく，個体がそれぞれのカテゴリーに何個入っているかということを問題にする場合である）。これは，すでに137ページで述べたノンパラメトリックな検定の一つである。

最も簡単なものは，二つだけのカテゴリー間の比較を行うものである。男性か女性か，イエスかノーか，成功か失敗か，魅力的か否かといったような変量を考える。たとえば，一つの特性として大学の志願者の性を考え，もう一つとして彼らがこれまでに実務にたずさわったか否かを考えてみよう。その場合，男性と女性とでは，実務経験をもっていた人の比率に有意な差があるか否かを検定することが考えられる。

実際，108ページで述べた統計量，すなわち比率の標準誤差を用いて，こういった差の有意性を検定することも可能である。二つの平均の差を検定す

るところで議論した方法におおむね従い，二つの比率の差の有意性を検定すればよい。しかしながら，ここでは，それに代わる別の方法を紹介したい。その方法は，二つ以上のカテゴリーをもつ属性に対しても適用することができる。それは社会統計において最も広く用いられている検定の一つであり，χ^2 **検定**と呼ばれている（ただし，この文字 χ は大文字 X ではなく，ギリシャ文字でカイと読む）。ときには"**カイ二乗**" **検定**と書かれていることもある。

この検定は男女の志願者の実務経験を比較するために，どのように適用されるであろうか。データとして，男女各100人の志願者からなるランダム標本を考えてみよう（表7.5）。志願者の性別と彼らの実務経験の有無との間に，何らかの関連を読み取ることができるだろうか。

表7.5

		実　務　経　験		合　計
		イエス	ノ ー	
志願者の性別	男　性	70	30	100
	女　性	50	50	100
	合　計	120	80	200

*　　　　　*　　　　　*

表7.5は，たしかに何らかの関連を表しているようにみえる。男性の70％が実務経験をもっているのに対し，女性は50％しかもっていない。

しかしながら，ここで知りたいことは，この数字が男性と女性の志願者の母集団における比率の差を反映するものなのかということである。そこに見られる差は単なる偶然変動，すなわちサンプリング変動であり，別の200人の志願者からなる標本を取った場合にはなくなってしまったり，あるいは符号が逆転してしまうかもしれない。この差がそのような**変動ではない**ということに，どの程度確信をもちうるのだろうか。

いつものように，まず帰無仮説を立てることから始める。帰無仮説は，男性と女性の志願者においてこれまでに実務経験をもっている比率は等しい，ということである。これに基づき期待頻度を計算する。もし男女にかかわらず，実務経験をもっている比率が一定であるならば，表7.6の中央の四つの空白のそれぞれの箇所には，200人の学生のうち何人ずつが入ると期待されるであろうか（もしこの属性について実際に男女間に差があると主張したいならば，期待頻度と実際に得られた頻度には，単にサンプリング変動だけから生じたとは考えられないほど大きな差があることを示さなければならない）。

さて，期待頻度はいくつになるだろうか。性別によるちがいが実在しないならば，200人の学生たちはどのように振り当てられるだろうか。当然，実務経験のある男性のパーセンテージは，同様な女性のパーセンテージに等しくなると予想される。さらに，これらは標本全体における実務経験者のパーセンテージ，すなわち60％とも等しいはずである。

さて標本では，全体の60％の志願者（200人中120人）が実務経験をもっていた。この割合が男女それぞれ個別に考えたとしてもあてはまるとすれば，表7.6の中央の四つの空白には，どれだけずつの人が入るだろうか。

＊　　　　＊　　　　＊

100人の男性中，実務経験のあるものは60人，残り40人はないと予想する。また，100人の女性についても同様である（表7.7）。

次に期待頻度（E）と実際に得られた頻度（O）を同時に考え，それらの間の差異を見てみよう。その差が大きければ大きいほど，男女の母集団が同一である可能性は少なくなる（表7.8）。

ただちにわかるように，実際に得られた頻度と期待頻度の差は，各空白ごとに＋10か，または−10である。さて，これは有意であるというに足るほど大きい値であろうか。ここでカイ二乗統計量を計算することにより，その判断を行う。おおまかにいえばχ^2の値は各空白における差の大きさといくつの空白を考えているかに依存する。

結論だけを述べることにするが，表7.8のデータに関していえば，四つの

表7.6　期待頻度

志願者の性別		実務経験 イエス	ノー	合計
志願者の性別	男 性			100
	女 性			100
	合 計	120	80	200

表7.7　期待頻度

志願者の性別		実務経験 イエス	ノー	合計
志願者の性別	男 性	60	40	100
	女 性	60	40	100
	合 計	120	80	200

表7.8

志願者の性別		実務経験 イエス	ノー
志願者の性別	男 性	O：70 E：60	O：30 E：40
	女 性	O：50 E：60	O：50 E：40

差をそれぞれ二乗し，対応する期待頻度で割り，それらを合計したものが χ^2 の値である。つまり，$\frac{10^2}{60} + \frac{10^2}{60} + \frac{10^2}{40} + \frac{10^2}{40} \fallingdotseq 8.33$ より χ^2 は 8.33 と計算されることになる。実際に観測された頻度と期待頻度との差が，より大きいものであったならば，χ^2 も当然 8.33 より大きな値となる（より多くのカテゴリーが含まれていたとしても同様である）。反対に，差の大きさがこれより小さかったならば，χ^2 の値も 8.33 より小さくなる。さて，それでは，この 8.33 という値は統計的に有意であるほど大きいのだろうか。

　その答は，カイ二乗分布の表（初等的テキストの巻末を参照）を見ればわかる。このように述べたにしても，読者はもはや驚かないと思う。カイ二乗分布も，t や F のような曲線の集合である。その形状は，（おおまかにいえば）何組の差を考えているかに応じてかわる。より厳密に言えば，ここでも自由度という概念が登場する。次のように考える。実際の頻度を調べる場合，表7.6 において四つの空白のすべて調べる必要はない。たとえば，男性のうち実務経験のあるものが 70 人いることがわかったとしよう。男性が 100 人いるとすれば，そのうち実務経験のないものは自動的に 30 人であることがわかる。また実務経験のある者は男女合計で 120 人いることから考えれば，女性のうち実務経験のある者は 50 人とすぐわかる。読者には残る一つの空白の値が 50 人であることは簡単にわかるであろう。すなわち，表7.6 ではどれか一つの空白の値を調べれば，残りは計算によって求められることがわかる。そこで表7.6 のように四組の差に対して，その自由度は 1 とみなされる。カイ二乗の表を見れば，自由度 1 の χ^2 の値が 3.84 より大きくなるのは全体の 5 ％にすぎず，また 6.63 より大きくなるのはたった 1 ％にすぎないことがわかる。

　それでは，上の例での χ^2 の値，8.33 は有意であろうか。もし有意であれば，何％水準で有意であろうか。さらにこの結果から，男性と女性の志願者の実務経験について，どのようなことがいえると思われるか。

＊　　　　＊　　　　＊

　上で得られたカイ二乗の値 8.33 は，3.84 よりも 6.63 よりも，はるかに大きい。それゆえ，1 ％水準ですら有意であるといえる。これほど大きな χ^2 の

値は，男女の志願者の実務経験に実際に差がないとすれば，100組の標本のうち1組すら起きないことになる。したがって，帰無仮説を棄却し，99％の確信をもってその差が実在すると主張しうる。つまり，同様な標本を取れば，再びこのような差を見ることができると信じうる。

有意性検定についてはこれで十分であろう。読者には，6章と本章の二つの章は非常にむずかしく感じられたと思う。8章では，「相関と回帰」というこれまた重要な統計的概念について学ぶ。それは，これまでに述べてきた多くの概念を復習するよい機会でもある。

練習問題 7.

1. 正味100gと明記してある某食品メーカーの発売する缶詰は，中味が少ないとの評判である。そこで，100個の缶詰をランダムに選び，その中味の重さを測ったところ，平均96g，標準偏差20gであった。
   (i) 有意性検定により，その評判の真偽を確かめたい。帰無仮説，対立仮説はそれぞれ何であろうか。
   (ii) 缶詰の標本平均の標準誤差を求めよ。
   (iii) 有意水準5％と1％で検定を行え。

2. A，B二つの畑に咲くひまわりの背丈を，それぞれランダムに選んだ4輪ずつについて測定した。Aの畑に咲くものの平均背丈は2.8mで標準偏差は0.6mであった。また，Bの畑に咲くものの平均は2.2mで標準偏差は0.8mであった。このとき，ひまわりの背丈の母集団が正規分布に従うことを仮定したうえで，二つの母集団にちがいがあるのか否かを知りたい。
   (i) 有意性検定を行いたいが，帰無仮説，対立仮説はどのようにたてればよいであろうか。
   (ii) 用いられる検定は，どのような検定であろうか。
   (iii) ひまわりの平均背丈の差の標準誤差を求めよ。
   (iv) 本文中に用いられている数字を用い，有意水準5％で検定を行え。(ヒント：154ページ)
   (v) それぞれ100輪ずつ測定した結果，平均，標準偏差について同じ結果が得られたとすれば，(iv)で行った検定の結果は変わるであろうか。

3. 黒人，白人，そして日本人の成人男性それぞれ5人ずつを選び，その鼻の高さを測ったところ，次表のような結果を得た。このとき，以下の問に答えよ。

（単位mm）

黒人	白人	日本人
28	30	24
28	32	26
30	34	26
32	36	26
32	38	28

(ⅰ) それぞれの人種における平均の鼻の高さを求めよ。
(ⅱ) それぞれの人種における鼻の高さの分散を求めよ。（注：158ページ脚注にもあるごとく，（標本数－1）で割ること）
(ⅲ) 標本内の平均分散を求めよ。
(ⅳ) グループ間から得られる母集団分散の推定値を求めよ。
(ⅴ) 162ページに与えられている F 比の値を用い，人種により鼻の高さに違いがあるといえるかどうかを論じよ。

4. 喫煙習慣と肺ガンの関係を調査したところ，次のような表を得た。

	喫煙習慣あり	喫煙習慣なし	合計
肺ガン	38	12	50
正　常	22	28	50
合　計	60	40	100

(ⅰ) 喫煙習慣と肺ガンの関係について検定を行いたいが，帰無仮説が成り立つと仮定し，以下の表の中央の四つの空白部分に期待頻度を記入せよ。
(ⅱ) 166〜168ページの解説に従い，χ^2 の値を求めよ。

	喫煙習慣あり	喫煙習慣なし	合計
肺ガン			50
正　常			50
合　計	60	40	100

(ⅲ) この結果は，168-169ページに与えられる値から判断すれば，5％水準，1％水準でそれぞれ有意であろうか。

8章 関係の解析

　これまでの章では，質的変量，量的変量を使って標本をいかに記述するかを考えた．また，標本から母集団へといかにして（ただし注意深く）一般化するかを議論した．さらに，複数個の標本を比較し，それぞれの標本がとられた母集団間にちがいがあるか否かの推測をも試みた．とりわけ，一つの変量（特性）において異なる標本が，他の変量においても有意に異なるかどうかについて，いかに考えればよいのかをも見た．たとえば，学生のうち実務経験を持った者は未経験の学生たちに比べ，第1年次の進級試験に合格しやすいか否かを決定するにはカイ二乗検定が適用可能である．その使い方についてはすでに学んだ．また，t検定（あるいはz検定）の適用法も十分よく理解したはずである．たとえば，大学までの通学時間が1時間以上かかる学生たちは，1時間以下の学生たちに比べて，欠席率が有意に高いかどうかを調べるために用いられる．

　しかしながら，このような比較は，2つの変量間に単に関連が存在するか否かを調べるだけのものであった．そこからは，学生たち全般に関して，ばく然とした情報は得られるにちがいないが，個人についての正確な予測を行うことはできない．その理由は，データをある値以上と以下とか合格と不合格等の二値に変換する際に，そして広範囲にわたる値をたった1個の代表的な値，すなわち"平均"によって代表させる際に，あまりにも多くの情報が失われているからである．それゆえ，これまで議論してきた手法の大部分は，主として関連のある変数を見つけ出すという，いわば探索的研究に向いているともいえる．

しかしながら,さらにすすんだ調査を行いたいと思うことも,少なからずあるであろう。たとえば,複数個の変数間の関係を特定化したいこともあると考えられる。また何らかの理由で,予測を行いたいこともあるだろう。以下のような例が考えられる。ある女子学生が,十分長い間実務経験を積んでいるとして,彼女が初年度の試験に合格する可能性は何%あるのだろうか。また,ある男子学生が大学から何十分もかかる所に住んでいるとして,彼は一学期間に何度遅刻するであろうか。はたまた,ある男子学生の脈搏数がわかったとして,彼の血圧はいくらくらいであろうか。こういった問題において行われる予測の精度は,おそらく変量間に存在する関係の強さに依存していると思われる。

こういったことから,相関と回帰を研究する必要性が生ずるわけである。相関とは,二つの変量間の関係の強さを見るものである。また回帰分析は,その関係の内容をも決定するもので,それによって予測を行うことが可能となる。

ペアになった値

相関について学ぶには,各個体についての二つ(あるいはそれ以上)の異なる変量の値が与えられた標本を調べることになる。たとえば,30人の学生について,彼らの知性と手の器用さについて検査するとすれば,それらを数値化した30個のペアを得ることになる。また,ある国の20の大都市のそれぞれにおいて,犯罪率と失業率を比較することもあるであろう。さらに100個の星についてその距離と明るさを比較することも考えられる。こういった場合に,一方の変数の値が大きくなれば,他方の変数の値はどのように変化するのか,またその関係の強さはどの程度であろうか等を見ることができる。

結局,標本の各個体について,二つの異なる測定値を得ることになる。手始めに,わかりやすい例として,半径の異なるいくつかの円についての標本を考えることにしよう。各円についてその半径と周囲の長さが与えられてい

る。それらは表8.1のようである。

表8.1

円	A	B	C	D	E
半　　径（cm）	1	3	5	8	10
周囲の長さ（cm）	6.28	18.85	31.42	50.27	62.84

　さて，これらの二つの変量間の関係は，どのように記述すればよいのだろうか。一方の変量の値は，他方の変量の値が増減すると共に，どのように変化するのだろうか。

＊　　　　＊　　　　＊

　明らかに，周囲の長さは半径が大きくなるにつれて増加する。一方の変量が大きいと他方の変量も大きく，小さいと小さい。このように相伴って変化する変量は，相関があるといわれる。互いに関連しているという意味である。

　この関係の強さを，これまでとは多少異なる新しいタイプの点図に，その値をプロットし表すことにする。以下の図8.1の黒点が，標本の中の各個体を表している。各個体につき，二つの測定値があることになる。

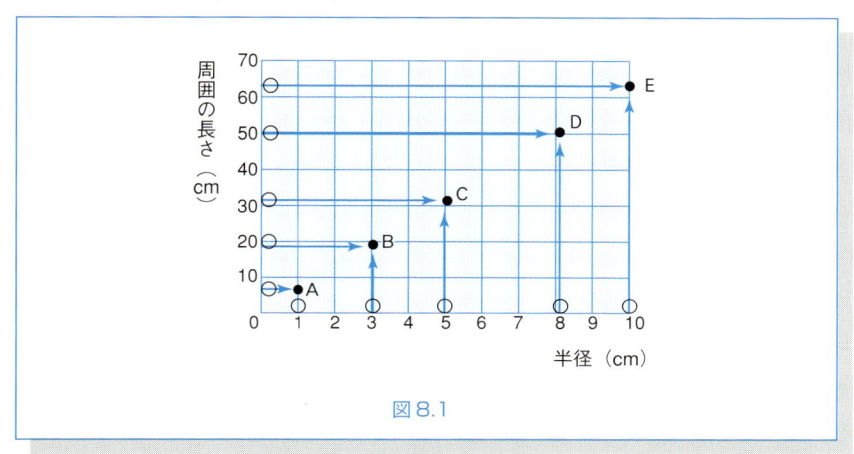

図8.1

（読者は，これを 3 章で分布の記述に用いられた点図を二つ組み合わせたものであると見てもよい。このことを示すために，横軸にそって半径の大きさの分布を，縦軸にそって周囲の大きさの分布をそれぞれ白丸点で示した。それらの点からそれぞれ上方と右横へ実線を引き"ペアになった値"の共通の分布――同時分布――を作った。）

　さて，ひとたび何らかの関係の存在が認められたならば，その関係の性質を正確に特定化し，それによって一方の変数の任意の値に対応する他方の変数の値を予測することができる。この円の問題においては，半径（r）と周囲（C）の間には，ある公式（$C = 2\pi r = 2 \times 3.142 \times r$）が存在することがわかっている。したがって半径が与えられたならば，任意の円の周囲の長さを正確に予測することができる。たとえば，半径20cmの円の周囲の長さは $2 \times 3.142 \times 20 = 125.68$cmと予測される。

　この関係がいかに正確なものであるかは，図 8.1 からも知ることができる。プロットされた点は，目に見えない直線上に並んでいる。実際にそれらの点を通る線を引けば，それにより公式を用いなくとも，正確な予測を行うことができるであろう。

　しかしながら，たいていの場合，相関はこれほどまではっきりとしてはいない。その結果，予測もこれほど正確なものとはなりえない。たとえば，10人の学生（A～J）の標本をとり，理論と応用に関する二つの異なる試験における彼らの点数を比較したとしよう。

　さて，読者はこれらの点数のペアの間にどういった関係を見出しうるだろうか。理論の高い点数は，応用の高い点数と対応しているのであろうか，それとも低い点数と対応しているのであろうか。また，その関係は常に成立しているのであろうか。それとも，全般的に成り立っているだけであろうか。

＊　　　　＊　　　　＊

　二，三の例外を除けば，理論の点数が高い学生は，応用に関しても同様によい成績を修めている。しかしながら，元のデータのままでこの傾向を見ることは，それほど容易ではない。そこでこの関係を点図に表してみよう（図8.2）。

表 8.2

学 生	理論の点数	応用の点数
A	60	65
B	65	70
C	65	75
D	70	75
E	70	80
F	75	85
G	80	80
H	85	80
I	85	90
J	95	100

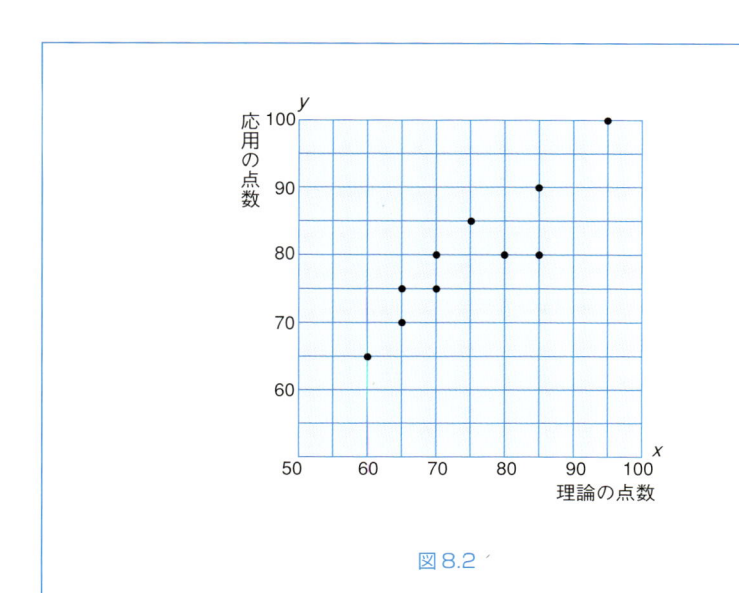

図 8.2

(習慣に従い横軸の変数を X, 縦軸の変数を Y とする。) さて, 読者はこの図 8.2 と上の表 8.2 の対応関係を確認してもらいたい。10 個の点はそれぞれ 10 人の学生の点数のペアを表している。それでは, 右上端の点はどの学生を表しているのだろうか。

*　　　　*　　　　*

右上端の点は学生 J を表している。彼は理論で 95 点, 応用で 100 点をとった。一応確認のため, 以下にもう一度図を描き, 今度は各点に対応する学生の名前を書いておいた。また, それらの点の間を通って直線を引いてみた。ただし, これに関しては, もう少し後に説明することにしたい。

図 8.3 は, 学生たちのその二つの試験の点数間には関係が存在することをはっきりと物語っている。応用の点数が高くなるほど理論の点数も高くなる傾向にあり, その反対に低くなれば同様に低くなる傾向にある。しかし, 例外がないわけではない。ここでの関係 (相関) は, 円の半径と周囲の長さの間にみられる関係よりはるかに弱い。

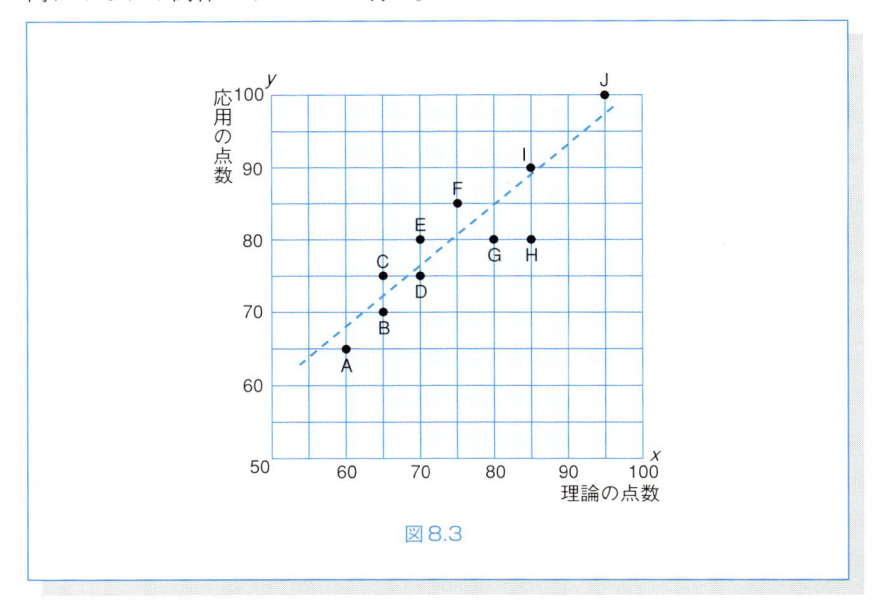

図 8.3

相関がより弱いために，これらの点は直線上に並んではいない．図8.3で行ったように，点の間を通って左下から右上へと，目に見えない線を想像することは可能である．しかしながら，点はこういった直線上にはなく，その両側に数個ずつばらまかれている．

相関を描いた点図では，こういったことが起こるのが普通である．すなわち，点は想像上の直線の両側にばらつくのがふつうである．それゆえ，このような点図は散布図と呼ばれている．

三種類の相関

上の点数の散布図は，正の相関と呼ばれるものの一例である．そこでは，一方の変量の変化は他方の変量の変化を伴うが，それらは同一の方向にある．つまり，一方の変量の値が大きくなれば，他方の変量の値もそれに伴って大きくなる傾向にある．

しかしながら，二つの変量の関係の中には，"別の方向" に変化するものも多い．すなわち，一方の値が大きくなれば，他方の値は小さくなる傾向にある場合である．これは，負の相関と呼ばれる．たとえば，大学の同僚たちを幾人か集めてきた場合，彼らの年令と走るスピードとの間には，負の相関があることは十分考えられる．若ければ速く走ることができ，年をとれば遅くなるであろう．

これに対し，一方の変量の値が他方の変量の値の変化に伴い，特別な方向（大きい方とか小さい方とかへ）に動く傾向がはっきりしない場合には，ゼロ相関に近いといえる（ここで "近い" という言葉を用いたのは，二つの変量間に何ら関係が存在しないことを見出すことは，至難のわざであるからである）．成人した学生の年令と体重の関係は，おおむねゼロ相関に近いといえる．

図8.4に三つの散布図がある．それらは上述の三種類の相関を表している．どの図がどの相関を表しているのだろうか．

*　　　　*　　　　*

図8.4

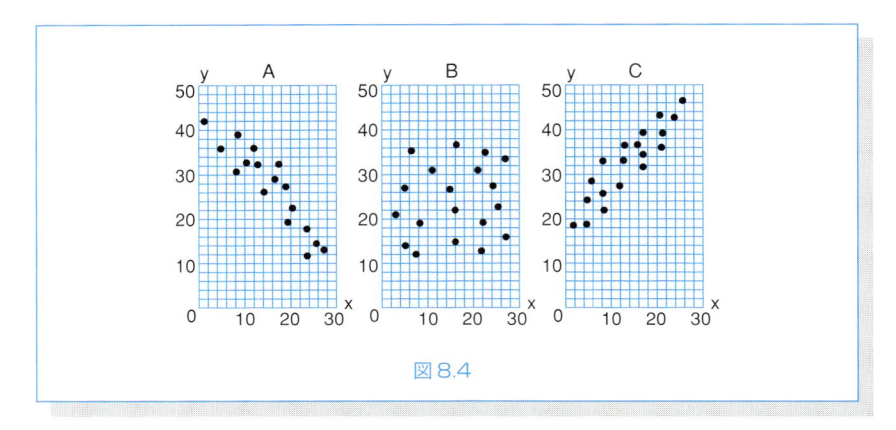

三つの散布図に描かれた相関は，順に（A）負，（B）ほぼゼロ，（C）正である。

さて，それでは以下の変量のペアの間の相関を調べてみよう。そこでの相関が正と思われる場合には＋，負と思われる場合には－，ゼロに近いと思われる場合には０と印をつけよ。

(ⅰ) 雨量とフットボールの試合の観客者数
(ⅱ) 車の使用年数とその価値
(ⅲ) 教育を受けた期間の長さと年間所得
(ⅳ) ある一定期間におけるテレビの売行きと映画の観客動員数
(ⅴ) ある人の暗い所で物を見る能力とその人が食べたにんじんの量
(ⅵ) ある期間における失業率と割賦販売の売行き
(ⅶ) 車の走行距離とその間のガソリンの使用量
(ⅷ) 喫煙量と肺ガンになる可能性
(ⅸ) 二つのさいころを同時に投げた場合のそれぞれの出目

* * *

次のような相関が予想される。
(ⅰ)－，(ⅱ)－，(ⅲ)＋，(ⅳ)－，(ⅴ)０，(ⅵ)－，(ⅶ)＋，(ⅷ)＋，(ⅸ)０。

相関の強さ

　前述のように，相関は単にその方向（すなわち＋であるか−であるか）のみならず，その強さも異なる。その中で最も強い関係，すなわち"完全な関係"の例として，円の半径とその周囲の長さの関係を見た。その場合，散布図の上にそれらの点をプロットすれば直線上に並んだ。

　同様に完全な負の相関ということも，もちろんありうる。たとえば，読者の銀行預金口座から引きおろした金額と，口座に残っている金額の間には，完全な負の相関があると思われる。散布図にこれらの点を図示してみれば，やはり直線上に並ぶであろう。

　しかしながら，統計調査において完全な相関が起こるとは考えられない（もちろん数学や科学理論においては，ごくありふれたことではあるが）。通常，もう少し弱い関係を扱わなければならず，その場合プロットすると，それらは直線から離れてばらついている。いわば，一つの変数の値が他の変数の値と正負の方向に，おおむね足なみをそろえて並んではいるが，必ずしもその関係は厳密に成り立っているわけではない。その場合，一般的にいって，プロットされた点の並びが直線に近ければ近いほど，関係が強く，相関の度合も高くなる（相関の度合が高いほど，一方の変数の値が与えられれば，他方の変数の値をより確信を持って予測しうる）。

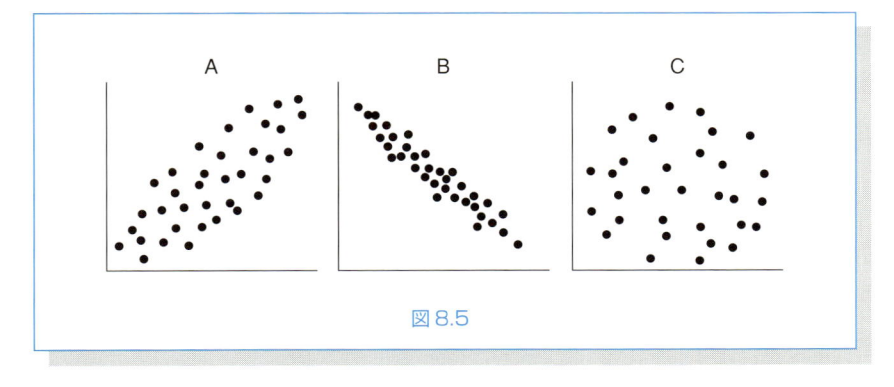

図8.5

さて，図8.5の三つの散布図のうち，いずれが最も高い相関を示しているように思われるだろうか。

＊　　　　＊　　　　＊

相関の程度が最も強いのは，プロットされた点の並び方が最も直線に近いB図である。A図の点はこれよりもばらついており，C図にいたっては，点はまったくばらばらにプロットされており，直線関係の徴候などまったく見られない。すなわち，C図はゼロ相関を表している。

それゆえ，散布図におけるちらばりの度合が，相関の強さのおおまかな尺度となる。しかし，重要な統計の仕事に対しては，より厳密な尺度が必要とされる。やはり数量的尺度が必要とされるわけで，相関が強いときにその最大値をとり，弱いときにその最小値をとるような数や指標，もしくは係数がほしい。このような指標は現実に存在し，それは相関係数と呼ばれている。相関係数は通常rで表される。

平均やばらつきの尺度と同様，相関係数もまた一つの統計量である。それは，二つの異なる変量について得られた対になった値からなる標本の記述に役立つ。相関係数は，その一対の値からなる標本が直線にどの程度近いかを表す尺度ともいえる。実際には，いくつかの種類の相関係数が存在する（覚えていると思うが，これはちょうど，平均やばらつきの尺度にもいくつかの種類があったのと同様である）。通常，よく用いられるものは，積率相関係数と呼ばれるものである。

また，順位相関係数と呼ばれるノンパラメトリックな公式もある。これは測定値が存在しない場合（あるいは測定値に信用のおけない場合）に使われるもので，特に標本中の各個体が二種類の質的変数に関して，それぞれ順序付けられている場合には有用である。その場合にも，順位間の関係が近ければ近いほど，相関係数の値は大きくなる。

これらの二つの公式は，共に相関係数rが＋1から－1の範囲外に出ないように調整されている。そして，rがこれら二つの端の値をとったとき，それらはそれぞれ完全な正の相関，完全な負の相関を示している。またrが0の場合には，まったく相関はない。相関係数は＋1あるいは－1に近いほど

図8.6

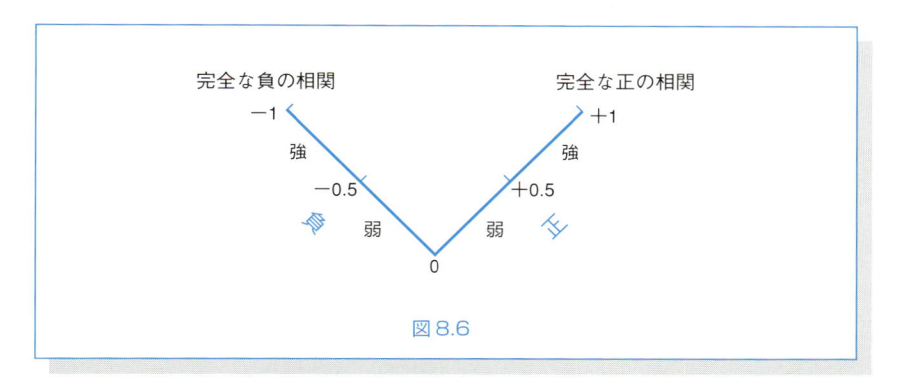

相関が強く，0に近いほど弱いといえる。

かくして，$r=\pm 0.73$ の場合には，$r=\pm 0.45$ よりも強い関係を表している。また，$r=-0.84$ の場合は，さらに関係が強いということになる。178ページの図8.4の散布図（A，B，C）に示された相関係数は，それぞれ（A図）$r=-0.90$，（B図）$r\fallingdotseq 0$，（C図）$r=0.88$ である。

それでは，次ページの図8.7に与えられる三つの散布図を反対から考えてみよう。これらの相関係数の大きさが，0.98，0.58，0.47であることがわかったとしよう。このとき，読者はどの相関係数がどの図に対応すると考えるだろうか。またそのとき，それぞれの相関係数の符号はどのようであろうか。

*　　　　*　　　　*

反対から考えた場合，相関係数は，それぞれ（A図）$r=-0.58$（B図）$r=+0.47$（C図）$r=-0.98$ と推測される。このとき，AとBのどちらがよりばらついているかを決めるのは，一目瞭然というわけではない。事実，これが散布図の限界の一つなわけで，おおよそ$r=0.5$より相関係数が小さくなると，ばらつきの大小を比較することはきわめてむずかしくなる。

共分散と相関係数

これまで説明してきた相関係数が具体的にどのように定義されるかについて述べることにしよう。二つの変量間の関連は以下のような考え方に基づき

図8.7

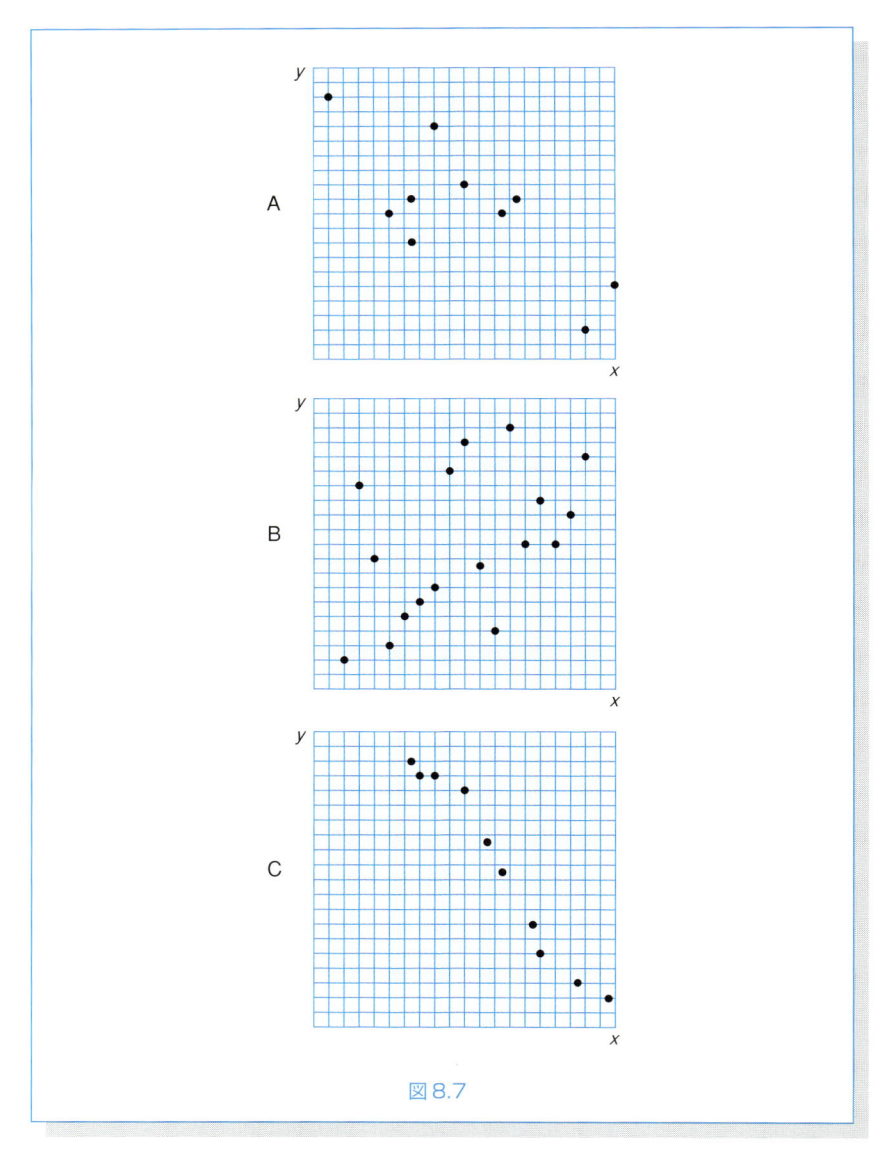

調べることができる。まず2変量のそれぞれについてその平均からの偏差を計算する。偏差の計算は3章において分散について学んだ際に一度計算した

表8.3

学 生	理論の点数	応用の点数
A	−15	−15
B	−10	−10
C	−10	−5
D	−5	−5
E	−5	0
F	0	5
G	5	0
H	10	0
I	10	10
J	20	20

ことを思い出してもらいたい。

　たとえば図8.2の散布図を考えよう。図における10個の点の偏差は表8.3のように計算される。偏差の符号がプラスということはその値が平均よりも大きく，反対にマイナスということはその値が平均よりも小さいということを確認してもらいたい。ここで2つの変量の各ペアにおける偏差の積を考えてみよう。それではこの偏差の積がプラスということは何を意味しているのであろうか？

＊　　　　＊　　　　＊

　偏差の積がプラスということは，二つの偏差が同符号ということである。すなわち，一方が平均より大きな値をとるときに他方も平均より大きな値をとり，反対に一方が平均より小さな値をとるときに他方も小さな値をとるということである。図8.8を見てもらいたい。これは図8.5の三つの図にそれぞれの平均を通る2本の線を引いたものである。この2本の線をそれぞれ X, Y 軸とみなしたとき，第1象限（北東），第3象限（南西）のペアに対しては偏差の積がプラスとなる。もちろん読者には，偏差の積がマイナスということが何を意味するかも明らかであろう。すなわち，一方が平均より大き

図8.8

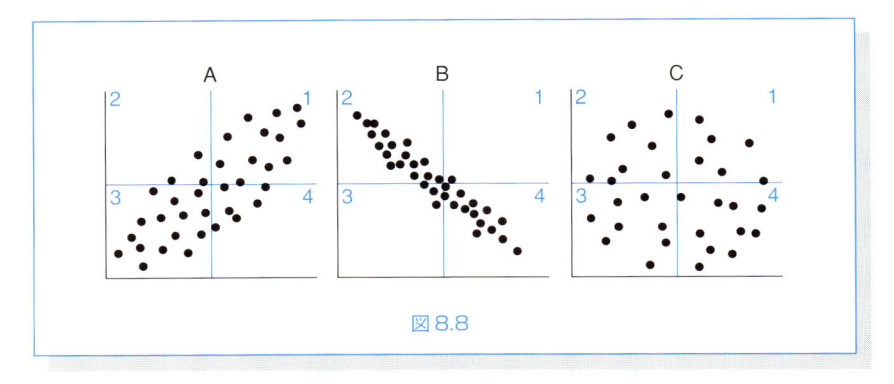

な値をとるときに他方は平均より小さな値をとり，反対に一方が平均より小さな値をとるときに他方は大きな値をとるということである。図8.8において，第2象限（北西），第4象限（南東）のペアに対しては偏差の積がマイナスとなる。

この偏差の積をすべてのペアについて考えてみよう。偏差の積の平均（あるいは合計）は第1，3象限に多くのペアが見られるときにはプラス，反対に第2，4象限に多くのペアが見られるときにはマイナス，そしてすべての象限にペアが混ざって均等に現れるならばそれらの値は打ち消しあいゼロに近くなる。

散布図がプラスの傾きを持つ直線に近いとき，各ペアは第1，3象限に多く見られ，マイナスの傾きを持つ直線に近いとき，各ペアは第2，4象限に多く見られることに注意してもらいたい。そこで二つの変量間の関係の強さを散布図がどの程度直線に近いかで表すことにすれば，これらの偏差の積の平均値を調べることにより，その関係がいかに大きいかを調べることが可能になる。結局，

$$\frac{各標本の [(Xの偏差) \times (Yの偏差)] の合計}{標本数}$$

を求めることになる。これを変量 X と Y の共分散と呼ぶ。共分散において，X の偏差か Y の偏差のどちらか一方を他方で置き換えると共分散は分散と一致する。それでは，図8.8のA，B，Cの共分散はどのような符号をとるであ

ろうか。

　　　　　　　＊　　　　　＊　　　　　＊

　Aはプラス，Bはマイナス，そしてCの共分散の符号はわからないがその値はゼロに近いであろう。

　表8.3の偏差から2変量の共分散を求めると，$900 \div 10 = 90$となる。残念ながら共分散には欠点がある。それは変量の単位がそのまま残ってしまうことである。たとえば身長と体重の関係の共分散はcm・gとかm・kgなどの単位で表されることになる。同時に共分散の値自体も当然測定の単位によって大きく異なる。このことの意味は大きい。たとえば身長と体重の関連は数学と語学の試験の成績に見られる関連よりも強いのか弱いのかといった比較は不可能ということである。

　ところが簡単な工夫によって，共分散のこのような欠点を修正することが可能である。関連の強さを，測定の単位に関係なく記述するためには偏差をSD単位で表せばよい。このときたとえば表8.3は表8.4のようになる。ただし表では数値が小数点以下2桁まで四捨五入により表されている。読者はこのような厳密な数値にはあまりこだわらなくてよいと思う。そのうえで共分

表8.4

学　生	理論の点数	応用の点数	偏差の積
A	−1.43	−1.58	2.26
B	−0.95	−1.05	1.01
C	−0.95	−0.53	0.50
D	−0.48	−0.53	0.25
E	−0.48	0.00	0.00
F	0.00	0.53	0.00
G	0.48	0.00	0.00
H	0.95	0.00	0.00
I	0.95	1.05	1.01
J	1.91	2.11	4.02

相関係数0.90

散と同様各偏差の積の平均を求めると、その結果は単位に依存しなくなる。結局、

$$\frac{各標本の[(SDを単位として測ったXの偏差)\times(SDを単位として測ったYの偏差)]の合計}{標本数}$$

を計算する。この結果は，

$$\frac{共分散}{XのSD \times YのSD}$$

と計算しても同じである。この値が，前述の「相関関係」（積率相関係数）である。表8.4よりXとYの相関係数は約0.90ということになる。

相関係数の有意性

結局，相関係数は，二つの異なる変量について得られた値の間の関係の強さとその方向を記述するものである。しかし，もちろんそれは"標本"から計算される。たとえば，49人の学生の標本を考えた場合，遅刻と大学までの通学時間の間に$r=+0.80$という相関係数があるとしよう。すでに読者は十分に統計的訓練をつんできたわけだから言うまでもないが，別の49人の標本をとったときに，その相関係数の値もまた$+0.80$ということはまずありえない。単にサンプリング変動だけからしても，$+0.75$とか$+0.89$といった値になることも十分ありうる。

つまり，記述から推測へと結論を飛躍させ，母集団においても$r=+0.80$であるとしてはならない。それでは，いったいどの程度母集団rの推定値として，標本rを信じてもよいものであろうか。それは，二つの要因に依存している。一つは標本相関係数の大きさである。それが大きいほど，その関係が偶然の結果であるとは考えにくくなる。たとえば，ある標本において$r=-0.95$であったとすれば，その二つの変量が実際に強い負の関連を持っていないかぎり（必ずしも，これほどまでに強くないかもしれないが），こういったことは起こりそうにもない。しかるに，たとえば，$r=+0.10$であったとすれば，別の標本をふたたびとってみれば，$r=0$となったにしても

驚くに値しない。ときには，その関係の方向が反転し，$r=-0.10$といった値になることすらありうる。

それゆえ，標本の相関係数の大きさはその信頼度にかかわる二つの要因のうちの一つである。それでは，もう一つの要因とはいったい何であるか読者には想像がつくであろうか。

*　　　　*　　　　*

もう一つの要因は標本の大きさである。標本の中のペアの値が数多くあるほど，これ以外の標本においても，また母集団においても，これに近い相関係数の値が期待される。

これら二つの要因を用いて，相関係数の標準誤差を計算することが可能である（この場合，標準誤差は同一の母集団からとられた一定の大きさの標本間の相関係数の，仮想的な分布における標準偏差を意味する）。その推定には標本相関係数を二乗し，1からその値を引き，それを標本の中に含まれるペアの数の平方根で割ればよい。

たとえば，標本の中に49個のペアがあり，計算された相関係数の値が+0.80であったとすれば，標本誤差は

$$\mathrm{SE}r = \frac{1-(+0.80)^2}{\sqrt{49}} = \frac{1-0.64}{7} = \frac{0.36}{7} = 0.05$$

となる。おわかりのように"標本相関係数が大きければ"，1から引かれる値も大きいわけだから，そのとき分子は小さくなり，結局"標準誤差は小さくなる"。同様に，"標本数が大きくなれば"分母にくる平方根の値も大きくなるため，ふたたび"標準誤差は小さくなる"。

さて，以上は何を意味しているのだろうか。それは，遅刻と通学時間の間の関係を調べるため，同一の母集団から49個からなる標本を何度もとったとすれば，全標本組数のうち約68％の標本において，その相関係数が$r \pm 1\mathrm{SE}r$（すなわち$+0.80 \pm 0.05$）の範囲に入ると推測されるということである。すなわち，この場合rの値は，+0.75と+0.85の間にあるということになる。また，すべての標本相関係数のうち，約95％は$r \pm 2\mathrm{SE}r$（すなわち$+0.80 \pm 0.10$）の間にあるとも推測される。さらに同様に考えれば，約99％

が+0.80の前後 $2\frac{1}{2}$ SEr の範囲（すなわち+0.80±0.125）にあると考えられる。これらの二つの区間は，相関係数の95％と99％信頼区間である。以上を要約すれば，以下のようになる。

　母集団 r が+0.75と+0.85の間にあることは68％確信できる。
　母集団 r が+0.70と+0.90の間にあることは95％確信できる。
　母集団 r が+0.675と+0.925の間にあることは99％確信できる。
　さて，母集団の真の相関係数を含むことが，まずまちがいない（実際は99.7％）ようにしたいとすれば，$r = 0.80 \pm$（何？）SEr の範囲を考えればよいだろうか。

＊　　　　＊　　　　＊

　母集団の真の相関係数は（以前に母集団の真の平均を考えたように），標本統計量の標準誤差の3倍以内にあることは，99.7％まちがいない。この例では，これは+0.80±3（0.05）の範囲にあたる。結局，標本 r が+0.80の場合，母集団における真の相関係数は，+0.65より小さかったり，0.95より大きかったりすることはまずありえない。

　49個のペアからなる標本から，標本相関係数の大きさが+0.80と計算されたとすれば，その変量間の関係は本物であることに疑いの余地はない。いいかえれば，それが真の値がゼロ（またはゼロ近く）であるような母集団から，偶然に生じたということはまずありえない。しかしながら，標本 r の値がもっと小さかったならば，これほどまでの確信は持てなかったであろう。たとえば，この標本において $r = +0.10$ であったとしよう。この場合，標準誤差の値は

$$\frac{1-(0.1)^2}{\sqrt{49}} = \frac{1-0.01}{7} = \frac{0.99}{7} = 0.14$$

と計算される。この標本相関係数の値は，明らかに $r = 0$ の母集団においても十分起こりうる値である。実際，標準誤差の値は相関係数よりも大きくなっている。$r \pm 1$SEr の範囲ですら，−0.04から+0.24の間の r はすべて考えられる（このような標本を数多くとったときに，そのすべての標本相関係数のうち68％がこの範囲に含まれる）。その範囲の中には正の相関も負の相関

も含まれ，関係の方向が逆転することすら十分ありうる。これでは，せっかく見つけた相関関係も信頼のおけるものからはほど遠い。つまり，標本の中では関係が存在しているように見えるが，母集団においては実在していないかもしれない。

真の関係があると主張し，その確信度をも同時に示したいとすれば，有意性検定を適用すればよい（この場合 t 検定が適用可能であり，その t 値は係数の大きさおよび標本数から計算される。その評価は前章で述べた t 分布に照らして行えばよい）。さて，相関の有意性を検定する場合，その帰無仮説は何であろうか。

＊　　　　＊　　　　＊

帰無仮説は，母集団においては関係が存在しないということである。かくして，母集団 $r = 0$ と想定する。

母集団 r が実際に 0 であったならば，標本 r は正規分布に従い，その標準誤差は

$$\frac{1-(0)^2}{\sqrt{標本数}} = \frac{1}{\sqrt{標本数}}$$

で与えられる。それゆえ，このような母集団から標本をとったとすれば，その約95％において，r は 0 から測って上下標準誤差の 2 倍の範囲内にあるだろう。また同様に，約99％において，標準誤差の $2\frac{1}{2}$ 倍の範囲内にあるだろう。このように考えれば，おおまかな検定として，標本相関係数は，次のような場合に有意ということができる（厳密には，t 検定を行った場合よりも，第一種の過誤が少しばかり大きくなる傾向にある）。

その大きさが（＋，－にかかわらず）$2 \times \frac{1}{\sqrt{標本数}}$ を越えるとき，5％水準で有意。また，その大きさが $2\frac{1}{2} \times \frac{1}{\sqrt{標本数}}$ を越えるとき，1％水準で有意である。

かくして，49個の対の値からなる標本において 5％水準で有意となるには，その係数が

$$\pm \frac{2}{\sqrt{49}} = \frac{2}{7} = 0.29 \quad （符号にかかわらず）$$

よりも大きくなければならない。また1％水準で有意であるためには，

$$\pm \frac{2.5}{\sqrt{49}} = \frac{2.5}{7} = 0.36 \quad (符号にかかわらず)$$

を超えなければならない。今の場合の0.80という相関係数は，間違いなく5％水準でも，1％水準でも有意である（これほど大きな相関係数が，$r=0$の母集団から生じたという確率は，百に一つよりもはるかに少ないことは明らかである）。また，0.10という係数は，いずれの水準においても有意ではないことも同様に明らかである。

さて，それでは25人の学生からなる標本において，身長と体重の相関を計算したとしよう。5％の水準で関係が有意であると確信しうるためには，相関係数の大きさは，どれほどでなければならないだろうか。

＊　　　　＊　　　　＊

相関係数は，

$$\pm \frac{2}{\sqrt{25}} = \pm \frac{2}{5} = \pm 0.4$$

よりも大きいとき有意である。また1％水準で有意であるためには，

$$\pm \frac{2.5}{\sqrt{25}} = \pm \frac{2.5}{5} = \pm 0.50$$

を超えなければならない。

相関係数の解釈

すでに述べたように，統計量が有意であるというのは，日常の意味で興味あるとか重要であるとかいうことではない。このことは，相関係数についても同様にいえることである。非常に小さなrの値であったにしても，それが十分大きな標本から得られたものであれば有意となりうる。たとえば，1,000個のペアの標本では，相関係数±0.08であったにしても1％水準で有意となる。この点が多くの人々に何が弱い相関であり，何が強い相関なのかという疑問を抱かしめるところである。さらに，どの程度，相関があれば

"満足できる"かということすらはっきりしない。

有意性の水準に対して，言葉を用いて表現することは無意味であることを以前述べた。そのことを思い出せば，相関についても同様に言葉で記述することはあまり賛成できないことがわかる。しかしながら，中には，言葉による記述を行っている著者もいる。ただし，彼らの間でも呼び方は必ずしも統一されていない。一つの指針として，以下に相関係数のさまざまの範囲の値に対しあえて呼び名を付けてみた（これらは正負同様である）

0.0～0.2　たいへん弱い，または無視できる
0.2～0.4　弱い，低い
0.4～0.7　まあまあ
0.7～0.9　強い，高い，注目すべきである
0.9～1.0　たいへん強い，たいへん高い

さて，もう一つの疑問として，満足のゆく相関の水準とは，いったいどれほどであろうか。これは非常にばく然とした問題である。あたかも満足のゆく背の高さはどれぐらいかを尋ねているようなもので，それは状況にもよる。ジョッキーや女性のバレリーナを志す人たちにとって，満足できる背の高さが，警察官やテニスのチャンピオンを志す人にとっても満足のゆくものとはかぎらない。これとまったく同様で，ある状況においては比較的小さな相関であっても十分満足できるほど高いともいえる。またこれと反対に，ある場合には高い相関であっても十分高いとはいえないこともありうる。しかし，たいていの場合満足度の問題というのは，まったく考えなくともよい。

以下のような状況を考えてみよう。

(i) 社会学者が調査したところ，ある町における男性と女性の結婚年齢間の相関は0.65であった。

(ii) われわれが考案した数学のテストは，次のような根拠に基づき批判された。すなわち，学生は言葉で書かれた問題についての記述を読む必要があり，それゆえ言語能力の高い学生に有利であるというわけである。この批判の当否を調べるために，学生の標本に対して数学の試験と同時に言語能力の試験を行い，二つの点数間の相関係数を計算し

た。その結果はほぼゼロであった。

(iii) 土壌の酸性度を測定する新たな方法が提案された。そこで，さまざまな土壌をそれぞれ2回ずつ検査をし旧来の方法とこの方法の比較を行った。これまでの方法を用いた場合，2回の測定値間の相関は0.97であった。しかるに新しい方法によった場合，二つの測定値間の相関は0.90であった。

さて，読者はこれらの三つの場合において，いずれの相関係数が満足のゆくものであり，いずれが満足できないものであると思うだろうか。また，その理由をも付記せよ。

*　　　　　*　　　　　*

(i) の場合，得られた相関が（どのような値が得られようとも）満足のゆくものであるか否か考えることは適当ではない。それは単に事実にすぎないからである。(ii) の場合，相関（この場合は相関の欠如）は満足できるものと考えられる。なぜならば，数学の試験は，言語能力によって"汚染されない"ことが示されたからである。(iii) の場合，新しい方法を用いて得られた2回の検査の相関は高いにはちがいないが，旧来の方法から得られたものと比べ，満足のゆくほど高いとはいえない。

結局，二つの変量間に見られる相関は，一つの"事実"にすぎない。それが強いとか弱いとか，満足のゆくものであるとかそうでないとかいうのは"解釈"の問題である。こういった解釈の問題は，ある変数が何らかの意味で他の変数の原因となる，あるいは決定するか否かを知りたいときにも生ずる。相関とは因果を意味するものではない。XとYが相関を持つとしても，これはXがYを引き起こしているためかもしれないし，あるいはYがXを引き起こしているためかもしれない。あるいはこれは何らかの他の変数がXとYの双方に影響を与えているためかもしれないし，これらがすべて混じった結果かもしれない。さらには，この関係は単なる偶然の結果である可能性もないではない。

たとえばある人が，大人の知能テストの点数とそれまでに教育を受けた期間の間には，強い相関があることを指摘したとしよう。このことは，IQが

教育により引き起こされたものであるということを意味するだろうか（いいかえれば，ある人が長い時間教育を受けるほど，彼のIQは高くなるのであろうか）。もちろん，そういうこともありうるが，その関係がまったく逆に働いている可能性もある。すなわち，IQが高いほど，彼らは教育を受け続けることを望んだということも考えられる（あるいはそういう経済的余裕があったのかもしれない）。そうだとすれば，IQが教育を引き起こしたことになるであろう。あるいは，大人のIQと教育に費した年数という変量の双方とも，これとはまったく別の変量，たとえば両親の知性といった要因により引き起こされていることも考えられる。両親の知性が高いほど，彼らの子供も知的であり，かつ同時に，両親は子供にできるかぎり長期間教育を受けるように薦める傾向がある。とすれば，XとYは相関を持ったにしても，一方が他方を引き起こしているためではなく，第三の変数Zによるものである。

また，以下のような例もある。子供の手の大きさとその子の筆記能力の間には，高い正の相関があるということがいわれてきた。読者は，これをどのように説明するだろうか。

(a) 手が大きいほど，ペンをしっかりと持つことができるため。
(b) 字を書く練習により手が大きくなったため。
(c) そこには，第三の変数が存在している。

ただし，(c)を選ぶとすれば，その第三の変数とはいったい何であろうか。

＊　　　　＊　　　　＊

もちろん，(c)第三の変数が介在するわけで，それが子供の手の大きさと，字を書く能力に共に影響を与えている。それは年齢である。

しかし"隠れた変数を探し出す"といういわばゲームが，まったく実りないものであることも非常に多い。つまり，二変量間の関係は単なる偶然にすぎないということである。たとえば，1866年から1911年の間に教会で行われた結婚式の割合と死亡率との間には，高い正の相関があった。すなわち，人々が民間の式場においてではなく教会で多く結婚した時期に，死亡率が高かったわけである。さて，これを説明しようと試みれば，読者ははたと困るのではないだろうか。人々が結婚式を教会で行うことにより，その他の場所

で式を行ったよりも早く死ぬようになったのであろうか。あるいは，死亡率が増加したために人々は教会での結婚を好むようになったのであろうか。あるいは，（これは非常に微妙であるが）教会で結婚をしたいと思った人々は，何らかの意味で弱い人であり，それゆえ他の人々に比べて死にやすいということなのであろうか。

　もちろん，こういった説明はすべてナンセンスである。この二つの変量間にはまったく関連がない。それらに共通していたものといえば，その期間において共にその値が減少傾向にあったということだけである*。1866年から1911年の間に医学と公衆衛生学の進歩により死亡率が低減し，しかるに一方では宗教の影響が弱まり，教会での結婚を義務と考える人が少なくなったわけである。

　実際のところ，全体的に上方あるいは下方へのトレンド（傾向）を持つような任意の二つの変量を対にして考えれば，必ず"何らかの"相関が見られる。だとしても，その二つの変量間には，意味のある論理的関係というものはない。相関は数学的な関係であって，決して因果関係の存在を裏付けするものではない。それがなしうることは，読者の"論理的根拠"に基づく解釈を支持することである。そしてその解釈が，データを採集するに先立ち相関の存在を予想するためになされるならば，より重要な意味を持つ。それゆえ，相関はある理論を検定する第一段階として使われることが多い。複数個の変量が互いに緊密に関係しているか否かを調べることによって，研究者は当面興味を抱いている変量を説明したり制御したりする要因が何であるかに"見当をつける"ことができる。

　このような方法に従って，まず最初に検定された理論としては，「両親の肉体的特徴はその子供たちに遺伝するか？」というものであった。たとえば，両親の背丈が子供の背丈をある程度決定するという理論を考えてみよう。この理論を支持しようとすれば，読者はどのような相関を求めればよいだろうか（何と何の間の相関だろうか。そして，それは負の相関だろうか，それと

　＊　二つの変量が共に減少傾向にあると，それら二つの変量の散布図は右上がりになる。よって相関は負ではなく，正であることに注意。

も正の相関だろうか)。

＊　　　　＊　　　　＊

　読者は子供の背丈(ただし完全に成長した後の背丈)と彼らの両親の背丈との間に，高い正の相関を求めるであろう。おそらく，そのような相関は存在するであろう。しかし，当然その相関は完全な相関では決してない。なぜならば，家族間と同様，家族内にも変動が存在する。さらに，少女の背丈は母親の背丈と相関があり，少年の背丈は父親の背丈と相関があるということも考えられる。あるいは，子供の背丈は両親の背丈の何らかの平均と相関をもつということもあれば，その他にもいろいろ考えられる。こういったことから，相関係数の"大きさ"はいったいどのような意味を持つのかを考える必要がある。

　たとえば，息子と父親の背丈の標本を比べた結果，相関係数が＋0.8であることがわかったとしよう。このとき，息子の背丈がある程度までは父親の背丈によって説明されるといってもおかしくない。しかし，それでは0.8という数字自体はどのような意味を持つのであろうか。これは，息子の背丈の80％が，彼の父親の背丈によって引き起こされていることを意味するのだろうか。あるいは100人の息子の標本をとった場合，そのうちの80人が彼らの父親と同じ背丈であるということなのだろうか。いずれも違うとすれば，いったい何であろうか。相関係数の大きさは，何を物語っているのであろう。

　くわしい説明は省かざるをえないが，ある変数の変動のうち，どれだけが他の変数の変動により説明されうるかは，"相関係数の二乗"によって知ることができる。すなわち，息子の背丈の標本においては，$0.8^2 = 0.8 \times 0.8 = 0.64$，すなわち64％が父親の背丈の変動により説明されうることがわかる。つまり，変動の36％はその他の要因によって説明されることになる。

　同様に学生の卒業試験の点数(A-レベル)と学位修得の間の相関係数は，0.4以下であることが多くの研究によって示されている。これらの卒業試験の結果が"適性"を表すものと考えられるならば(ほとんどの大学でそう考えられているが)，適性により決定される学位修得は何％以下ということになるか。また，何％が他の要因により説明されることになるか。

＊　　　　　＊　　　　　＊

　学位修得の変動のうち，適性によって決定されるものは16％以下であり，残りの84％はそれ以外の要因（たとえば個性，勤勉さ，運等）により説明されることになる。

　さて，もう一度子供と両親の背丈間の関係を考えることにする。父親の背丈は息子の背丈の変動のうち64％を説明したにすぎない。明らかに他の要因も働いていることになる。

　読者は息子の背丈の変動を説明するに役立つと考えられる他の主たる要因は何だと思うか。

　　　　　　　　＊　　　　　＊　　　　　＊

　母親の背丈が，他の主たる要因のうちの一つであることはまずまちがいない（このほかにも食事や運動といった要因もまた何らかの影響を持つと思われる）。

　このことは，調査を行う以前に予想されたことであった。そこで，息子の背丈と母親の背丈の間の相関をも調べたところ，それは＋0.7であった。さて，このことから息子の背丈の変動のうち，何パーセントが母親の背丈の変動によって説明されることになるか。

　　　　　　　　＊　　　　　＊　　　　　＊

　息子の背丈の変動のうち，約49％が母親の背丈の変動によって説明されうることになる。ということは，息子の背丈は母親の背丈よりも父親の背丈と，より緊密な関係があることがわかる。それゆえ，読者が息子の身長を予測するために，どちらか一方を選ばなければならないとすれば，母親の身長よりも父親の身長に基づき予測を行った方が安全であろう。

　ここで読者の中には，異論を唱える人がいるかもしれない。息子の背丈の変動の64％が父親によるものであり，49％が母親によるものであるとすれば，足し合わせると64＋49＝113％となり，おかしなことになる。

　よい所に気づいたと思う。その理由は以下のとおりである。息子の背丈の変動のうちのいくらかは，父親と母親の背丈の変動が"共に働く"ことにより引き起こされている。すなわち，父親と母親の変動の重なり，あるいは相

乗効果といったものがあるわけである。息子の背丈の変動のうち，説明された部分が100％を越えるということは，父親と母親の背丈も互いに相関を持っていることからくる。これは十分考えられることで，結婚相手を選ぶときには，背の高い人は比較的背の高い人を好むであろうし，背の低い人は背の低い人を求めるであろう。

別の例として，アメリカについてなされた「家族の社会階級は，父親の教育水準やその家族の居住地域の生活水準とも相関を持っている」という研究報告を考えてみよう。そこでみられる相関係数は，それぞれ＋0.78，＋0.69であった。このとき，父親の教育水準を表す変数と居住地の生活水準を表す変数は，互いに相関を持っているのであろうか。

＊　　　＊　　　＊

社会階級の変動のうち，$0.78 \times 0.78 = 61\%$ が父親の教育水準によって説明され，$0.69 \times 0.69 = 48\%$ が居住地の水準により説明される（ただし因果関係ではないことに注意）。$61 + 48$ は 100% を越えるので，この二つの変数は互いに相関を持っていなければならない。これは確かに理にかなったことで，一般的に見て教育を受けている人ほど裕福であり，貧しい人に比べより住みやすい地域に住むことができるからである。

一つの変数の変動を説明するのに，他の変数の変動を用いるというこの方法は，分散分析の一つの特徴である。それは，研究者たちがいくつかの要因が同時に働いているような状況を分析する際，大きな威力を発揮するさまざまなテクニック（たとえば，偏相関，重相関，因子分析，クラスター分析等）にも通ずるものである。しかしながら，この本ではこれ以上議論することはできない。

"説明された変動"，"説明されない変動" について学ぶことにより，相関係数の大きさをどのように解釈すればよいかある程度理解できたと思う。たとえば，二つの変量間の相関が -0.6 であった場合と -0.3 であった場合とでは，前者の方が強いことは明白である。しかし，その関係の強さは2倍であろうか。

　(a)　イエス，それはちょうど2倍強い。

(b) ノー，それは 2 倍以上強い。
(c) ノー，それは 2 倍よりは弱い。
のいずれであろうか。

＊　　　　＊　　　　＊

答は(b)で，−0.6 という相関は，−0.3 という相関よりも 2 倍以上強い。つまり，ある変数の変動の 0.6×0.6＝36％ が他の変数によって説明されることになり，この値は 0.3×0.3＝9％ よりもはるかに大きい。

いいかえれば，相関係数の値が 2 倍になれば，そのとき考えられている二つの変量の関係の度合は 4 倍になる。このことは同時に，r が大きい場合には，推定や予測を想像以上に安心して行いうることを物語っている（たとえばこの例のように $r=-0.6$ のときの推測は，$r=-0.3$ の場合に比べて，4 倍（2 倍ではない）確信が持てることになる）。

実際問題としては，ある変数の値に基づき他の変数の値を推定，もしくは予測しようとする場合には，相関係数の値が ±0.80 を下回っていたならば，それほど結果に期待は持てない。しかしながら，小さな相関とてまったく相関がないよりははるかに役立つわけである。いよいよ，われわれは"回帰"の世界へと進むことになる。

予 測 と 回 帰

よくあることだが，二つの互いに関係のある値を要素とする集合があり（たとえばある学生たちのグループの平常点と，彼らの最終試験の成績といったもの），一方の変数の値が与えられたとして，それに対応するもう一方の変量の値を推定，もしくは予測したいとしよう。たとえば，スウ・スミスは何らかの理由で最終試験を受けることができなかった。しかし，彼女の平常点はわかっている。このような場合，もし彼女が試験を受けていたならば，彼女の点数は何点くらいであったろうか。もちろん，二つの点数の集合間に何ら相関がないならば，スウの点数は彼女の仲間の学生たちの最終試験の点数の平均点としておくのが安全である。けれども，何らかの相関があるとす

れば，それを利用することにより，よりたしかな推定を行うことが可能となる．その場合，どの程度よい推定が行いうるかは，相関の強さに依存している．

スウの平常点が60点だとしよう．また，彼女の仲間の学生たちの平常点と最終試験の点数の散布図を描いたとしよう．そうすれば，その散布図から他の学生たちの中で，平常点が60点であった人たちの最終試験の成績がどのようであったかを見ることができる．そのような仲間たちの試験の点数の

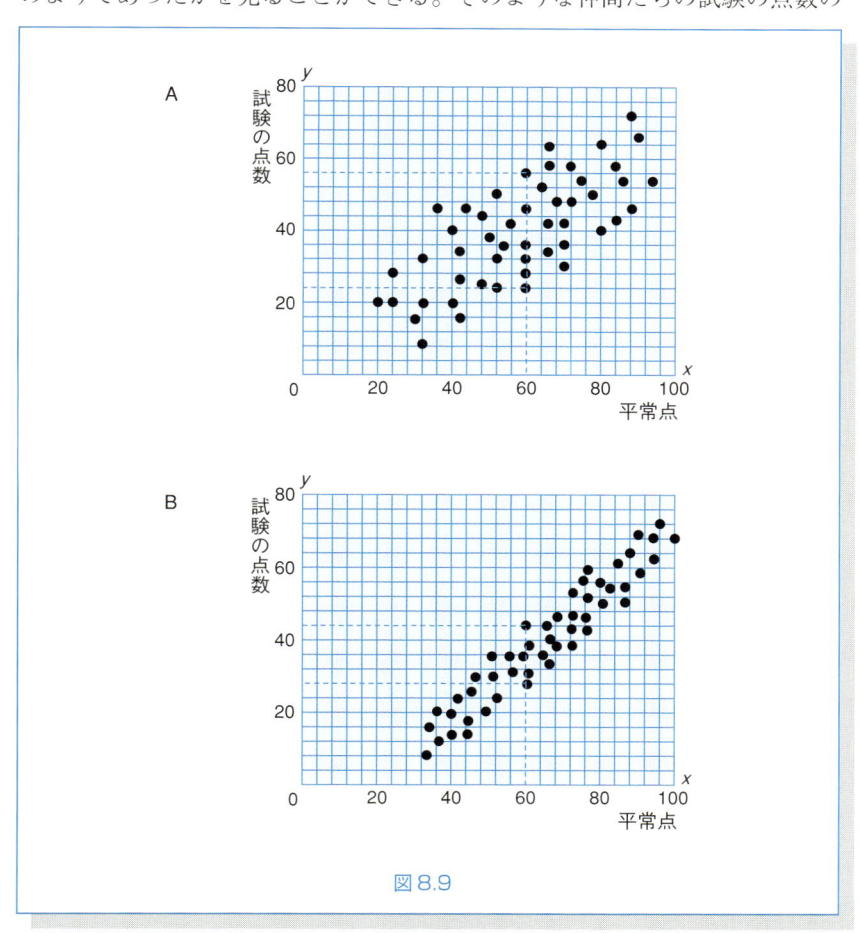

図8.9

範囲から，スウの点数に対する一つの推定値を得ることができる。

しかしながら，上述のように，この推定値の精度は相関の程度に依存している。たとえば，図8.9の二つの散布図が，どちらもその平常点と最終試験の関係を記述するものとしよう。AとBどちらの場合にスウの試験の成績に対する，より精度の高い推定値を得ることができるであろうか。当然Bに見られるような関係の方が，より精度の高い推定値が得られる。平常点の60点のところから縦に引いた線にそって，その平常点をとった学生たちの試験の点数を見ればよい。Aにおいて，このような学生たちの点数は24点と56点の間にある。しかるに，Bにおいては，彼らの点数は28点と44点の間にある。それゆえ，スウのグループの相関を表す散布図がAとすれば，彼女の試験の点数は24点から56点の間であると推定することができる（レインジの値は32）。しかし，散布図Bが彼女のグループを表すものとすれば，点数の推定値は28点から44点の間ということになる（それゆえレインジの値は16にまでせばまる）。

図8.9において，点が縦方向にちらばっていない方が，より精確な推定値が得られることは明らかである。そして，もちろんちらばっていない方が相関も大きい。完全な（100％の）推定あるいは予測は，前述の円の半径と周囲の長さのように，すべての点が直線上に並んでいる場合にのみ可能となる。完全な相関があれば，一つの変数の値が与えられると，他の変数の値を正確に言いあてることができる。

それゆえ，ここでの予測方法というのは，データを直線上へ"還元"することである。そこで，次のようなことが問題になる。これらの点が生じていると考えられるデータの背後にひそむ直線は，どのようなものであろうか。つまり，最もあてはまりのよい直線を探すことになる。この直線は，中心化の傾向の尺度と似たような働きをするもので，変動を平均化してしまおうとするものである。

ここで，前述の二つの散布図のうちの一つを例にとり，"最もあてはまりのよい直線"を目の子で引いてみた（図8.10）。このように線を引けば，それにより任意の平常点に対応する試験の点を厳密に推定することができる。

図8.10

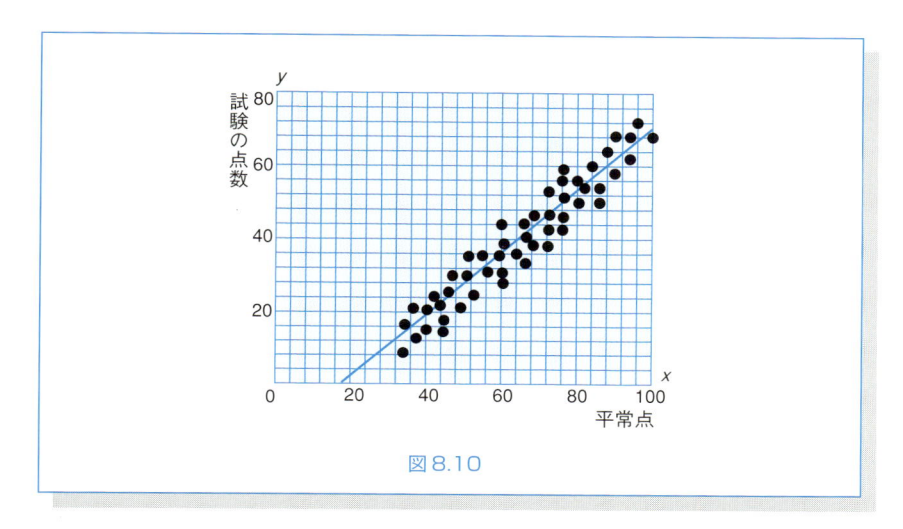

さて、この直線が二つの点数の関係を記述するものであるとすれば、スウの平常点60点に対応する試験の点数は何点であろうか。

$*\qquad *\qquad *$

対応する試験の点数は36点である。

　もちろん問題がないわけではない。"最もあてはまりのよい直線"は、いかにして引けばよいのだろうか。上でやったように、目の子で引くこともできる。その場合、うまく点の間を通して線を引こうとすれば、平均的にいって、各点が直線の両側に同程度ばらついているように注意しなければならない。これは、決して簡単なことではない。人によって、少しずつ異なる"最もあてはまりのよい直線"を引くことになるのは簡単に想像がつく。もちろん、その結果スウの欠測値に対する各人の推定値は少しずつ異なる。ただし、この場合にも、相関が弱いほど点のばらつきは大きく、どのようにその直線を引くかは人により異なってくる。すなわち、推定値もそれだけ異なることになる。このことに関しては、199ページのもう一つの散布図を見てもらえば、直線を引くのがいかにむずかしいかがわかると思う。

　このような方法に代わって、最もあてはまりのよい直線を計算により求める方法が存在するとしても、不思議ではないと思う。このような直線は、回

帰直線と呼ばれる。この言葉は，19世紀の英国の科学者フランシス・ゴールトンにより提唱されたものである。彼は息子と父親の背丈間の関係を研究しているうちに，「平均より背の高い父親の息子は平均より背が高くなる（その反対に，背丈の低い父親の場合には，その息子も背丈が低くなる）。がしかし，息子は彼らの父親に比べて，全体の平均身長により近づく傾向にある」ということを発見した。彼はこのことを，"平凡への回帰" と呼んだ。すなわち，平均の方向へと戻ってゆくことをさしている。彼と彼の友人カール・ピアソン（相関係数を導入した人である）はこういった関係を研究するためのさまざまな手法を開発した。それらは今日，回帰分析として知られている。

普通の直線と同様，回帰直線もグラフ上では方程式によって表現することができる。回帰直線を表す式は，回帰式とも呼ばれる。回帰直線を求めるには通常は最小二乗法と呼ばれる方法が用いられる。174ページで述べた試験の点数を例に考えてみよう。図8.11は図8.2に手を加えたものであるが，そこでは回帰直線を求めるための考え方が示されている。一般に，各点のY軸

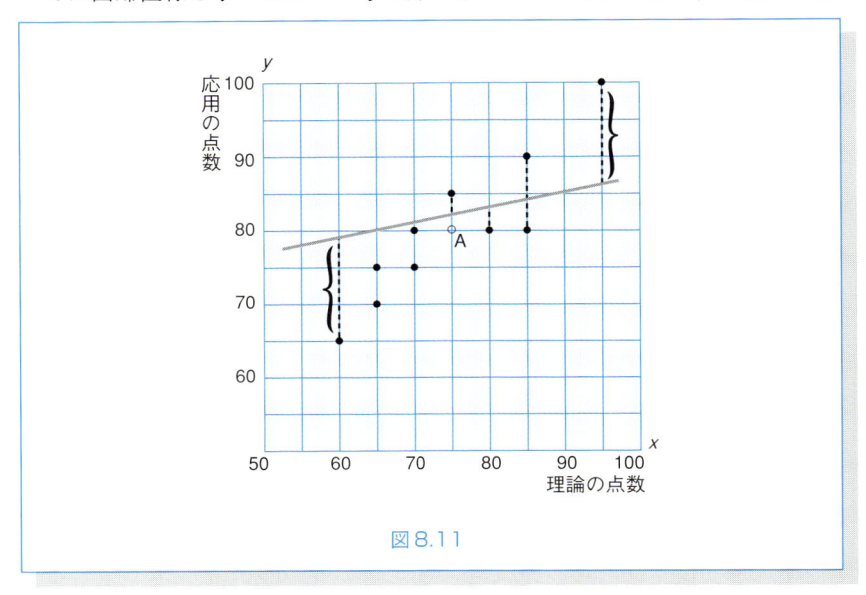

図8.11

方向に測った直線からの乖離が小さくなるようにすることが考えられる。ここではその乖離を偏差（図の点線部分）の二乗で表すことにする。このように偏差の 2 乗を計算するという考え方は，分散の考え方と共通である。このとき，各点の乖離の合計，すなわち偏差の二乗の合計を最小にするように直線を引くという方法が最小二乗法である。

　直線は，それが通過する特定の点と傾きによって決定される。たとえば $X=1$，$Y=2$ という点 (1, 2) を通過する直線があり，その傾きが $\frac{3}{2}$ であるとしよう。そのとき，この直線は

$$Y = \frac{3}{2}(X-1) + 2$$

と記述される。読者にはこの直線がたしかに点 (1, 2) を通過することを図を描いて確認してもらいたい。

　それでは最小二乗法によって引かれた線はどのような点を通過し，どのような傾きを持つのだろうか？　ここでは結論を直感的に述べることにしたい。まず直線はデータの散布図の真ん中を通るはずである。ここで散布図の真ん中とは 2 変量 X と Y のそれぞれの平均（表 8.2 より，(75, 80) となる）である。図 8.11 における点 A がそれである。次に，傾きはどのように決定されるのであろうか？　直線の傾きとは，X が 1 単位変化したときにそれに応じて Y が何単位変化するかを表すものである。X と Y の共分散が X と Y の関係の強さであり，Y が X とともにどの程度変動するかを反映するものであることを考えれば，このような共分散が傾きに関して何らかの情報を与えてくれるとしても不思議ではない。このような考え方から，結局最小二乗法による直線の傾きは

$$\frac{X と Y の共分散}{X の分散}$$

と計算される（184 ページ参照）。

　たとえばこの試験の点数の例の場合，表 8.3 をもとに計算すると X と Y の共分散の値は 90 であり，X の分散の値は 110 であったから，最も当てはまりのよい直線の傾きは $\frac{90}{110} = 0.818$ となる。また点 A で表された X の平均は 75，

Yの平均は80であるから,最も当てはまりのよい直線は

$$Y = \frac{9}{11}(X-75) + 80 = \frac{9}{11}X + \frac{205}{11}$$

あるいは

$$Y = 0.818\,X + 18.64$$

となる。これによってyの値(応用の点数)は,散布図を見なくともこの回帰式から直接推定されうる。

それでは,読者にも回帰式を使ってみてもらいたい。たとえば,ある学生の理論の点数が80点であったとしよう。読者は,彼の応用の点数(y)をいくらと推定するだろうか。

* * *

応用の点数(y)と理論の点数(x)は,回帰式$y = \frac{9}{11}x + \frac{205}{11}$により関係付けられているわけだから,理論の点数が80点ということは,応用の点数は,

$$y = \frac{9}{11} \times 80 + \frac{205}{11} = \frac{720 + 205}{11} = 84.09$$

と,約84点ということになる。この値は回帰直線を用いて散布図における目盛りを読んだ場合の値と一致していることがわかる(図8.12)。

もちろん,回帰直線に基づき,一見正確に見える推定値を求めることの是非を疑うのは当然といえよう。特に図中の点が,その直線からまったく離れてばらついているような場合にはなおさらである。実際には,こういった推定値を正直に述べるためには,ありうる誤差の範囲をも同時に示す必要がある。読者は信頼区間という概念を覚えているだろうか。

図8.13のAはある母集団の散布図を表すものである。そこでは最も当てはまりのよい直線はプラスの傾きを持っている。一方Bはそこから採られた少数個の標本の散布図を示すものである。標本の数が少ないため,標本に対して引かれた直線はマイナスの傾きを持っている。このことは標本に対して引かれた直線はその統計的変動を考慮しなければならないことを示唆している。たとえば,得られた直線の傾きがプラスであっても,実は母集団に見ら

図8.12

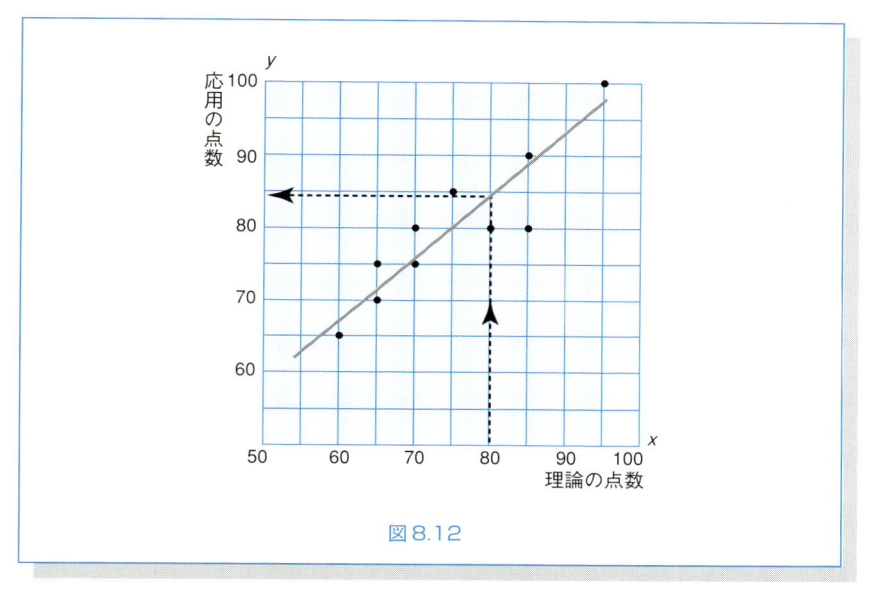

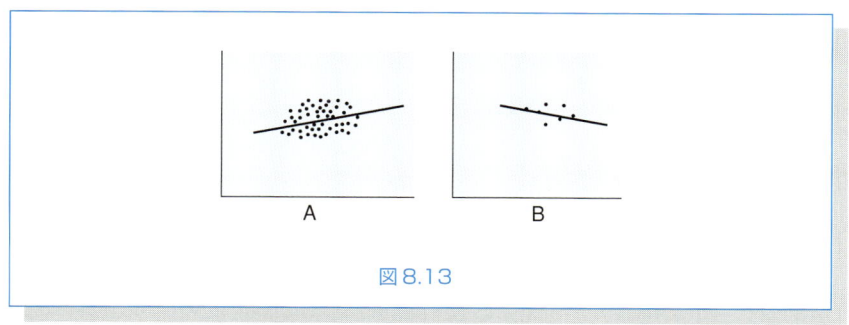

図8.13

れる直線の傾きはマイナスかもしれない。あるいは実際上はより重要なのであるが，母集団の直線の傾きはゼロということもあり得る。それは二つの変量に関係がないことを意味する。すなわち傾きもまた一つの統計量であることがわかる。それゆえその標準誤差を考えることが必要である。ここで標本平均の標準誤差が三つの要因に依存していたことを思い出して欲しい。それらは何であっただろうか。

　　　　　＊　　　　　＊　　　　　＊

標本平均の標準誤差は，母集団の標準偏差と標本数，そして標本に含まれる母集団の割合に依存した（100ページ参照）。ただし，このうち標本に含まれる母集団の割合は実用上無視しえた。また，母集団SDは標本SDで代用された。このとき標本数が30もあればこの二つの違いは問題にならない（103ページ脚注参照）。しかし，標本数が小さいときに標本分散を計算する際，標本数ではなく（標本数－1）で割ることにより，ばらつきをやや大きめに評価することを思い出してもらいたい（101ページ参照）。この点に注意しつつ標本SDを計算した上で，結局，

$$標準誤差 = \frac{標本SD}{\sqrt{標本数}}$$

と表された。

　傾きの標準誤差も三つの要因から構成される。第1は母集団における各データの直線からの偏差のばらつき，すなわち偏差のSDである。偏差のSDが大きいほど，傾きの推定値はばらつき，その標準誤差は大きくなる。ただし母集団の偏差のSDは，標本におけるデータの偏差の標準偏差で代用される。（各標本データの直線からの偏差はとくに残差と呼ばれている。）ここでは残差分散の計算の際，標本数に代わり（標本数－2）で割る。直線の傾きと特定の点を同じデータの情報を使って求めたため，情報量が減ったためである。こうしないと，母集団の偏差の分散を過小評価してしまうことになる。第2は標本数である。標本数が大きくなれば標準誤差は小さくなる。これらは標本平均の標準誤差におけると同様である。そしてこれらに加え，第3の要因としてXのばらつき（Xの分散）を考えなければならない。

　Xのばらつきがどのように傾きの標準誤差に影響を与えるかを考えてみよう。図8.14のA，Bは母集団の散布図を表すものであるが，ともに共通の直線の周りに同程度のばらつきを持った点が描かれている。二つの図の違いはXの値である。図のAではXの値のばらつきが大きくなっている。さて，A，Bに示される二つの散布図から標本の散布図を想像し，そこでの直線の傾きを考えてみよう。A，Bどちらの散布図からの標本に見られる回帰直線の傾きのほうが大きくばらつくであろうか？

図8.14

* * *

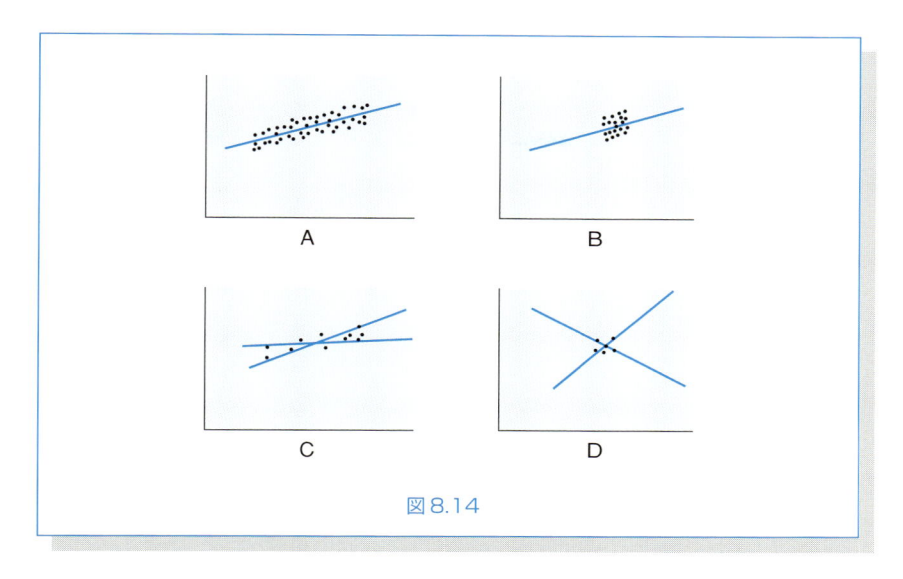

　図のC，Dは予想される標本の散布図とそこでの回帰直線を描いたものである。図のDの傾きのばらつきのほうがCに比べより大きいことがわかるであろう。ただし，ここでXのばらつきである分散は，標本数で割ることにより計算されるのが普通である。結局，

$$傾きの標準誤差＝\frac{直線からの偏差のSD}{\sqrt{Xの分散}\times\sqrt{標本数}}$$

と表される。

　図8.11のデータに対し，以上の手続きに従い傾きの標準誤差（SE（傾き））を計算してみよう。10人の応用の点数の回帰直線からの残差を求めると表8.5のa欄のようになる。そこでこれらの二乗（b欄）の合計を（標本数－2）＝8で割ることにより，母集団分散の推定値が20.45と求められる。母集団SDの推定値はこの平方根 $\sqrt{20.45}=4.52$ である。いっぽう，Xの分散は，10人の理論の点数の平均からの偏差から求められ，すでに110と計算されている。これらの値を上の式に代入すれば，傾きの標準誤差は0.136となることがわかる。

表8.5

学 生	a（残差）	b（残差の二乗）
A	−2.73	7.44
B	−1.82	3.31
C	3.18	10.12
D	−0.91	0.83
E	4.09	16.74
F	5.00	25.00
G	−4.09	16.74
H	−8.18	66.94
I	1.82	3.31
J	3.64	13.22

　ひとたび傾きの標準誤差が求まれば，それを用いることにより，これまでと同様，母集団の傾きに関する区間推定や仮説検定を行うことが可能になる。とくに母集団の傾きがある特定の値であるかどうかは，傾きの推定値がその値から SE（傾き）を単位としてどの程度離れているかに注目すればよい。たとえば傾きがゼロという仮説であれば，

$$\frac{傾きの推定値}{\text{SE}(傾き)}$$

を計算する。この値は t 値といわれている。その呼び名からもわかるように，仮説を棄却するために要求される値は，ここでも t 分布に従うことを利用して行われる。ただし，t 分布の自由度は（標本数−1）ではなく（標本数−2）となる。これは直線を推定する際，傾きと通過すべき一つの点の情報をデータから得ているためである。結局，データの数から2を引いた値を自由度とする t 分布においてその上側2.5％点（t 分布曲線の右裾部分）を超えるか否かで判断される（154ページ参照）。そのための値は，たとえばデータ数が10であれば2.3，20であれば2.1，30を超えればおおむね2である。

　さて以上のことは何を意味しているのであろうか。たとえば通学時間（X）

と遅刻回数（Y）の関係を49個の標本から調べたところ，最もあてはまりの良い直線は$Y = 3X + 4$であり，傾きの標準誤差が2であったとしよう。その場合，傾きのt値は1.5ということである。この値はt分布表の値2より小さく，母集団において通学時間（X）と遅刻回数（Y）の間に直線関係があるとは限らないことになる。もっと多くの標本を採り，さらに実験を続ける必要がある。

図8.11における回帰直線の傾きは0.818で，その標準誤差は0.136であるから，t値は約6となる。この値は上で述べた2.3よりはるかに大きい。すなわち，母集団における直線の傾きは0ということは考えられず，理論と応用の試験の点数には直線的な関係があるということになる。

予測を行うためもう一つ考えられる方法は，そのばらつきを表に示すことである。これまでの散布図においては，標本の中の個体がともに同じ値のペアを持つようなことはないと仮定されていた。つまり，平常点が50点，試験の点数が40点であるような学生は，二人といないと仮定してきたわけである。それゆえ，各点は標本の中の異なる個体を表しえた。しかし，実際問題においては，特に標本数が大きくなると，標本の中に含まれるいくつもの個体が，等しい一対の値をとるということは十分起こりうる。これを図で表すには，3次元の図表が必要となる。つまり点の代わりに柱を考え，その高さが，それぞれの対の値が何度観測されたかに応じて変化するわけである。あるいは，以下のような表8.6（次ページ）を用いてもよい。

この表8.6はたとえば次のようなことを示している．応用の試験で7点をとった学生は10人おり，そのうち理論のテストでは3人が8点をとり，4人が7点，2人が6点，そして1人が5点であったことを示している。それゆえこの標本に基づき，応用において7点をとった学生が，理論においてもまた7点をとる可能性は，$\frac{4}{10}$ すなわち40％であると予測できる。また次のようにいうこともできる。応用において7点をとった学生たちの理論の平均点は6.9点ではあるが，彼らが理論において8点をとる可能性は30％ある。

さて再び，応用において5点をとった学生たちの理論の平均点は5.5点で

表8.6　118人の学生の理論と応用の点数

理論の点数 \ 応用の点数	0	1	2	3	4	5	6	7	8	9	10
10											
9									1	1	1
8						2	4	3	2	1	
7				1	3	4	3	4	1		
6			1	3	6	5	4	2			
5			1	6	6	4	1	1			
4	1	2	4	6	4	2	1				
3	1	2	4	2	2	2					
2	1	3	2	3	2	1					
1		1	1								
0											

あることに注意してもらいたい。ここで，この標本の中に見られると同様な学生たちのうちで，応用の試験は受けたけれども理論の試験は受けられなかったようなものの母集団を考えたとしよう。その場合，この表の標本が母集団へと一般化できるとすれば，応用の試験において5点をとった学生が，理論の試験において，（ⅰ）5点未満，（ⅱ）5点以上をとる確率は，それぞれどれだけになるだろうか。

＊　　　　　＊　　　　　＊

応用において5点をとった20人の学生のうち，理論において5点に満たないものは5人おり，それ以上のものは15人いる。それゆえ，応用で5点をとった学生が，（ⅰ）理論において5点未満をとる確率は $\frac{5}{20}$，すなわち25％である。また，（ⅱ）5点以上になる確率は $\frac{15}{20}$，すなわち75％である。

この表は，われわれの行う予測の根拠を明確に表している点に注意してもらいたい。正確な推定値（たとえば平均点）が得られると同時に，ある値以上や以下の点数をとる確率も簡単に読みとれる。

平常点と最終試験の例のように，点数についてより広い範囲（0～100点）を対象とし，しかも大標本に対してこのような表を作成する必要があるとすれば，おそらくデータを（表8.7）に見られるようにいくつかのグループに分けることになるであろう。その表では，平常点が60点から69点の間で，

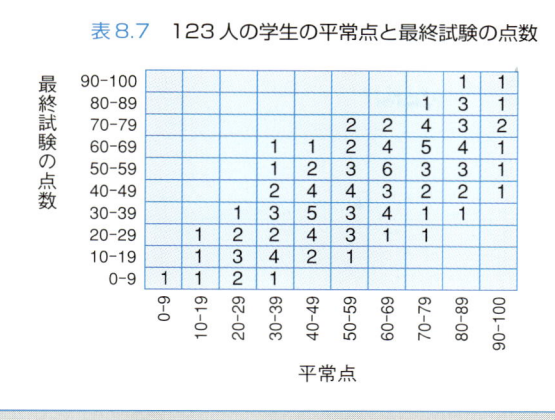

表8.7　123人の学生の平常点と最終試験の点数

最終試験の点数 \ 平常点	0-9	10-19	20-29	30-39	40-49	50-59	60-69	70-79	80-89	90-100
90-100									1	1
80-89								1	3	1
70-79						2	2	4	3	2
60-69				1	1	2	4	5	4	1
50-59				1	2	3	6	3	3	1
40-49			2	4	4	3	2	2	1	
30-39			1	3	5	3	4	1	1	
20-29		1	2	2	4	3	1	1		
10-19		1	3	4	2	1				
0-9	1	1	2	1						

最終試験で50点から59点の間の点数をとった学生は，全部で6人いたことが示されている．しかし，そこではそれ以上のくわしい情報は失われている．つまり，学生個人に関しては，平常点と最終試験の点数が正確に何点であったかはもはやわからない．けれども，このようにデータを分類しておけば予測は行いやすく，推定値を作ったにしても失われる精度はさほど本質的ではない．

スウの場合，平常点は60点だったのだから，60点～69点の列にあたる20人の学生のうちの1人ということは明らかである．それゆえ，最終試験において60点以上の点数をとったという可能性は，わずか

$$\frac{4+2}{20} = \frac{6}{20} = 30\%$$

しかない．そして，30点～39点程度しかとれなかった可能性は $\frac{4}{20}$，すなわち20％あることになる．さらに，たった20点～29点であった可能性も $\frac{1}{20}$，すなわち5％あるわけである．それでは，彼女の試験の点数として最も可能性のあるのは何点であろうか．さらにその確率はいくらであろうか．

*　　　　*　　　　*

スウにとって，最も可能性のある試験の点数は50点～59点である．彼女と同様な平常点をとった20人の学生のうち，6人もの学生がその範囲に入

っている。またその確率は $\frac{6}{20}$，すなわち30％である（スウは，われわれが試験の点数をグループ分けしたことにより得をしている。もし彼女の点数が60点ではなく，59点であったならば，50点〜59点のグループに入ることになり，その場合彼女にとって最も可能性のある試験の点数は，40点〜49点と判断されたことになる）。

しかしながら，われわれは非常にかぎられた標本しか持っていないということを忘れてはならない。すなわち，スウと同じ平常点の範囲に入る学生は20人にすぎない。しかるに，その標本に基づきこういった学生たち全体に対して，そしてとりわけスウに対して一般化したいわけである。われわれの知るかぎりでは，スウは優れた資質を持っており，試験において100点をとることも可能であったと思われる。この表8.7から判断するかぎり，そういったことはありそうにもないようではあるが，しかしそれでも不可能ではない。

この事実は，この本の結論を述べるにふさわしい。というのは，われわれは再びふり出しに戻ったわけで，標本と母集団の区別をしながら標本から母集団へと一般化することが，どの程度合理的かが問題となっている。とりわけ，母集団からとられたたった一個の個体（スウ）に対して予測を行うことには，どのようなリスクが考えられるのだろうか。読者の集めた統計は，このように特別な場合における特別な個体に関して推測を行うのではなく，"一般的に"，そして"平均的に"推測を行うことができるよううまく準備されているはずである。けれども人間は，一例において発見した特性，差，傾向，そして関連等が一見よく似た状況においてはくり返し見られるだろうと期待しながら，一般化せざるをえないのである。このことは大変重要な教訓である。こういったある種の普遍性についての期待なくして，われわれは生きてゆくことはできないのである。しかし，こういった期待は，すべて確率と共に考えられるべきである。それらの期待は絶対的なものではなく，むしろ暫定的なものでなければならない。また多くの場合に，それらの期待が裏切られることをも考えておかねばならない。少なくとも，ある程度ものごとがわれわれの期待どおりにはいかないということを"期待"できないかぎり，経験から学びとることはできない。それは沈滞と消滅への道でもある。

練習問題 8.

1. 以下の散布図に与えられる二変量間の相関係数として，最も近いと思われるものを以下の記号の中から選べ。

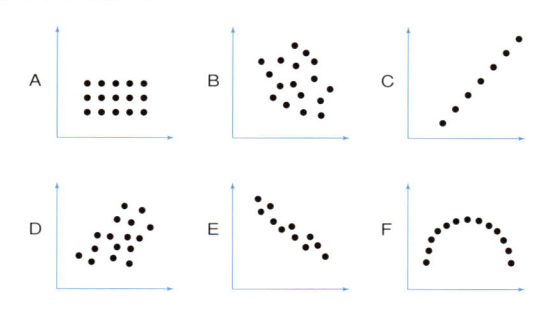

(a) 0, (b) +1, (c) −1, (d) +0.9, (e) −0.9, (f) +0.6, (g) −0.6

2. 64人の学生に対して左右の目の検査を行い，その視力間の相関係数を求めたところ，0.8であった。
（ⅰ）標本相関係数の標準誤差を求めよ。
（ⅱ）左右の視力間の相関係数の95％と99％信頼区間を求めよ。
（ⅲ）左右の視力間に相関が存在するか否かを，189ページに述べられた方法に従い，検定せよ。

3. 未成年者がタバコをすったり，酒を飲んだりするとは法律で禁じられている。大学の新入生のうち未成年者に対して，喫煙・飲酒の習慣のある者たちを集め，その成績を調べたところ，喫煙も飲酒もしない学生たちに比べ，はるかに悪かった。このことから，タバコをすったり，酒を飲んだりすることが頭を悪くするという仮説が支持されるであろうか。

4. (a) 平常点と最終試験の成績の関係を表す回帰式が，$y = x - 6$ となったとしよう。このとき，スウの平常点60点に対応する試験の点数は何点と推定されるであろうか。また，平常点80点の学生の試験の点数は，何点と推定されるであろうか。
(b) 次頁の表は，211ページで紹介された表8.7と同種のもので，ベイビーチ小学校の6年生63人の身長と体重について測定した結果である。この表に基づき，以下の問に答えよ。
（ⅰ）拓也君はこの測定日に学校を欠席したが，彼の身長は145cm～150cmである

ことがわかっている。彼の体重として最も可能性があるのは何kg～何kgであろうか。またその確率はいくらあるか。
(ii) 拓也君と同じくらいの背丈の人の平均体重は何kgであろうか。
(iii) 拓也君の体重が60kgをこすということは，この表から判断すればありうることであろうか。また，それは現実にはどうであろうか。

身長＼体重	—25	25–30	30–35	35–40	40–45	45–50	50–55	55–60	60—
160—	0	0	0	0	0	0	1	1	1
155–160	0	0	0	0	1	2	3	2	1
150–155	0	0	0	1	3	3	4	2	2
145–150	0	0	0	1	5	4	2	3	0
140–145	0	0	0	2	2	3	1	1	0
135–140	0	0	1	2	2	2	0	0	0
130–135	0	1	0	1	2	0	0	0	0
—130	1	0	0	0	0	0	0	0	0

5. 下に与えられたデータ (X, Y) に対し
(i) 散布図を描け。
(ii) 回帰式 $y = a + bx$ を求めよ。
(iii) 残差を計算し，傾きの標準誤差，t 値を求めよ。
(iv) $x = 40$ に対する y の値を予測せよ。

X	10	10	30	30	50	50
Y	10	30	20	40	30	50

あとがき

　これまでのページにおいて，私はいくつかの問題のほんのさわりを紹介したにすぎない。これは私の目的が，統計的な考え方について読者に大地を見渡す"鳥の目"をもってもらうことにあり，へびのように統計の計算というやぶの中をはってほしくはなかったからである。読者が，私の答えてきたことを超えて疑問を感じられたとしても驚くことではないし，むしろ当然のことと思う。読者の質問に答えてくれる本が図書館の書棚にはたくさんある。たとえ読者が，統計学とは本書で論じてきたものよりはるかに多岐にわたり，複雑に絡み合ったものであることを知ったとしても，その興味の対象が何であるかはおおむね"感じがつかめた"はずである。

　読者は，ここまでこの本を読み通してきたのであれば，基本的な統計学の考え方や専門用語については把握できたはずである。それは，読者にとって次のような場合に大きな手助けとなる。

(1) 報告書（あるいは新聞）を読む場合に，そこにどのような統計が含まれていようとも，その要点が理解できるようになる。
(2) 読者自身の研究において，現在興味の対象となっていることを専門の統計家に相談し，その際彼が技術的なアドバイスを提供できるように説明する。
(3) 統計の計算について述べた本や授業に対して，自らの力でそのテクニックを学ぶつもりで取り組む。

　読者が，統計学専門の試験に合格しなければならないというようなことがないかぎり，これまで学んだ以上のことはほとんど必要ないであろう。さまざまな分野の学生たちが統計学のコースを取らなければならないが，そこで教えられた内容の多くは，彼らの専門分野にとって役に立つものであるかは

疑問である。社会科学者の場合，学んだ統計学の一部の知識のみを使用するといわれている。しかし，おそらく彼らは自分たちにとって有用な統計学はすべて覚えているはずである。社会科学者が彼の研究報告において，統計学を斬新に用いたとすれば，それらは研究の意味を明らかにするためではなく，その研究をより"科学的"に（それゆえより信頼できると）見せるためであるという印象を受けることが多い。

この本を締めくくるにあたって，もう一度"鳥の目"をもって全体を簡単に見直し，その上で，最後に是非注意しておきたい点を述べることにしたい。

復　習

統計学は不確実性のもとで結論を引き出す一つの手段である。それによって，小さなグループ（標本）についての知識を数値化し，より大きなグループ（母集団）へと一般化を試みる際，そこにどの程度の誤差が含まれるかを評価し，認識することが可能となる。

統計解析はまず標本の記述から始まる。図を描いてみることは，標本を記述したりその他の分布と比較する場合に，非常に有効な方法であることがわかる。しかし，われわれにとってさらに興味深いのは，標本の中心化の傾向を表す尺度や，そのばらつき具合を表す尺度を得ることである。こういった尺度（量的変量の）の中で最も重要なものは，算術平均と標準偏差である。これらは特に正規分布，すなわち左右対称で釣鐘のような形をした分布曲線を定義する場合に重要である。

ひとたび平均と標準偏差が得られたならば，z単位を用いて，二つの異なる分布からとられた値を比較することもできるし，また，観測値の何パーセントが，その変量のさまざまな値の上下に現れるかを推定することもできる。さらには，標本から作られた統計量に基づき，母集団のパラメータを推測することも可能である。すなわち標準誤差という概念によって，母集団の真の値（たとえば平均や比率の値）が含まれると考えられる信頼区間を決定することができる。通常は，真の値の存在に95％確信がもてるような範囲や，

99％確信がもてるような範囲が用いられる。

　同様な原理に基づき，二つ（あるいはそれ以上）の標本を比較し，それらが同一の母集団からとられたものとみなしうるほど似ているか，を問題にすることができる。それらの間の差は，母集団における本当の差を示唆するほど大きいものであろうか。とすれば，今後同様な方法で一対の標本を選べば，そこにおいてもこのような差はくり返されることになる。そこで，その標本が同一の母集団からとられたものであり，その差は純粋に偶然だけから生じたものであるという帰無仮説を立てる。そして検定を行うことにより，この仮説の起こりやすさを判断することができる。それほど差の大きな二つの標本が一つの母集団から得られる確率が５％以下であることが判明したならば，その仮説を棄却してもよい。より注意深くありたいと思うならば，同一の母集団から得られる確率が１％以下であるほど差が大きくないかぎり，その帰無仮説を棄却しない（その差を本当の差とは認めない）ことにすればよい。仮説が棄却されるような差は有意であるといわれる（たとえそれが実際的な意味では何ら重要でなくともよい）。

　複数個の標本間のいずれかに，有意な差があるか否かを決定するための検定も存在する。それは分散分析を行うものであり，グループ間の分散とグループ内の分散を比較する。量的変量ではなく，質的変量を扱う場合，二つの標本の間の平均の差に代わって，比率に有意な差があるか否かを問うことになる。その場合には，カイ二乗検定と呼ばれるノンパラメトリックな検定が用いられる。これは，偶然だけにより期待される観測値の頻度と実際に現れた頻度とを比較するものである（こういったノンパラメトリックな手法は，質的変量を扱う場合には不可欠にちがいないが，それ以外にも母集団が正規分布に従っているか否かがたしかではない場合にも薦められる）。

　最後に，互いに関連のある異なる二つの変量についての標本が対になって得られた場合，それらの関係に興味をもつことも多い（たとえば人々の身長と体重）。相関とは，このような関係を測るためのものであり，相関係数によってその強さを表す。相関係数は－１と＋１（これらは同様に強い）からゼロまでの間の値をとる。散布図は相関を表すための有用な方法ではあるが，

標本の中のいくつかの個体が等しい値をとるような場合には，散布図のかわりにある種の表を用いなければならない。回帰分析によれば，標本に見られた関係を用いて，母集団において一方の変量の値が与えられた場合に，それに対応する他方の変量の値を予測することができる。こういった予測は，相関の強さが増すにつれ正確になると考えられる。ただし，相関がきわめて強く，予測が正確であったにしても，その事実から，一方の変量が他方により引き起こされていることを"証明"することはできない。たとえ因果関係の存在が理屈にあっていたにしてもである。相関が見られるのは，変量Xが変量Yを引き起こしているからかもしれないし，あるいはその反対かもしれない。あるいは，XもYも共に他の変量Zにより決定されているためかもしれない。さらには，その関係は偶然のもたらした結果かもしれない。統計学は，これらのストーリーにそった推論に対して，データがそれを支持したり否定したりする。しかし，絶対的な証明は決してなされえない。

注　　意

　最後に二，三の注意をしたいと思う。統計学に対しては次のような批判が，幾度も幾度もくり返しなされてきた。「世の中には嘘もあるし統計もある」とか，「数字は決して嘘をつかない。しかし，嘘をつくものは数字を使う。」とか，もう少し感情を抑えたものとしては（前節の最後に述べたことにもかかわらず），「統計学によれば何でも証明できる。」等である。ダレル・ハフの書いた"統計でウソをつく法"（講談社ブルーバックス）は，この種の話題を扱った古典的な本で，そこでなされる警告は非常に重要かつおもしろいものである。

　一般的にいって統計を用いる人は，その人なりの目的があることを覚えておくべきである。彼は疑わしい数字でもって自説を裏付けし，自分の意見を印象づけたり，予想される批判に対して反駁しようとしているかもしれない。たとえば，英国のある政治家が最近，「50％以上の教師が過去5年にわたり，教育水準はあがるどころか，むしろ落ちてきたと考えている」と主張した。

この発言自体は，もしそれが事実とすれば重要な問題なのだが，ただやや あいまいな点がある。50％以上というのは何を全体としてであろうか。実際 は，それは次のような調査に基づくものであった。「教師の36％が生徒の学 業水準が落ちたと考え，24％があがったと考え32％がほぼ以前と同じであ ると考え，そして8％がわからないと答えた。」その政治家は，この調査に おいて"ほぼ同じである"と"わからない"と答えた二つのグループ（標本 の中の冷静な40％の人々）を無視し，残りのグループを比較し，50％以上 という数字を得たのであった。もし彼が英国の教育水準についてもっと"ば ら色の展望"を発表したいと考えたならば「少なくとも64％の教師は，教 育水準が落ちたと考えてはいない」と主張することもまた許される。これに 対して，「教師の76％が教育水準があがったとは考えていない」といえば， ここでの主張以上に暗い展望を描写することになる。

しかしながら，政治家のなす豪語や宣伝広告のごまかしだけに，信用のお けない統計が見られると思ってはならない。今週，ちょうど本章の筆を置こ うとしていたところ，ある大きなフランスの世論調査が「フランス国民の 77％が移住者は母国へ帰るべきだと考えているという事実をすりかえ，数 字を偽って57％と発表した」として告発された。この数字の方が調査の依 頼者（フランス政府）にとっては，より都合がよいものだからである。

科学者といえども，人たるゆえに誤ちを犯すものである。彼らが純然たる ごまかしを行おうと試みることはまずないだろう。（ただし，最近亡くなっ た有名な英国の心理学者のライフワークが，実験データ，つまり統計データ のごまかしを行っているということで，現在批判にさらされてはいるが。） しかし科学者たちも持論を証明しようと夢中になるあまり，その過程で標本 の不適切性やバイアスを見逃したり，あるいは不適当な検定やあまい有意水 準を選んだりするものである。雑誌の論文に見られる研究にも（たとえば心 理学の分野において）こういった多くの過ちがなされている。実例として， フィンランドの医学者が1971年に行った古典的な研究によれば，「バターの かわりに植物性マーガリンを食べることによって心臓病になる可能性が少な くなる」，とのことであったが，現在その統計的な弱点をつかれて批判を受

けている。

　もちろん，読者が自らこういった違反者を発見することは難しいと思う。しかしこれは，単に十分な技術的訓練の問題だけなのである。読者には不当に懐疑的であってもらいたくはない。読者にとって必要なのは，主として他人の統計を理解し解釈することであり，それらに"けちをつける"ことではない。同時に，読者の解釈もこの本で学んだことにより影響を受けているであろう。たとえば，標本の中のバイアスの可能性とか，有意性と重要性のちがいとか，相関は必ずしも因果を意味しないといったようなことである。言うまでもなく，読者が自分の主張を裏付けするために，他人に対して統計を作成することがあるとすれば，他人に対して望むのと同様の正直さを求めて努力することであろう。

　要するに，「統計の利用者としては注意してあたれ，作成者としては誠実たれ」ということである。

練習問題解答

練習問題 1.

1. 私の場合，目がさめるなり，小鳥の鳴き声と，障子に映った木漏れ日の濃さから，本日は非常に良い天気にちがいないと思った。

2. 次打席においても，ヒットを打つ確率は，やはり3割3分3厘である。

3. （i）記述的，（ii）推測的，（iii）記述的，（iv）推測的（これは男女一般について述べている），（v）記述的。

4. （i）"この本の原著に見られる文章全体が，平均約20語からなっている"と言いたくなるかもしれない。しかし，これは第1ページについて調べた結果である。作者はつい筆に力が入っており，平常の文体とは異なるものを用いたかもしれない。確かなことが言えるには，もっと多くのページをランダムに選び，調査しなければならない。
（ii）極端に一般化したとすれば，「キャリアウーマンはすべて大きな声をしている」ということになる。もちろんこれは早合点である。たった3人のキャリアウーマンについてだけではデータ数が少ない。さらにその女性たちは，職業上大きな声で話すのかもしれない。

5. この標本が抽出された母集団は，その雑誌を購読しているものと，電話の所有者である。このような人々は，どちらかといえば経済的余裕のある人々で，その考え方も保守的傾向にあったわけである。

6. （i）×：電話番号では0〜9までの数字がでたらめに現れてはいない。どのように偏っているかは読者に考えてもらいたいが，一般に1が多く，9が少ないようである。　（ii）×：人にでたらめに数字を言わせると，その人の個性が出て偏りが生ずる。たとえば，昔からウソの3，8といわれ，でたらめの数字には3と8が入りやすい。また，ラッキー7ともいわれるため，7は好んで使われるかもしれない。4，9は縁起が悪いと一般に考えられているためか，避ける人も多い。　（iii）×：ルーレットには，00，0と1から36までの数字が用いられている。そのため，1の位の数は，0が5個，1〜6が4個，7〜9が3個含まれることになり，それぞれ異なる確率で得られる。　（iv）×：どのような数字が得られるか前もって決まっているため，

でたらめにとられたものとはいえず,乱数としては使えない。100ケタまで覚えている人もいるそうだ。　（v）○：ただし,前の効果が残らないように,よく振ってから転がすこと。

7. 箱に番号をつける。それらの番号を別のカードに書き,それらをよく混ぜた後に,そこから適当な枚数カードを抜き出す。選ばれた番号に対応するものを開けることにする。

練習問題　2.

1.　（i）選手名－名義変量,打数順位－順序変量（順位）,チーム名－名義変量,打数－離散的な量的変量,安打－離散的な量的変量,打率－連続的な量的変量,本塁打－離散的な量的変量。変量ではないものは,総試合数やスタメンの人数等。　（ii）イ．順序変量,　ロ．連続的な量的変量（ゼロ点をもつ）,　ハ．離散的な量的変量（ただし,連続的と考えてもほとんど問題はない）,　ニ．変量ではない,　ホ．名義変量,　ヘ．連続的な量的変量（ゼロ点をもたない）。

2.　どのような予測方法を用いたのかはわからないが,下位の数,189人という予測値は,たいへん疑わしい。いうなれば,予測値が細かすぎるということである。おそらく,過去の失業者数のデータ,本年度の失業者数予測値,および経済予測などをもとに,はじき出した数値であろうが,その他の不確実性を考慮に入れて,予測値にある程度の範囲をもたせ,「だいたい,210万人ぐらい」とか,「180万人から240万人の見込み」などとした方が現実に達成されると思われるし,実用的な予測値となろう。

練習問題　3.

1.　（i）折れ線グラフ。　（ii）棒グラフ。　（iii）パイ図（円グラフ）。（iv）パイ図（円グラフ）。ただし,これらは他のグラフによっても表すことができる。

2.　まずデータを表にまとめれば,右表のようになる。これをグラフに表すには,棒グラフを用いるのが普通かもしれない。しかし,両年度とも計10人の留学生がいることを考えればパイ図を用いて

	2000	2001	計
北　　　　米	5	1	6
ア　ジ　ア	2	3	5
オセアニア	1	4	5
アフリカ	2	2	4
計	10	10	20

もよい。その結果,北米からの留学生が減少する一方,オセアニアからの留学生が増加していることがわかる。しかし,そこから最近のオセアニアの日本熱を読みとるには,標本数が小さすぎる。

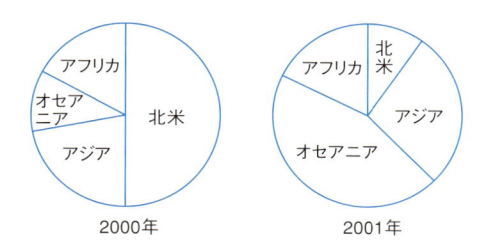

3. 意味がないことは明白。もし，この 3 日間のデータのみから明日の気温を予測せよといわれたならば，3 日間の平均をとって，15℃といった方がまだよい。

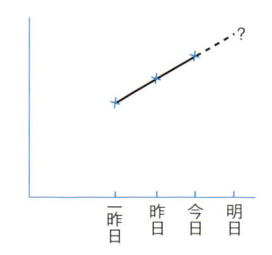

4. メディアン $(10+12)/2=11$（分），モード 10（分），平均 $(8+10\times 3+12\times 2+14+20)/8=12$（分），レンジ $20-8=12$（分）。中心化の傾向としては，はっきりと何がよいかは決めがたい。モードかメディアンが適当であろう。

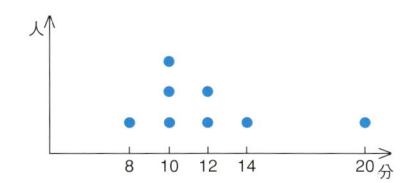

5. 答(3)，「サンプル数が 10 の場合，標準偏差はレンジの 1/3 ぐらい」とある。レンジは，$10-1=9$ だから，標準偏差は 3 前後と予想される。平均は $(1+2+3+4+5+6+7+8+9+10)/10=5.5$，よって $SD^2=[(1-5.5)^2+(2-5.5)^2+\cdots+(10-5.5)^2]/10=(20.25\times 2+12.25\times 2+6.25\times 2+2.25\times 2+0.25\times 2)/10=(40.5+24.5+12.5+4.5+0.5)/10=82.5/10=8.25$ $\therefore SD=\sqrt{8.25}=2.87$ この値は確かに 3 に近い。

6. レンジ (A) 40，(B) 20。内側四分位レンジは上から 3 番目と下から 3 番目の値の差である。(A) $125-115=10$，(B) $130-110=20$。分散：平均は (A)，(B)

ともに120, (A)〔$(140-120)^2+(125-120)^2×2+(115-120)^2×2+(100-120)^2$〕$/10=90$, (B)〔$(130-120)^2×3+(110-120)^2×3$〕$/10=60$。標準偏差 (A) $\sqrt{90}≒9.5$, (B) $\sqrt{60}≒7.7$。内側四分位レインジで測った場合以外は (A) の方がばらついているといえる。

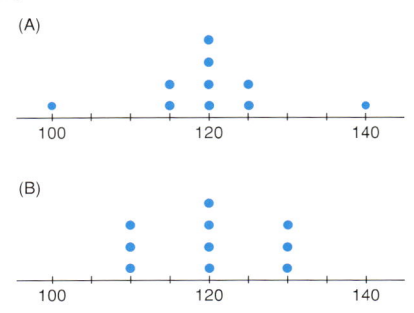

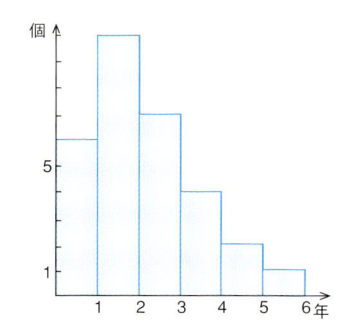

(A)

(B)

練習問題 4.

1. (ⅰ) 下図のとおり。 (ⅱ) 1～2年。

(ⅲ) $(0.5×6+1.5×10+2.5×7+3.5×4+4.5×2+5.5)/30=6.4/30=2.13$。
(ⅳ) この問題は，読者には難しく感じられるかもしれない。部品は全部で30個あるので，15番目と16番目のものの寿命を推し測ることになる。より具体的には，1～2年の間のカテゴリーに属する10個を考え，それらが規則正しく並んでいるとすれば，その最後の二つ (15番目と16番目に対応する) は1.8と1.9 (あるいは1.9と2.0) と考えられる。よってメディアンは，この二つの値の間の値1.85 (あるいは1.95) と推測すればよい。 (ⅴ) 正の方向に歪んでいる。 (ⅵ) 歪みがあることを考えれば，メディアンがよい。

2.（ⅰ）平均の上 1/2 SD。　（ⅱ）平均の下 1/4 SD。　（ⅲ）平均の上 2 SD。

3.（イ）30 cm は平均の上 1 SD に対応する。よって，これより大きなものは約 16 % ということになる。約 1,600 匹。　（ロ）15 cm は平均の下 2 SD に対応する。よって，これより小さなものは約 2.3 % である。約 230 匹。　（ハ）同様に，平均の下 2.5 SD より上 1.5 SD までには 43.3 % ＋ 49.4 % ≒ 93 %。約 9,300 匹。　（ニ）上から数えて 10 % は，ほぼ平均の上 1.25 SD に対応する（ただし，この値は本文中の表 4.2 より読みとった場合である）。よって 25 ＋ 5 × 1.25 ＝ 31.25。31.25 cm。　（ホ）下から数えて 0.15 % は，平均の下 3 SD に対応する。よって 25 − 5 × 3 ＝ 10。10 cm。

4.　A（男）10.6 ＝ 9.8 ＋ 1 × SD，B（女）12.0 ＝ 11.2 ＋ 2/3 × SD，C（男）9.2 ＝ 9.8 − 0.75 × SD，D（女）10.0 ＝ 11.2 − 1 × SD，E（男）10.8 ＝ 9.8 ＋ 1.25 × SD。よって，D，C，B，A，E の順である。

練習問題　5.

1.　答 B。二人のうちの一人が現れる可能性は大きいが，A，C については，B に比べてもう一人が 3 SD の範囲を超えており，このような小人が現れる可能性はゼロに等しい。よって，二人の小人を同時に考慮すれば，B ということになる。

2.　a．（表，表）（表，裏）（裏，表）（裏，裏）の 4 通りの可能性がある。このうち，条件に当てはまるものは二つあるので 2/4 ＝ 1/2。1/3 ではないことに注意。　b．出目の和が 7 となるのは，6 × 6 ＝ 36 通りのうち（1，6）（2，5）（3，4）（4，3）（5，2）（6，1）の 6 通り。よって 1/6。また，出目の和が 2 となるのは（1，1）だけ，よって 1/36。　c．b を 2 ～ 12 のすべての値について考えれば，下図のとおり。この図より，二つの平均をとれば長方形が三角形になり，分布のすそにあたる値の出る確率が小さくなることがわかる。これを再度くり返せば，図のような分布が得られ，次第に正規分布に近づく。これは中心極限定理と呼ばれ，統計学における重要な定理である。

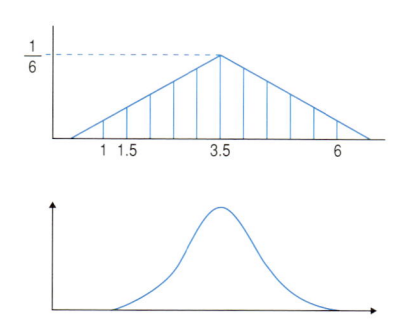

3．（ i ）$4/\sqrt{100}=0.4$，∴ 0.4cm。　（ ii ）$2SE=0.4\times 2=0.8$，∴ 95%信頼区間は9.4cm〜11.0cm，$2.5SE=0.4\times 2.5=1$，∴ 99%信頼区間は9.2cm〜11.2cm。

4．（ i ）ブルーの瞳をもつものの比率の標準誤差 $\sqrt{0.6\times(1-0.6)/100}=\sqrt{0.6\times 0.4/100}=\sqrt{6}/50=0.05$。グリーンの瞳をもつものの比率の標準誤差 $\sqrt{0.1\times(1-0.1)/100}=\sqrt{0.1\times 0.9/100}=\sqrt{9}/100=0.03$。
（ ii ）$0.6\pm 2SE$より，ブルーの瞳をもつものは0.50〜0.70，グリーンの瞳をもつものは0.04〜0.16。
（iii）ブルーの瞳をもつものの比率の標準誤差は，$\sqrt{0.6\times 0.4/10{,}000}=0.005$となる。よって比率の信頼区間は$0.59$〜$0.61$。グリーンの瞳をもつものの比率の標準誤差は $\sqrt{0.1\times 0.9/10{,}000}=0.003$ となる。よって比率の信頼区間は0.094〜0.106。

練習問題　6．

1．（ i ）$6{,}000\pm 2.5SE$　より　$5{,}100$〜$6{,}900$。　（ ii ）$8{,}000\pm 2.5SE$　より$7{,}000$〜$9{,}000$。　（iii）重なっていない。　（iv）二つの工場からの水銀電池の平均寿命が等しいことは，無視できるくらい小さな確率でしか起こらない。よって等しいとは考えられない。

2．（ i ）ともに$2.0/\sqrt{100}=0.2$，∴ 0.2cm。　（ ii ）$\sqrt{(0.2)^2+(0.2)^2}=0.283$。
（iii）カリカリ族とコリコリ族の背丈の平均には差がない。　（iv）$10.6-9.8=0.8$。この値は95%，99%で，$2SE=0.57$，$2.5SE=0.71$。ともに有意。よって，二つの種族の間には平均身長の差が存在する。

練習問題　7．

1．（ i ）帰無仮説：全缶詰の中味の平均は100gである。対立仮説：全缶詰の中味の平均は100gに満たない。　（ ii ）$20/\sqrt{100}=2$。　（iii）$100-96=4$，これは$2SD$にあたる。また，片側の場合，有意水準5%は$1.7SD$，有意水準1%は$2.3SD$に対応する。よって，有意水準5%の場合にのみ，有意となり仮説は棄却される。

2．（ i ）帰無仮説：二つの畑のひまわりには，背丈の差はない。対立仮説：二つの畑のひまわりには，背丈の差がある（どちらが大きいかは考えない）。　（ ii ）標本数が小さいためt検定。　（iii）それぞれの標準誤差は$0.6/\sqrt{4}=0.3$と$0.8/\sqrt{4}=0.4$。よって150ページの式を用いて$\sqrt{0.3^2+0.4^2}=0.5$，∴ 0.5m。　（iv）$2.8-2.2=0.6$，$3.2\times 0.5=1.6$。$1.6>0.6$なので有意とはいえない。　（ v ）同様に$0.6/\sqrt{100}=0.06$，$0.8/\sqrt{100}=0.08$，$\sqrt{0.06^2+0.08^2}=0.10$，$2\times 0.1=0.2$，∴ 有意である。

3．（ i ）黒人30mm，白人34mm，日本人26mm。　（ ii ）〔$(28-30)^2+(28-30)^2+(30-30)^2+(32-30)^2+(32-30)^2$〕$/(5-1)=4$。同様に$(4^2+2^2+0^2+2^2+4^2)/4=10$，$(2^2+0^2+0^2+0^2+2^2)/4=2$。　（iii）$(4+10+2)/3=5.33$。　（iv）$(30+34+26)/3=30$。よって〔$(30-30)^2+(34-30)^2+$

$(26-30)^2]/(3-1)=16$。161 ページの（脚注）より $16\times 5=80$。　（v）$80/(16/3)=15$。よって F 検定を行えば，結果は明らかに有意となり，人種によって鼻の高さにちがいがあると言える。

4. （ⅰ）帰無仮説は，"喫煙習慣の有無と肺ガンの間に関係はない"。下表のとおり。　（ⅱ）$(38-30)^2/30+(22-30)^2/30+(12-20)^2/20+(28-20)^2/20=64(1/30+1/30+1/20+1/20)=10.7$。　（ⅲ）有意水準 5％，1％でともに有意。

	喫煙習慣あり	喫煙習慣なし	合計
肺ガン	30	20	50
正　常	30	20	50
合計	60	40	100

練習問題 8.

1. A–(a), B–(g), C–(b), D–(f), E–(e), F–(a)。注意したいことは，F のように二変量間に関数関係が存在したとしても，相関係数の値が小さいという点である。相関係数とは，直線的関係をみるための尺度である。

2. （ⅰ）$1-(0.8)^2/\sqrt{64}=0.36/8=0.045$。　（ⅱ）$r\pm 2\mathrm{SE}$ は $0.71\sim 0.89$（95％信頼区間），$r\pm 2.5\mathrm{SE}$ は $0.69\sim 0.91$（99％信頼区間）。　（ⅲ）$2\times 1/\sqrt{64}=0.25$，$2.5\times 1/\sqrt{64}=0.31$。0.8 はこれらのいずれよりも大きいので有意である。よって相関は存在する。

3. 必ずしもそうはいえない。相関の存在は因果を意味しない。実際，この場合，学生たちは頭が悪い（成績が悪い）ゆえに，タバコを喫ったり，酒を飲んだりするということも考えられる。

4. （a）$y=(7/10)\times 60-6=42-6=36$，∴36点。$y=(7/10)\times 80-6=56-6=50$，∴50点。　（b）（ⅰ）$40\sim 45\mathrm{kg}$。$5/15=0.33$。（ⅱ）$(37.5\times 1+42.5\times 5+47.5\times 4+52.5\times 2+57.5\times 3)\div 15=47.8$，∴47.8kg。（ⅲ）この表から判断すれば，彼の体重が 60kg 以上ということは考えられないが，それは現実には十分ありうることである。

5. （ⅰ）散布図

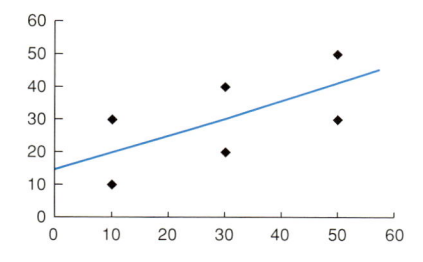

(ii) 回帰式　X の平均は 30，Y の平均も 30 である。X の分散は $1600/6$，X と Y の共分散は $800/6$ である。それゆえ回帰式は $y = \dfrac{800}{1600}(x-30) + 30 = \dfrac{1}{2}x + 15$ と求められる。

(iii) 残差

観測値	残差
1	-10
2	10
3	-10
4	10
5	-10
6	10

母集団分散の残差の 2 乗の和を $(6-2) = 4$ で割ることにより，150 と求められる。傾きの標準誤差は $\sqrt{\dfrac{150}{1600}} = 0.306$，また t 値は $\dfrac{1}{2} \div 0.306 = 1.63$ と計算される。

(iv) 回帰式に $X = 40$ を代入することにより，$Y = 35$ と予測される。

索　引

あ　行

異常値　49,52
１％水準　129

ＳＥ差　121
F比　162

か　行

回帰　172,198
　　――式　202
　　――直線　202,207
　　――分析　172,202
カイ二乗検定　165
カイ二乗分布　168
確信度　105
確率　9,93,126
確率論　11
片側検定　144,147
偏り　18～21
価値判断　128
カテゴリー　20,26,27,31,36,37,39
観測値　9,12,31,33,34,36,37,41,42,44,45,49,
　　　　52,60

棄却域　149
棄却値　144
記述統計　13,15
期待頻度　166
帰無仮説　122,127,129,131,142,143
共分散　184,203
記録値　32～34,45

さ　行

残差　206
最小二乗法　202
最頻値　45
散布図　177,179,199,200,206
サンプリング　17
　　――分布　102
　　――変動　94

時系列　40
質的データ　37,40,48,136
質的変量　26,31,45
四分位点　52
自由度　154,168
順位付け　31
順序変量　26,27
真の値　33,34
信頼区間　105,106

推測　13,15,18,93
推測統計　13,15
推定　10,13,108
　　――値　90,114,160

正規曲線　74,80,83
正規分布　71,74,76,77,79,81,83,85,88,95,
　　　　96,99,108,119,136,153

こ

交互作用　164
誤差　12,32,34,93,97,108
　　――の範囲　33,34
５％水準　129

――曲線　71,72
z検定　152,154
z値　86

相関　172
　――の強さ　178
　正の――　177
　ゼロ――　177
　負の――　177
相関係数　180,186,190,186,195
　――の標準誤差　187
　順位――　180
　積率――　180
　標本――　187

た　行

対象群　141
第一種の過誤　131,133
第二種の過誤　131,133,139
対立仮説　123,143

中心化の傾向　47,48,56
中心極限定理　96,225

t検定　153,154
　スチューデントの――　153
t値　153,208
t分布　153,208
データ　8,10,30,31,32,34,35,36,40,56
点図　44,68

統計　10
統計的手法　31
統計的推測　90
統計的データ　32
統計的方法　11
統計量　90,98
　――の標本分布　98

な　行

生のデータ　47

二重盲検　141

ノンパラメトリック検定　137,138

は　行

ばらつき　47,53,65,92
　――の差　134
　――の尺度　50
パラメータ　90
パラメトリックな手法　136,139
範囲　42

ヒストグラム　46,65
標準誤差（SE）　99～103,109,118,123,
　　148,150,165,189,206,207
　比率の――　109
　平均の差の――　121
標準偏差（SD）　53～56,74,75,77,78,85,
　　98,99,100,102,114,118,135,148
　S――　90
　P――　90
標本　14～20,24,108
　――SD　101
　――データ　35
　――統計量　118
　――の収集　17
　――の精度　103
標本平均　49,90,95～103
　――の差　119,127
　――の分布曲線　117
比率　108,110,164
頻度　36
　――表　36
　――分布　44,45,95,119

分割表　40
分散　54,55,161
　　——の比　162
　　標本内——　163
　　標本間——　163
分散分析　156,159,160
　　一元の——　163
　　二元の——　163
分布　41,44
　　——曲線　67
　　——の形状　47
　　S平均の——　95
　　F——　162
　　t——　153

平均　43,45,48,63,74,78,110,118,135
　　——からの偏差　55
　　——値　43
　　——の差の標本分布　121
　　——の差の分布　118
　　S——　90
　　算術——　43,48,54
　　P——　90
　　母集団——　90,103
偏差の二乗　54,55
偏差の積　184
偏差の平均　54
変数　36
変量　25,28
　　——特性　25

棒グラフ　37,46
母集団　13〜16,18〜20,90,103
　　——ＳＤ　101
　　——の変動　161
　　——パラメータ　108

ま　行

マン・ホィットニィのU検定　138

名義変量　26
メディアン　42,45,49

モード　45,48
もっともらしさ　9

や　行

有意水準　131,132
有意性検定　118,122,131,134,135,152,156,
　　164,189
有意な差　128
歪み　60,63

予測　10,14,198

ら　行

乱数表　19
ランダム　18
ランダム標本　94
　　層別——　20

離散変量　29,30
リスク　123,212
両側検定　143,147
量的変量　29,30,31,40,41,48

レインジ　42,51,68
　　内側四分位——　52,53
　　S——　90
　　P——　90
連続変量　29,30

訳者紹介
　　加納　悟（かのう　さとる）
1950年　金沢市に生まれる
1973年　京都大学工学部数理工学科卒業
　　　　工学博士（京都大学）
1991年　横浜国立大学経済学部教授
2000年　一橋大学経済研究所教授
2007年　逝去

主著訳書
回帰分析の実際（佐和隆光氏と共訳，新曜社，1981）
マクロ経済学　第2版（浅子和美，倉沢資成氏と共著，新世社，2009）
入門経済のための統計学　第2版（浅子和美氏と共著，日本評論社，1998）

新・涙なしの統計学

1991年11月10日 ©	初　版　発　行
2001年11月25日 ©	新版第1刷発行
2015年 9月10日	新版第21刷発行

著　者　D.ロウントリー　　　発行者　木下　敏孝
訳　者　加納　悟　　　　　　印刷者　林　初彦

【発行】　　株式会社　新世社
〒151-0051　東京都渋谷区千駄ケ谷1丁目3番25号
☎(03)5474-8818(代)　　　サイエンスビル

【発売】　　株式会社　サイエンス社
〒151-0051　東京都渋谷区千駄ケ谷1丁目3番25号
営業☎(03)5474-8500(代)　振替　00170-7-2387
FAX☎(03)5474-8900

印刷・製本　太洋社
《検印省略》

本書の内容を無断で複写複製することは，著作者および出版者の権利を侵害することがありますので，その場合にはあらかじめ小社あて許諾をお求め下さい。

ISBN4-88384-035-2
PRINTED IN JAPAN

サイエンス社・新世社のホームページのご案内
http://www.saiensu.co.jp
ご意見・ご要望は
shin@saiensu.co.jpまで